Banlieues en difficultés :
la relégation

Maquette de couverture : Gérard Lo Monaco

Responsables de la collection :
Claude Neuschwander et Hugues Sibille.

Dans la même collection :

Jean-Marie Delarue

Banlieues en difficultés :

la relégation

Rapport au ministre d'Etat,
ministre de la Ville et de l'Aménagement du territoire

Remerciements

Sans les conseils et les réflexions généreusement prodigués par Jean-François Germe, Marie-Françoise Goldberger, Gérard Sarazin, Bertrand Schwartz, Nicole Smadja et Michel Théry, ce rapport n'aurait pu être écrit. Ils gardent, bien sûr, leur entière liberté d'appréciation sur ce qui s'y trouve, qui n'engage que l'auteur lequel a, à leur égard, une profonde gratitude.

Sous la conduite de Bernard Simonin, Sandrine Berroir, Serge Brunet, Françoise Moiroux, Florence Morgensztern, Raphaël Slama ont procédé avec méthode et efficacité au dépouillement des réponses à l'enquête. Ils en ont tiré une synthèse qui constitue, en quelque sorte, la première ossature de ce document. Qu'ils soient vivement remerciés pour leur aide.

Chacun de ceux qui ont écrit ou été rencontrés a manifesté compréhension et disponibilité pour l'élaboration de ce travail. Chacun doit savoir qu'il a été attentivement écouté et que ces contacts noués par la force des choses, riches de vie et d'espoirs, ne seront pas oubliés.

Marie-Claude Baradinesaeb a assuré l'ensemble du secrétariat de cette mission et a en partie dactylographié le texte. Merci à elle.

Avertissement

La loi du 27 mai 1885 a introduit en droit pénal français la peine complémentaire de la relégation, qui consistait dans l'internement perpétuel de condamnés, en particulier de récidivistes, sur le territoire de possessions d'outre-mer.

La peine, progressivement adoucie, fut supprimée définitivement par la loi du 17 juillet 1970.

L'origine de la relégation remonte au droit romain. A Rome, tout citoyen condamné à la relégation était, comme ultérieurement en droit français, libre sur le sol où il subissait sa peine.

Sommaire

CHAPITRE 3
QUELLE STRATÉGIE ?

CHAPITRE 4
L'URBAIN, LE SOCIAL ET L'ÉCONOMIQUE

CHAPITRE 5
CULTIVER LA RESSEMBLANCE, CULTIVER LA DIFFÉRENCE

CHAPITRE 6
JALONS POUR LA MISE EN ŒUVRE

CHAPITRE 7

LES RÉALISATEURS

Le ministre d'Etat, ministre de la Ville

Monsieur,

L'insertion dans la ville des quartiers et des populations défavorisés est la première priorité d'une politique de la ville.

Le Président de la République et le Premier ministre ont eu l'occasion, récemment, à plusieurs reprises, de faire savoir qu'ils entendaient donner à cet objectif une nouvelle impulsion.

Qui peut, à cette fin, mieux définir ce qui est nécessaire que ceux qui travaillent dans ces quartiers défavorisés au service de leur population? Vous savez, comme moi, que les expériences qui ont été conduites depuis plusieurs années montrent que leur réussite est d'autant plus grandes que les initiatives locales ont été stimulées et la participation des habitants encouragée. Les auteurs de ces initiatives doivent être associés à la définition du nouvel effort nécessaire.

Je vous demande d'être, auprès d'eux, dans le cadre de la mission que je vous confie, mon intermédiaire. Vous devrez recueillir leurs suggestions afin d'accroître l'efficacité de ce qui a été positif, de renouveler aussi les méthodes et les champs du développement urbain.

Vous devrez nouer à cette fin un dialogue approfondi avec des élus concernés mais aussi avec des chefs de projet, des animateurs, responsables d'association ou représentants de quartiers, des agents publics, des fonctionnaires, des bénévoles qui ont fait des quartiers le cadre de leur action. Cette liste n'a, bien entendu, aucun caractère limitatif.

Selon les modalités que vous arrêterez avec vos interlocuteurs, ils pourront faire participer à ces échanges tous ceux qu'ils jugeront nécessaire d'associer à la réflexion.

J'attacherais de l'intérêt à ce que dans la deuxième partie de votre travail vous puissiez également associer à cette démarche le «groupe d'animation» que j'ai mis en place, et qui associe MM. Bonnemaison, Dauge, Geindre, Pesce et Picard.

Je souhaite que le dialogue ainsi entrepris puisse concilier l'urgence des actions à entreprendre et le délai nécessaire à de vrais contacts. C'est pourquoi je serais attaché à ce que le travail de synthèse de cette consultation, comprenant des propositions aussi précises que possible sur la politique à mener, me parvienne avant le milieu du mois de mai prochain.

Mon cabinet se chargera d'assurer les moyens matériels nécessaires à l'exercice de votre mission.

Je vous prie de croire, Monsieur, à l'assurance de mes sentiments les meilleurs.

Michel Delebarre

Monsieur Jean-Marie Delarue
Maître des requêtes au Conseil d'Etat
Conseil d'Etat
Palais Royal
75001 Paris

Note de méthode

La lettre du ministre de la Ville demandant une étude «afin ... de renouveler... les méthodes et les champs du développement social urbain» est datée du 19 février 1991. Elle donnait à son destinataire moins de trois mois pour remettre son rapport.

Compte tenu de ce délai, il a été décidé d'opérer en trois temps, rappel étant fait de ce que l'objectif de la mission consistait avant tout à interroger ceux «qui ont fait des quartiers le cadre de leur action».

Dans un premier temps, 340 lettres ont été envoyées à des élus, des responsables d'associations, des chefs de projet, des architectes... Dans une perspective aussi ouverte que possible, il leur a été demandé d'indiquer ce qui allait bien et ce qui allait mal dans la politique suivie, de décrire aussi la cité où ils intervenaient et les actions qu'ils entendaient promouvoir.

130 lettres utiles [*] ont été reçues jusqu'au 15 mai. La plupart ont été dépouillées par une équipe d'experts et chacune d'elles a donné lieu à une fiche analytique. L'ensemble a conduit à la rédaction d'une synthèse.

Dans un deuxième temps, un certain nombre de sites a été choisi, sur la base des lettres reçues, pour que celles-ci puissent être commentées par leurs auteurs à qui il a été demandé, en outre, d'organiser des rencontres supplémentaires. Neuf déplacements ont été effectués entre le 3 avril et le 29 avril. Ils ont permis de dialoguer avec cent vingt personnes (environ) et, dans la mesure du possible, d'avoir des contacts directs avec les cités.

Enfin, dans un troisème temps, des auditions ont été organisées à Paris, soit avec des personnalités, dont le rôle a été – ou est – important dans le développement social urbain, soit avec des associations qui y ont un rôle très actif, soit avec des institutions, comme le Conseil économique et social dont la section du cadre de vie a bien voulu nous recevoir : des entretiens ont ainsi eu lieu avec quatre-vingt personnes.

Les délais ainsi fixés n'ont pas permis de voir ou d'entendre tous ceux qui auraient souhaité être vus ou entendus. Des chefs de projet ou des membres d'associations ont fait savoir que leur charge de travail s'opposait à ce qu'ils puissent faire part de ce qu'ils avaient envie d'écrire. Il existe ainsi des expériences, douloureuses ou réussies, dont il n'a pas été rendu compte.

Il semble cependant qu'aucune grande préoccupation n'est restée dans l'ombre. Les personnes interrogées avaient reçu la garantie que la discrétion de leur identité serait assurée. Parole a été tenue sur ce point : le nom des villes a été mentionné seulement pour des réussites exceptionnelles ou bien là où le grand nombre ne permettait pas d'identifier l'auteur.

Ce sont tous ces auteurs anonymes qui ont fait la rédaction de l'ouvrage. Non seulement parce qu'ils l'ont inspiré, mais parce que ce qu'ils vivent a donné l'envie de l'écrire.

Jean-Marie Delarue

[*] 40 % des réponses émanent de chefs de projet
    21 % de militants d'associations
    15 % de fonctionnaires de l'Etat
    14 % de responsables de mission locale, de conseil de prévention de la délinquance, d'enseignants en ZEP et 10 % d'élus.

Introduction

Depuis plusieurs mois, les initiatives en faveur des villes pauvres (qu'on les appelle «quartiers» ou «cités», on n'entrera pas ici dans le débat sur l'usage de ces termes) ont été multipliées. Il est nécessaire, par conséquent, de s'arrêter sur la politique dite de «développement social urbain» telle qu'elle est menée, pour lui donner une efficacité accrue, pour répondre aussi, à l'attente des habitants, ou plutôt à leur impatience, qui est légitime.

Car les actions sur la ville ne sont pas nouvelles. Les premières qui ont eu pour objectif de remédier aux difficultés que l'on connaît aujourd'hui ont été mises en œuvre voici treize ou quartorze ans. D'une certaine manière, les diagnostics qui ont été formulés à différentes occasions sont si lucides et si précis, qu'on se prend à s'étonner de voir l'opinion, celle du moins qui s'exprime et qui ne réside pas dans les communes concernées, découvrir qu'il existe là un problème social grave et dont la solution est pressante.

De ces différents diagnostics, retenons-en trois.

Le premier est celui qui a reconnu l'échec partiel du pari architectural et urbain des années soixante. Certes, tous les «grands ensembles» (expression déjà éloquente en soi : grands, sûrement, ensemble(s), c'est une autre affaire...) ne se portent pas mal. Mais dans les quartiers aujourd'hui malades, il en existe beaucoup. Ils devaient être, écrivait-on en 1963, «le support écologique de la culture de masse – et la genèse d'une autre société [1].» Il est à craindre que la société qui vit aujourd'hui dans des tours et des barres dégradées n'est pas celle qu'on attendait. Qui ne voit qu'il y a là une manière de vivre plus étrangère à celle de notre société française que les étrangers qu'on y a souvent mis? Alors que la satisfaction des Français à l'égard de la qualité de leur logement ne cesse de croître, celle des locataires de HLM décroît (environ 25 % de mécontents en 1978; plus de 35 % dix ans plus tard). Naturellement ce parti pris d'habitat et d'urbanisme n'a pas été fait qu'en France. Les circonstances des années de croissance l'exigeaient peut-être. Mais les critiques aujourd'hui sont nombreuses. Plus nombreuses, sans doute, que les modifications effectives apportées aux conceptions qui président à de tels programmes.

Le deuxième diagnostic porte sur la population qui est installée dans ces cités. On sait qu'aux débuts de leur construction une population à revenus modestes ou moyens, quelquefois élevés, dans tous les cas stables (ouvriers qualifiés, techniciens...) en a bénéficié. Elle y demeure longtemps. Une part d'entre elle, bénéficiaire de procédures d'accession à la propriété, en sortait avec régularité, permettant d'assurer un flux régulier de nouveaux entrants. Ce mécanisme s'est déréglé avec le ralentissement de la croissance, à la fin des années soixante-dix. D'une part, une population aux ressources de plus en plus faibles est entrée dans ces logements. D'autre part, faute de revenus stables ou suffisants, elle y est restée à demeure, sans pouvoir prétendre aux programmes destinés à des catégories mieux pourvues. Cette évolution, perçue par l'INSEE dans l'enquête logement de 1984, a été confirmée dans l'enquête suivante : non seulement 64 % des locataires de HLM ont un revenu inférieur au revenu médian de l'ensemble des ménages, mais encore ceux qui ont emménagé en HLM depuis 1984 ont, en moyenne, les revenus les plus faibles de tous ceux qui ont changé de logement ces dernières années [2]. Il n'y a rien là de choquant, ou d'inattendu. Après tout, la loi (article L. 411-1 du code de la construction) n'assigne-t-elle pas aux organismes d'habitation à loyer modéré, ou assimilés, le soin de loger les « personnes et (les) familles de ressources modestes » ? Mais cette circonstance, somme toute normale, impose de nouvelles sujétions aux organismes propriétaires. Surtout, on doit regarder aujourd'hui et, sans doute pour de longues années encore, les populations résidentes comme « captives » au sens économique du terme, c'est-à-dire sans autre choix que d'utiliser ces logements. On verra plus loin que cette « captivité »-là a peut-être une signification plus lourde encore.

Le troisième diagnostic porte sur le marché du travail. Il n'est pas le lieu ici de rappeler son évolution depuis 1974. Sauf à rappeler que, par rapport à nos voisins européens, le chômage apparaît plus rebelle aux variations conjoncturelles. Evoluant plus lentement à la hausse à la fin de la décennie soixante-dix, il a moins reflué dix ans plus tard. Toute une frange de la population active a rompu pour longtemps avec le monde du travail. Le pourcentage des chômeurs de longue durée (à la recherche d'un emploi depuis plus d'un an) avait faiblement regressé en 1990, il est à nouveau en hausse aujourd'hui (30 % en février 1991, 30,3 % en mars). Surtout cette part de situation exceptionnelle, qui a diminué chez les jeunes, augmente de plus en plus vite chez les adultes [3]. Ce qui a fait dire à un maire, de manière un peu schématique, que des jeunes de sa commune n'ont jamais vu leurs parents travailler. Ce qui a fait surtout mettre en garde, depuis longtemps, contre « la société duale » et le risque d'une « France à deux vitesses ».

Si l'ampleur des difficultés des quartiers peut étonner, aujourd'hui, c'est que, comme souvent en matière d'analyses sociales, on n'a pas opéré les connections nécessaires. On a bien relié, quelquefois, le premier et le deuxième diagnostics, guère le troisième. Pourtant, ces chômeurs de longue durée, ces personnes sans travail, ces jeunes en situation précaire doivent habiter quelque part, n'est-ce pas ? Il faut bien, si l'on peut dire, que la crise se manifeste dans un endroit ou un autre puisque ce n'est pas dans les entreprises, lorsque les procédures de licenciement sont achevées, qu'elle va apparaître.

Cette crise-là, qu'on entende bien, n'est pas réductible aux effets du ralentissement de la croissance. Elle n'exprime pas davantage exclusivement le rejet du nouveau mode de vivre des prophètes de ZUP (zone à urbaniser en priorité) : certaines, aujourd'hui, vivent très bien. Pas plus, enfin, qu'elle ne traduit uniquement la paupérisation des cités. Mais la combinaison des trois phénomènes a rendu insupportable le mal de vivre.

Les collectivités publiques, qui ont été dotées d'une conscience et d'instruments contre le chômage, étaient peu préparées à affronter la crise sur ce terrain.

Pour des raisons sur lesquelles on reviendra, les communes n'ont guère été associées à l'ampleur du mouvement d'urbanisation des années soixante. D'abord, parce que, compte tenu de la répartition des compétences d'avant la décentralisation, les décisions nécessaires ont été prises en dehors d'elles. Parce que, ensuite, les croissances de population ont revêtu un volume très important. Dans bien des cas l'organe greffé était supérieur, dans ses dimensions, au corps receveur [4]. On comprendra qu'on l'ait jugé, localement, parfois disgracieux. Enfin, parce que la fonction unique de « dortoir » imposée à ces nouveaux quartiers, sans activité économique propre (par conséquent d'un faible rendement fiscal) et le régime juridique qui a été donné à leurs espaces, n'ont pas conduit les magistrats municipaux à s'y intéresser de près.

L'Etat a été largement impliqué dans la politique de reconstruction et de construction des années 1955-1975. Sans doute le fallait-il, en raison de l'ampleur des besoins, comme de leur urgence, et des problèmes de nature technique soulevés. Il s'est doté des instruments de réflexion, de gestion et de financement nécessaires. Il a, sans nul doute, repris à son compte, après des maîtres à penser éminents, notamment dans le domaine de l'architecture, ce nouveau mode de vie urbaine. Mais lorsque la crise fut venue, et que le mode de vie en cause fut critiqué, l'Etat se trouva singulièrement dépourvu. Autrement dit, autant la réflexion urbaine était prospère au temps de la croissance, autant elle a dépéri ensuite au moment de la crise, comme le constatait le commissariat général du Plan voici quelques années. Depuis lors, dans des cadres propres aux administrations compétentes (plan urbain, délégation à la recherche et à l'innovation du ministère de l'Equipement, ministère de la Recherche,...) des réflexions nouvelles ont été suscitées. Elles sont trop récentes pour avoir porté leurs fruits.

En même temps, avec la décentralisation, l'Etat et les communes ont observé un curieux face à face dans lequel on a pu se demander qui était le lapin et qui était le cobra; peut-être, d'ailleurs, n'y avait-il ni serpent, ni rongeur. La loi du 7 janvier 1983, relative aux compétences entre les collectivités publiques, introduisait dans le code de l'urbanisme un nouvel article L. 110, disposant que «le territoire français est le patrimoine commun de la nation. Chaque collectivité publique en est le gestionnaire et le garant dans le cadre de ses compétences.» Or les compétences essentielles en matière d'urbanisme passaient à la commune. Ainsi l'Etat s'est-il cru – bon gré, mal gré – pendant plusieurs années, dispensé d'avoir une politique urbaine. De leur côté les communes ou bien n'ont pas utilisé les instruments de planification générale que leur offrait la loi (schémas directeurs), faute de se résoudre à mettre en œuvre une véritable coopération intercommunale, ou bien ont fait usage des outils particuliers (plan d'occupation des sols) dans le sens de ce qu'on a appelé le «conformisme urbain», sans essais véritables d'adaptation à leur situation particulière [5]. Sauf pour quelques maires ayant lié croissance économique et urbanisme, ce dernier a dépéri singulièrement jusqu'à une période récente, au moins dans son aspect de «commande publique».

Mais si la réflexion urbaine s'est trouvé affaiblie au moment où apparaissait la crise des quartiers, on peut dire autant de la réflexion sur la pauvreté. Bien qu'en ce domaine les cris d'alarme aient été également lancés très tôt (rapport Oheix, 1980), les études ont découvert plutôt tardivement ceux que, comme un aveu, l'on a appelé «les nouveaux pauvres». Si l'on met à part quelques initiatives heureuses au Conseil économique et social, au CREDOC, au CERC, au Plan ou à la direction de l'action sociale, la pauvreté urbaine est restée mal appréhendée, jusqu'à ce que la mise en œuvre du revenu minimum d'insertion contraigne à des examens plus attentifs.

Il résulte de toutes ces raisons, l'absence de lien entre les différents facteurs d'évolution et la relative rareté des réflexions faites en matière d'urbanisme et de pauvreté, que les quartiers sont partis à la dérive, silencieusement, dans la nuit. De la même manière, ceux qui se sont efforcés de mettre des obstacles à ce mouvement, ont œuvré souvent dans la discrétion. La violence des Minguettes, de Vaulx-en-Velin, de Sartrouville, ces trois situations n'étant d'ailleurs pas comparables, a sans doute surpris pour ces raisons. Si elle a servi de prise de conscience générale, sans doute aura-t-elle eu un rôle. Mais si cette prise de conscience se limite au phénomène qui l'a provoquée, ce rôle aura été négatif.

Est-il trop tard? Sûrement pas.

La dérive sociale n'est pas inexorable. Certes, nous savons désormais qu'on ne change pas la société par décret. Pas plus la société des cités que les autres; peut-être même moins. Là trouve sa limite l'ambition de ce rapport, qui n'entend nullement apporter quelque philtre miraculeux à la solution (ou plutôt aux solutions) d'une difficulté prolongée et aux multiples aspects.

Mais on ne saurait laisser croire à l'inexorable. « Il n'est pas de problème, dit Michel Delebarre au Parlement, qu'une société ne puisse résoudre, dès lors qu'elle en prend la mesure avec lucidité et qu'elle l'aborde avec détermination. »

En dépit des résultats décevants ici ou là, et du découragement des volontés, des effets ont été obtenus. Personne ne peut tenir la comptabilité des violences évitées : telle est la marque des politiques sociales de prévention. On peut dresser en revanche l'inventaire des réhabilitations, du vivre mieux et de ce qui est concrètement fait pour la citoyenneté dans les quartiers. Il est loin d'être négligeable.

On doit écarter résolument les comparaisons faites trop hâtivement avec les « ghettos » d'outre-Atlantique et l'évolution inexorable vers une ville « à l'américaine ». Pour une raison très simple. Les capacités d'intervention de la puissance publique dans les cités de ce pays sont sans commune mesure avec celles dont disposent les autorités américaines. Pour aller vite, on pourrait dire que dans les quartiers, les maisons appartiennent à des établissements publics, les équipements et les services publics à l'Etat et aux collectivités territoriales. Que faut-il de plus ?

Autrement dit, même si l'image qu'on vient de donner est réductrice (tous les organismes d'HLM ne sont pas des établissements publics), il est clair que l'intervention publique ne requiert, à une ou deux exceptions près, aucun outil supplémentaire. En la matière, on ne doit pas craindre le vide, mais plutôt le trop-plein. C'est pourquoi, le seul problème que l'on doit résoudre est de savoir comment faire tourner cette machinerie avec le maximum d'efficacité, en vue de faire disparaître les difficultés majeures ; il est aussi de savoir quelles ressources humaines et financières la société française est prête à investir pour parvenir au but.

C'est pourquoi, si l'on ne peut changer la société par décret, faisons en sorte de changer le décret par la société. C'est-à-dire d'adapter le fonctionnement des collectivités publiques aux dimensions du problème posé. Tel est l'objet de ce document, telle était la mission impartie. Ce faisant, tant mieux s'il insuffle quelque espoir.

Notes

[1] Selon RENÉ KAES, cité par l'ouvrage collectif du commissariat général du Plan, *Faire gagner la France*, Paris 1986, Hachette collection Pluriel, page 377.

[2] GÉRARD CURCI «Portrait du locataire» *Economie et statistique*, n° spécial logement, février 1991, page 28.

[3] Voir *Premières synthèses* du ministre du Travail, de l'Emploi et de la Formation professionnelle, n° 9, avril 1991.

[4] Epinay-sous-Sénart, visité dans le cadre de cette mission, compte 13 400 habitants. Le «vieux village» abrite 800 personnes.

[5] Voir J. CHAPUISAT, «Bilan des cinq années d'urbanisme communal», *L'actualité juridique, droit administratif*, 1989, n° 2, p. 105.

Premier chapitre

Des habitants tenus en lisière

Pourquoi tenter, d'emblée, une description des cités ? Des esprits avisés, chargés de science et d'observations, l'ont déjà fait, et d'excellente manière.

Le propos ici ne saurait prétendre à ajouter aux études déjà publiées, ni d'ailleurs à leur retrancher quoi que ce soit.

Ce n'est cependant pas par convention qu'il a paru nécessaire de partir de la réalité telle qu'elle a été perçue dans le cadre de la mission. Mais pour trois raisons :

– d'abord, rappeler, s'il en était besoin, que les quartiers évoluent et que ceux de la décennie quatre-vingt-dix ne sont plus ceux de 1981 ;

– ensuite, par exigence de raisonnement : il convient de pouvoir vérifier, et contester, ce qui a servi de fondement aux propositions qui suivront ;

– enfin, et surtout, on y reviendra, du fait de l'irruption des quartiers au cœur de l'actualité ou, pour être plus exact, au début des journaux télévisés de vingt heures. Le portrait qui en a été fait, volontairement ou non, a paru, par comparaison à ce qu'il a été donné de voir pour l'établissement de ce rapport, profondément réducteur, c'est-à-dire inexact.

Le regard

A - *La considération des autres*

Quel regard portent sur la cité les habitants de la ville qui n'y résident pas ?

Un regard forcé, en quelque sorte. Quelles que soient leurs dimensions, tours et barres sont hors de proportion avec le bâti de la ville. Les quartiers ont, note un militant associatif, «un impact visuel massif». Qu'ils soient à la périphérie, souvent rendus plus visibles encore par la dénivellation (les plateaux, récemment construits), ou plus proches du centre ville, on ne peut, d'une certaine manière, leur échapper.

Ce quartier-là n'est pas comme les autres. Il est étranger à la ville, parce que l'habitat, l'urbanisme n'ont rien à voir avec le reste. Cité-dortoir, disait-on : «cité-repoussoir» correspondrait sûrement mieux à la manière dont la chose est perçue. Le vocabulaire local, tant des habitants que des professionnels de l'urbain, le confirme aisément. Il désigne vite quelque chose de pathologique : la «verrue», le «cancer». On sait que la ville est souvent assimilée à un corps humain : le quartier en est l'illustration, mais une illustration malheureuse, qu'on ne peut même pas dissimuler.

Cet urbanisme récent et insupportable n'a pas pour lui les caractères de la modernité. Tout autant que de très vieux quartiers laissés à l'abandon, il est raconté sur le mode du sordide. Il est incontestable que le quartier ne peut être que cela : «Ces journalistes qui n'y trouvent pas assez de "saleté visible" choisissent d'autres lieux pour montrer la misère des banlieues» relève une coordinatrice de zone d'éducation prioritaire.

Crasse, odeur, dégradation, voilà la réalité souvent pensée. «Les communes de l'agglomération, note un maire, vivent le (quartier) comme une espèce d'élément démoli dont il faut se prémunir.»

Se prémunir. Mesures d'hygiène. Eviter la contagion. Dans ces conditions l'assimilation est vite faite entre le quartier et ceux qui y vivent. On la retrouve dans cette énumération de qualificatifs par lesquels on désigne un des quartiers : «Cul-de-sac», «Centre Afrique», «Haut les mains», «Bout du monde», «Bout de la ville», «Ville à deux vitesses», «Cité-dortoir», «Ville dans la ville». S'y mêlent étroitement la géographie, la fonctionnalité et les résidents. L'habitat est différent; les habitants le sont aussi.

«L'habitude et la rumeur désignent les quartiers nord… comme quartiers en crise, une sorte de *no-man's-land* urbain où dominent deux figures archétypales : le délinquant et l'immigré. A lire la presse à dix ans d'intervalle, on est frappé par la similitude du discours : quartiers rejetés dont la gestion coûte une fortune, quartiers difficiles où les tensions de cohabitation sont nombreuses, où le sentiment d'insécurité va croissant, quartiers où, au dire de certains, l'on n'est pas chez soi, c'est-à-dire entre nous… [1]» Les témoignages abondent sur les refus des habitants de la ville de se rendre dans la cité, que ce soit à titre définitif («quand je leur propose ce quartier, les familles qui me demandent un logement prennent cela pour une insulte», dit un député de la Seine-Saint-Denis [2]) ou à titre très provisoire (le chef de projet du même quartier mentionne les difficultés à faire venir les équipes extérieures pour rencontrer le club local de football). Plus encore, les quartiers font peur dans leur état actuel, mais on craint aussi qu'ils gagnent, comme la maladie : le directeur d'un office public d'aménagement et de construction signale la peur des habitants d'autres quartiers d'y voir transférer la population de la cité, jusqu'à la ville de C., distante de 30 km.

On sait sur quoi reposent ces refus : la violence, la drogue, l'immigration se mêlent étroitement pour se cristalliser dans une notion d'insécurité qui apparaît avec une forte régularité dans tous les sondages relatifs aux préoccupations des Français.

A n'en pas douter, le sentiment se polarise, chez les citadins, volontiers sur le ou les quartiers dont il est ici question et sur la figure, vraie ou imaginaire, de leurs résidents : le loubard, autrefois, la bande de jeunes d'aujourd'hui. L'assimilation est radicale : «Ce qui fait quartier, note un chef de projet, c'est la banlieue, la périphérie, les caves et parkings souterrains, l'image de la violence, du rejet de l'uniformité, de la non-envie.» A l'exception de quelques isolés qui, sans rejeter cette vision, la magnifient de manière tout aussi mythique («là est la vérité, la France de demain : les blacks font du rap...»), l'habitant de la ville la fuit résolument : «On ne met pas les pieds dans les quartiers si on n'y habite pas» (chef de projet).

B - La considération de soi

Si difficile que soit la possibilité de restituer la perception des habitants des cités, il convient d'en tracer quelques contours.

Et d'abord, cette coupure radicale avec le reste de la ville. Leur quartier est un autre monde, une «ville à rebours», comme on l'a dit, une banlieue de banlieue.

Ils le mesurent d'autant plus que la ville dont ils sont coupés ne leur est pas inconnue : ils y travaillent lorsqu'ils ont un emploi; ils y ont habité, pour un certain nombre d'entre eux. Elle est visible, souvent. Elle leur est opposée dans tous les sens du terme.

L'organisation urbaine, on y reviendra, manifeste très concrètement la coupure : la cité est à l'extrêmité. Après, il n'y a plus rien. De l'autre côté, entre la ville et elle, les voies de transport rapides, aussi infranchissables que des fleuves.

La coupure est d'autant plus ressentie qu'elle apparaît définitive. Comment sortir du quartier? Le niveau des revenus ne permet pas l'accession à la propriété. Il est impossible de s'installer ailleurs, dans une autre HLM, compte tenu de la forte demande : «Il n'y a plus d'autres logements en ville, ça se sait, on ne demande même plus à partir. «Cul-de-sac», disait la ville : le quartier lui fait écho. La vie devient immobile. Le quartier retient captif.

On a échoué, là, dans tous les sens du terme.

La conscience de la séparation du quartier, envers de celle ressentie en ville, s'étend au mode de vie. Les habitants de la ville ne veulent pas venir dans le quartier. Les résidents de celui-ci n'aiment pas inviter parents ou amis. Les témoignages abondent sur ce point : ni relations, ni correspondants scolaires, ni même famille. Comme la ville porte le quartier, ses habitants l'endossent comme un signe extérieur de pauvreté : ils savent (ils l'affirment) que la mention de leur adresse suffit à leur refuser un embauchage. Pourquoi en irait-il autrement avec des plus proches?

C'est pourquoi la vie dans le quartier devient synonyme de vie diminuée, d'étouffement. «N'avait-on pas déjà remarqué que, dans des régions moins ouvertes sur le reste du pays, les retards scolaires étaient plus grands?» note-t-on. La ville ne joue plus ici son rôle d'échange. «Sous-urbanisés», en quelque sorte, les habitants des villes ne se sentent pas à l'unisson du reste de l'agglomération.

L'impression d'abandon est forte. D'ailleurs la cité est disparate, inachevée. La dégradation, le temps mis pour y porter remède, ou l'absence de remède, rappellent constamment que rien n'est fait pour établir là une vie normale. On explique alors que, dans ces conditions, chacun, c'est-à-dire les autres, se laisse aller.

Il faut enfin dire, et c'est l'essentiel, que ces cités sont massivement ouvrières, à l'origine au moins; encore largement aujourd'hui. On ne peut, semble-t-il, dissocier le sentiment que leur portent les habitants des villes, de ceux qu'on a portés, depuis bien longtemps, sur les classes populaires. Corrélativement, on ne peut faire abstraction, dans l'idée qu'ont les habitants des quartiers euxmêmes du déclin de la vie industrielle, de l'appartenance à une classe en devenir et de l'espérance en des temps meilleurs. Ce qui était signe positif devient, avec le chômage et l'idée complaisamment répandue de la réussite individuelle, critère négatif.

En parallèle, les habitants d'origine étrangère, nombreux, en rupture avec les modes de vie de leurs parents, ou de leur enfance, n'ont pas trouvé là suffisamment de liens sociaux pour les intégrer dans une autre existence où les repères soient suffisamment forts.

La pauvreté est là. Avec elle, l'assistance, très ressentie. «Ce qui frappe, c'est la prolétarisation des habitants, le développement de l'assistance.» Ou encore : «Ghetto accentué. Vandalisme. Cambriolages multiples. Chômage + 50% ... Paupérisation...» «La simple vie des habitants est déjà lutte.»

On ne saurait pour autant déduire de ce qui précède que le sentiment des habitants à l'égard du quartier est tout d'une pièce. Ce qui est frappant, au contraire, c'est l'ambivalence des sensations à cet égard, faites à la fois du rejet de l'endroit et en même temps de l'impression forte de l'incapacité de vivre ailleurs. Ou encore, cette pensée qui mêle à la fois la peur de rester et la peur de partir. Si on pouvait répondre favorablement à toutes les demandes, explique-t-on dans une mairie, le quartier se viderait; ou encore : «Qu'importe que mon immeuble soit dans un premier temps bariolé de couleurs (allusion à la réhabilitation), pourvu que j'aie un travail pour pouvoir fonder une famille et aller dans l'avenir habiter un quartier plus aéré.» Mais par ailleurs, le temps qui passe permet d'établir des réseaux, de connaître la cité, de s'en approprier les lieux et, finalement, de bien s'y sentir. Cela vaut pour les jeunes, mais aussi pour d'autres. En sortir, oui mais, dit-on, comme le toréador de Séville, le boxeur de Harlem ou le rappeur de la Courneuve.

Sentiment ambigu, qui se retrouve sur bien des points : ainsi entre le repli-sur-soi et l'attirance de la ville; ou, réciproquement, la venue ou l'absence des gens de la ville dans le quartier. On le discerne à propos des (rares) équipements communs à la ville et à la cité. Ou encore à propos des opérations d'amélioration du quartier et, notamment, des démolitions : lors de celles provoquées aux Minguettes, note-t-on, certains étaient là, qui applaudissaient; d'autres regardaient de leur fenêtre, le cœur serré. Ou vis-à-vis des travailleurs sociaux, gage de secours nécessaires et d'assistance mal vécue; «demande de soutiens et d'aide financière doublée d'un refus à l'égard des démarches assistancielles» [3]. Les sentiments contradictoires sont un des signes majeurs de ces habitants.

En bref, la considération de soi a deux aspects. Une image dévalorisée, qui vient moins du quartier lui-même que de la «marque» qui s'y attache. Par l'assimilation qui est faite entre le quartier et ses habitants, habiter là, ce n'est pas – loin de là – être délinquant, mais c'est traîner avec soi l'image de la délinquance. Le souci d'échapper à ce stigmate social est, pour certaines familles au moins, une «lutte» supplémentaire, qui a son importance dans les comportements. Et on doit prendre garde à la difficulté que présente, dans ces conditions, l'estampillage de la cité comme «bénéficiaire» d'une politique sociale particulière. On y reviendra.

Le second aspect, bien oublié dans les témoignages de «professionnels» du développement, réside dans l'attachement qu'ont ces habitants pour leur quartier. Là ils vivent, là ils sont connus et reconnus. Un tel sentiment vaut moins pour les plus anciens de la cité. Il est cependant réel et malheureusement peu pris en compte.

C - La rumeur et l'image

La cité est ignorée, la ville est connue. Cette dissymétrie est classique. En France, les plus pauvres ont rarement fait l'objet d'un intérêt marqué des riches. Les politiques sociales sont affaire de spécialistes.

En l'occurrence s'ajoute à ce phénomène éprouvé une raison très simple : pourquoi aller dans les cités, puisqu'il ne s'y trouve rien. Elles sont traversées rapidement, en voiture, sur l'autoroute, ou en train.

On doit insister sur ce point : peu de difficultés sont aussi mal connues des Français que celles des quartiers. Chacun a quelque expérience de l'école ; la plupart ont eu affaire à l'hôpital ; beaucoup à l'entreprise. Aux quartiers, point : du moins dans les grandes agglomérations, là où ils sont les plus nombreux. La vision du monde des pauvres de Marseille, dit-on (avec le sourire), est la trilogie « quartiers Nord – quartiers Sud – Parisiens » ; il se peut bien que ce soit aussi celle des autres Marseillais.

Autrement dit, puisque la connaissance n'existe guère, puisque les échanges sont limités, l'échange de voisinage se fait sur le mode de la rumeur et de l'imaginaire.

Du côté de la ville, le quartier est tout entier résumé dans ces jeunes qui, le vendredi soir ou le samedi, « déferlent » vers le centre : violence, cris, prostitution, délinquance, drogue. On l'a évoqué.

Du côté du quartier, il faut rappeler la force de la rumeur. Les nouvelles se propagent vite, avec les inconvénients de ce mode de diffusion. Chaque début de mois, entre le 5 et le 8, circule la nouvelle du versement des prestations familiales sur les livrets de caisse d'épargne. Vraie ou fausse, les files d'attente se forment immédiatement au bureau de poste. La rumeur dit plus vrai que l'employé(e) derrière son guichet : s'il affirme que le compte d'épargne n'est pas approvisionné, et que les prestations n'ont pas encore été versées, il n'est pas cru.

Avec l'extérieur, les habitants du quartier ont beaucoup de liens de nature administrative : rapports avec la caisse d'allocations familiales, avec l'organisme HLM, ou l'agence locale pour l'emploi… Tous ces organismes n'en font qu'un seul, dans l'esprit de beaucoup de résidents. Ce sont « ils » (ou plutôt « y ») qui portent la responsabilité des misères du quartier et dont la volonté (unique) est toujours à la source de quelque difficulté supplémentaire. Ainsi à propos d'un emploi d'animateur dans une maison de quartier « s'ils ne nous forment pas, s'ils ne nous donnent pas d'air, on va finir dans une impasse ». A l'égard de ce « ils », la plus grande méfiance est la règle. Dans l'illustration qui vient d'être donnée de l'encaissement des prestations, les postiers racontent que si l'un des leurs a fait savoir que les sommes attendues n'avaient pas été versées, beaucoup attendent une nouvelle fois devant un autre guichet, parce que «ils» racontent des histoires...

On ne saurait affirmer que les médias les plus regardés ou entendus (faut-il rappeler que la télévision est regardée par le quartier comme par la ville?) ont cherché à donner une réalité plus exacte de «ils» dans le quartier et surtout du quartier dans la ville. C'est exactement le contraire qui s'est produit. Ces rumeurs, ces images ont été prises au pied de la lettre; portées sur les ondes, elles ont acquis la force de vérités irréfutables. Ici les «analystes» pressés n'ont pas fait œuvre d'information mais se sont bornés à reprendre les fantasmes collectifs les plus infondés. Il serait risible d'entendre parler de tensions entre populations lors du déroulement de la crise du Golfe si n'entendaient ces propos ceux qui vivent côte à côte déjà selon le mode de l'ignorance et sont enclins dès lors à voir dans ces affirmations des «preuves» supplémentaires des dangers encourus. Il est malheureusement de tradition qu'«un mensonge fait le tour du monde quand la vérité en est encore à enfiler ses bottes» [4].

Ne serait-il pas plus sage de précéder les commentaires publics de contacts avec les intéressés? Il en va évidemment de même à propos des jeunes, dont tel journal fait la description suivante : «Les bandes se font une guerre sans merci. Elles sèment la terreur dans certains quartiers, voire même dans des villes entières. Lorsqu'elles s'affrontent, la plupart du temps pour une raison futile, c'est un véritable vent de fureur qui s'abat sur le lieu de leur bataille rangée... [5]»

De tels textes révèlent davantage le regard que leurs auteurs portent sur les classes populaires que la réalité sociale [6]. Mais ils ont évidemment leurs effets propres, qui ne vont pas dans le sens des analyses nécessaires.

Quelques traits ordinaires du quartier

A - Quelles difficultés? Quelles cités?

Aucun facteur ne rend compte à lui seul de l'existence du problème posé. Beaucoup de quartiers se caractérisent par un bâti de grands ensembles dégradé : or, il est des grands ensembles sans grâce mais aussi sans histoires. Le nombre de chômeurs est, dans les quartiers en difficultés, étonnamment élevé : mais pas forcément davantage que dans telle vallée d'industrie métallurgique atteinte par la crise. Une remarque identique pourrait être faite pour la proportion d'immigrés, etc.

Par conséquent la description qui va suivre ne vise pas à rendre compte de la totalité des traits des quartiers. Ainsi certaines zones où est mise en œuvre une politique de développement social sont situées dans des centres villes anciens où le « parc social de fait » – c'est-à-dire l'habitat ancien dégradé – prédomine. Il en résulte que bien des contours du portrait gagneraient à être précisés.

Une comparaison peut sans doute illustrer la vraie nature des quartiers. De même que la pauvreté résulte d'un cumul de handicaps, de même les difficultés de la plupart des quartiers faisant l'objet de mesures particulières désormais résultent-elles de plusieurs facteurs conjugués. « Si l'urbanisme n'est pas en lui-même responsable de la crise économique, il en aggrave les conséquences matérielles, morales, scolaires », note un habitant. On pourrait sans peine substituer les facteurs dans un autre ordre, en ajouter aussi quelques autres (citoyenneté locale, immigration, service public…). Le quartier, c'est la pauvreté faite ville.

Ce qui est, de toute manière, très frappant, dans ces quartiers, c'est qu'ils sont le résultat de politiques publiques presque exclusivement. L'évolution sociale a joué un rôle plus tard ; pas pour faire naître la difficulté. Alors que la ville a été constituée d'apports successifs, fondus avec un inégal bonheur dans l'agglomération, le quartier doit tout ou presque à l'intervention de l'Etat ou de ses substituts. La loi de 1949 relative aux habitations à loyer modéré et la création de la Société centrale immobilière de la Caisse des dépôts organisent le cadre financier du logement social. Une série de lois (« loi cadre construction »), de décrets (27 mars 1954) et de concours déterminent les conditions techniques d'utilisation de constructions industrialisées. Les instruments d'urbanisme nécessaires à leurs implantations (zones à urbaniser en priorité ou ZUP) proviennent des textes d'application de la loi du 7 août 1957 : 155 ZUP sont ainsi créées. Parallèlement à l'évolution ultérieure du droit de l'urbanisme viendront les mesures pour faciliter la suppression de l'habitat insalubre (lois du 14 décembre 1964 et du 10 juillet 1970) et celles relatives aux « aides à la personne » en matière de logement (allocation de logement et aide personnalisée au logement). On pourrait ainsi indiquer que, des modalités de financement aux normes de confort, des procédés de construction au choix des terrains, le rôle joué par les collectivités publiques et, singulièrement, par l'Etat, a été écrasant [7]. Sans nullement méconnaître – on l'a dit – les contraintes de l'époque, il y a là matière à réflexion.

Ce n'est pas tout. Le peuplement des cités ne relève pas du hasard, pour les logements locatifs au moins relevant du patrimoine des organismes HLM (la majorité) mais d'une procédure d'attribution dont les détails sont réglés par les articles R. 441. 1 à R. 441. 17 du code de la construction et de l'habitation. Selon cette procédure, l'essentiel de la décision revient (sauf conventions particulières) au bailleur lequel a, le plus souvent, un caractère public plus ou moins marqué.

Là aussi réside un des traits les plus frappants de la majorité des quartiers : ce sont les enfants de politiques publiques. Ici, pourrait-on dire, tout a joué, sauf le marché. Ce dernier produisait des bidonvilles…

A l'opposé de ces traits d'uniformité (cumul de difficultés, faible héritage « social » et fort « passé » public), il convient cependant d'insister sur la diversité de ces quartiers. Non seulement entre eux, on l'a indiqué, mais en leur sein. L'idée selon laquelle ces quartiers sont uniformes est profondément erronée : malgré – peut-être – l'intention de leurs auteurs, les subdivisions, les stratégies, les tensions y sont évidentes. Les témoignages en sont multiples.

Le quartier, ce sont des « îlots de populations qui s'ignorent et se craignent » ; « dans les bâtiments 1, 2, 3 et 4 les jeunes se connaissent mieux, on a grandi ensemble, les galères des fois. Dans les autres bâtiments, c'est des jeunes qui ont fait des études et tout [8] » ; on connaît les « montées à problèmes » de la galerie de l'Arlequin ou de la place des Géants ; « sur cinquante cages d'escaliers, trois ou quatre font problème » ; « des entités sociales différenciées sur le quartier selon les secteurs : pavillons en location et en accession (avec, ici encore, des tranches différenciées), secteur de collectifs plus critiqués que d'autres, adresses ou cages d'escaliers bonnes ou mauvaises... » ; « 59 % des familles suivies (au service social) concentrées dans 34 % des bâtiments », etc.

Derrière ces réalités, très visibles parfois, se devinent des stratégies sociales distinctes, s'infiltrant en quelque sorte entre les règlements d'attributions des logements, ceux d'affectation dans une école déterminée, ou la taille des logements : regroupements de réseaux familiaux, familles monoparentales, nationalités, salariés d'une commune... La « ville à rebours » déjà mentionnée est, en effet, une ville puisqu'elle a elle-même ses propres quartiers, ses rapprochements et ses tensions sociales, ses marchés, ses zones de consommation (y compris pour la drogue). Les tensions opposent, on le dit souvent, les ethnies, ou nationalités (par exemple, dans les récits des postiers). Les véritables oppositions séparent plus sûrement les « anciens » des nouveaux venus, ceux qui ont un emploi et les autres, ceux qui ont une vision d'avenir du quartier et ceux qui n'en ont pas, bref la propension ou non à apprécier le quartier, à supporter le « marquage », elle-même effet de facteurs sociaux plus décisifs.

Ce n'est que sous cette importante réserve qu'on doit rappeler les quelques traits ci-dessous.

B - L'isolement

« Aucune rue du vieil Evreuil ne menait à la Peupleraie : pour atteindre ce nouveau quartier, il fallait passer par l'extérieur, traverser les dernières strates d'urbanisme, prendre en coupe les faubourgs des banlieues, et cette promenade dans la « petite couronne » de la « grande ceinture » n'avait rien de réjouissant. La

Peupleraie pouvait bien être à sa manière une réussite, son environnement n'était pas un succès... [9]»

La rupture ressentie par les habitants des quartiers trouve sa source entre autres dans ce sentiment «d'extrêmité» lié à la situation géographique que dépeint à sa manière Françoise Chandernagor. La cité est loin et son accès est difficile.

Les zones à urbaniser en priorité ont été installées là où l'espace existait et là où le sol n'était pas cher. Cela signifiait, le plus souvent, à la fois le désert (sur le plan du bâti), l'éloignement et l'absence de moyen de transport. La topographie traduit aussi cette rupture : la ZUP sur le plateau éventé, la ville en contrebas. De même la toponymie a gardé souvent à ces quartiers des appellations tirées de leur aspect naturel, ce qui rend un peu plus absurde le sens des mots et accentue le sentiment de dépossession : les Buis, le Haut-du-Lièvre, les Saugeraies, la Grande Pâture, Ousse des Bois, les Renardières etc. Il n'y a guère que dans les régions très industrielles que ces noms témoignent au contraire d'implantations d'anciennes zones d'industrie.

L'isolement provient aussi de ce que le quartier est implanté là où les voies de communications rapides sont nécessaires au fonctionnement de la ville. Logiquement, le secteur est donc coupé «verticalement» de radiales et «horizontalement» de rocades qui forment, on l'a déjà indiqué, des murailles beaucoup plus infranchissables que des remparts. Murailles animées, emplies de la circulation des trains et des routiers : ce qui contribue à la vie de la ville contribue aussi à la séparer du quartier.

Cette réalité physique est facilement perçue sur les plans de détail des agglomérations françaises.

Naturellement ces voies de communication où l'on roule nuit et jour peuvent contribuer aussi à tronçonner le quartier.

Il existe un autre facteur d'isolement, qui provient celui-là du bâti, et que montrent aussi les cartes et les photographies aériennes. Dans la transposition de figures géométriques qu'ils ont faite, les concepteurs des zones à urbaniser en priorité ont dessiné une véritable architecture d'enclos : immeubles de plusieurs centaines de mètres de longueur, bâtiments en forme de «U», angles droits... l'impression est si forte que le langage les a baptisés «barres» : avec quel à propos ! Ces enclos, ces coursives produisent à la fois un sentiment d'enfermement, des courants d'air et la solitude [10]. Point n'est besoin de souligner que ce bâti est en rupture forte avec le reste de la ville.

Isolement enfin puisque, absents à l'origine, les transports qui conduisent à la ville restent encore, dans bien des cas, singulièrement défaillants. Il existe des lignes d'autobus mais, en raison de leur coût, les services qu'elles rendent ne correspondent pas aux besoins. Un seul exemple. Dans telle banlieue parisienne, les autobus CSO ont 2 lignes; l'une qui ne fonctionne qu'aux heures creuses; l'autre, aux heures de pointe, assure 9 allers le matin et 6 retours le soir jusqu'au RER; les difficultés de circulation font que la concordance avec les trains (toutes les demi-heures) est aléatoire; il n'y a pas d'accès du tout vers la sous-préfecture, où se trouvent beaucoup de services publics (par exemple la caisse d'allocations familiales). Or non seulement les cités offrent peu d'emplois, mais les actifs salariés sont massivement, on l'a mentionné, ouvriers et employés et ont des horaires tardifs. Lorsque les autobus s'arrêtent à 20 heures ou 20 heures 30, demande-t-on, « que font les aide-soignants ? ».

C - La fragilité économique

S'il y a peu d'emplois dans les quartiers, c'est que la plupart ont été conçus, on le sait, dans une perspective étroite de cité résidentielle.

On doit cependant, du point de vue des activités productives, séparer deux situations très différentes.

La moins répandue est celle des quartiers installés dans d'anciennes banlieues industrielles. Ce peut être le cas dans les agglomérations lilloise, lyonnaise ou parisienne. Fives, à côté de Lille, compte 45 hectares d'usines (dont 25 pour Babcock).

Dans ce cas le déclin des quartiers est allé de pair avec celui de ces industries. Babcock à Fives comptait 6 500 salariés voici trente ans, 800 aujourd'hui. Un maire d'arrondissement, à Lyon, note que 7 000 emplois ont disparu en dix ans et égrène les entreprises qui ont réduit ou disparu... Ces disparitions ont privé les quartiers de revenus, de solidarités et de liens avec l'économie, par conséquent avec le monde extérieur. Les échanges sont moins importants car, dans ces sites, peu d'activités nouvelles ont été substituées aux anciennes. L'une des raisons (ce point mériterait de plus amples développements) est que la stigmatisation marque les individus, elle marque aussi les entreprises. Sauf circonstances particulières, peu ont envie d'être « marquées » ainsi. On voit bien ici la spirale : moins le quartier est bien perçu, moins les entreprises s'y implanteront, qui l'aideraient à être mieux accepté.

Le déclin du quartier est donc très lié au déclin économique. Tout n'a pas disparu cependant. Des activités, des infrastructures subsistent. On cite le cas dans une commune de Seine-Saint-Denis d'un atelier Mercedes, qui forme des jeunes des quartiers à des diplômes professionnels.

Toute autre est la situation des quartiers conçus dès le départ sans activité productive. Ils sont la majorité. Ils affichaient sans fard leur finalité : « cités-dortoirs ». Il n'est pas utile d'insister sur l'incapacité où se trouvent ces secteurs de prendre le relais d'activités d'ouvriers ou d'employés défaillantes ailleurs : ils ne sont pas faits pour cela. Les rez-de-chaussées des immeubles urbains sont encore souvent voués au commerce ou à la petite production. Dans les cités, ils sont destinés exclusivement à l'habitation.

Dans ces cités, quelques tentatives ont été faites de « changements d'usage » des locaux : transformer les lieux d'habitation en lieux de production ou de services. Organisés par les politiques de développement de quartiers, ces changements en sont encore à leurs débuts et restent, par conséquent, limités. Mal inspirés, ils peuvent échouer. Il existe, ici ou là, des tours de bureaux vides.

Les seules activités du quartier proviennent des services, de nature collective (gymnase…) ou à destination privée (commerce…).

Sur ce point, il existe des différences considérables d'un quartier à l'autre, l'une des plus nettes qu'il soit donné d'observer. Il faut sans doute voir dans cet écart le fruit d'une inégale pression des habitants et de politiques municipales opposées. Un fort tissu associatif, explique-t-on par exemple, a obtenu des équipements : maison des jeunes et de la culture, piscine, commerces, halte-garderie, transports, terrain d'aventure… à l'opposé, il existe des cités, véritables « villes-fantômes économiques », où n'existe aucun commerce, sauf le supermarché avec « une galerie marchande disproportionnée sans autre activité économique ». « On ne peut dresser, dit-on encore, une liste de l'existant que dans le registre du manque. Il n'y a pas de lycée, pas de poste, pas de café… »

Lorsqu'ils existent, les commerces renforcent plutôt qu'ils n'atténuent l'image du dénuement. Il suffit de pousser la porte d'un supermarché et de regarder l'éclairage, la présentation. Le cas limite est celui de ce magasin LTD, destiné à des clients peu fortunés (il en vient de plusieurs communes alentours) dans lequel, dit un habitant, « j'ai l'impression d'attendre le colis de la soupe populaire à la mairie ». Il convient de s'attarder un peu sur le centre commercial et l'hypermarché (ou le supermarché), que la violence récente dans certaines cités a placé au centre (dans des secteurs qui, souvent, n'en ont pas). Au 1er janvier 1990, existent 555 centres commerciaux en activité, la plupart à vocation intercommunale, installés en périphérie d'agglomération : sur les 130 de la région Ile-de-France, 15 seulement sont dans Paris, 47 dans les départements limitrophes, 68 au delà. Beaucoup d'entre eux ont ouvert leurs portes dans les années soixante-dix, plus de trente en moyenne chaque année (20 en moyenne annuelle dans les années quatre-vingt). Le président du Conseil national des centres commerciaux note à bon droit qu'ils « ne sont pas seulement une forme contemporaine et dynamique de la distribution. Ils sont aussi un moteur de l'aménagement et du développement urbain [11]. » Les hypermarchés (687 en 1988) et supermarchés (5 773) d'alimentation générale sont encore plus répandus [12]. Mais leur implantation (leur « greffe ») suppose résolues deux difficultés : la fréquentation d'un équipement à vocation plus large que la clientèle du quartier par la population de la ville ; la coexistence de la pauvreté d'une part, et de ce que peut symboliser le supermarché en terme de « dynamisme » (justement !) et d'amoncellement des richesses, d'autre part. La greffe peut réussir. Mais elle ne va pas de soi.

Et, au delà des violences, il faut retenir une fois encore ce sentiment ambivalent des habitants : lorsque le centre commercial est fréquenté seulement par les ménagères du quartier, on y voit un témoignage supplémentaire d'isolement ; dans le cas inverse, la venue de personnes étrangères au quartier est mentionnée de manière critique [13]. La même observation vaut pour les équipements collectifs.

Implanter des activités économiques, ce n'est pas seulement les faire venir, c'est faire aussi en sorte qu'elles soient acceptées.

D - Les jeunes

Il y a matière à hésitation avant d'évoquer les jeunes. Tout a déjà été dit ou écrit [14]. Si l'on s'y résigne, c'est en raison de ce qu'ils concentrent sur eux comme images : le quartier, ce sont les jeunes.

Cette assimilation est partiellement fondée pour trois raisons.

La première est d'ordre démographique. La forte natalité (celle, du moins, des années passées) a fait naître ici une jeunesse nombreuse, d'autant plus visible que, dans bien des immeubles, les logements de 5 et 6 pièces ont été concentrés dans les mêmes cages d'escalier. Quelques exemples recueillis ici ou là : à Bagatelle, quatre-vingt-dix logements, six cents enfants ; aux Bosquets, les moins de 20 ans représentent la moitié de la population ; aux Fauvettes, les familles nombreuses (plus de 5 personnes) représentent environ 10 % de la population, dans le reste de la commune, 5 % ; au Chemin Vert, il y a 40 % de la population au-dessous de dix-huit ans ; les moins de 20 ans, au Châtelet, comptent pour 43 % de la population et 42 % à la Lombardie ; à la Bourgogne, 60 % des habitants ont moins de 25 ans ; aux Francs-Moisins, les moins de 3 ans représentent près de 15 % du peuplement, et les moins de 20 ans 42 % ; à la Villeneuve, un habitant du quartier sur deux à moins de 25 ans ; et ainsi de suite…

Si l'on superposait la carte des fortes densités démographiques des jeunes générations et celle des quartiers en difficultés, on trouverait sans doute bien des coïncidences. Et que l'on ne voit, de grâce, dans ce rapprochement aucune analyse causale. Seulement le trouble de constater la manière dont notre société traite ses jeunes générations.

Le nombre des enfants de moins de 15 ans conduit d'ailleurs plusieurs professionnels à faire remarquer qu'en matière de formation, ou d'appareil éducatif, les plus forts problèmes de générations, par conséquent d'équipements et de débouchés, sont encore à venir.

La deuxième raison est d'ordre sociologique : elle tient à l'absence des pères.

Absence tenant à la structure du ménage, tout d'abord. De même que la cité se signale par un grand nombre d'enfants, elle se distingue aussi par un nombre sensiblement plus élevé qu'en moyenne de familles dites monoparentales ; seule, la mère est là pour élever les enfants. Les méchantes langues ajoutent qu'un enfant vient s'ajouter tous les trois ans pour sauvegarder les droits à percevoir l'allocation de parent isolé…

Absence tenant aussi à la structure économique du quartier ; les emplois sont loin : drôle de voyages d'affaires… Aucune activité sur place ne justifie la présence de travailleurs. Il n'est pas besoin non plus d'évoquer l'importance du chômage : bien qu'il ne soit pas toujours mesuré, il apparaît à l'évidence très sensiblement supérieur à la moyenne nationale mais aussi aux chiffres de l'agglomération ou du département (y compris dans les zones de faible sous-emploi, comme l'Essonne ou le Bas-Rhin). Trois motifs pour que les pères soient loin de chez eux, dans tous les cas «absents».

La troisième raison est comportementale. «Galérant» ici ou là, se sentant isolés, en marge, sans lieux pour se retrouver – à moins que ceux qui existent ne répondent pas à leur attente [15] –, les jeunes «conquièrent» des espaces collectifs, le plus souvent dans une logique de défi : cages d'escaliers, toits, espaces entre immeubles, alentours du supermarché… Les lieux dépendent du temps qu'il fait et de l'inspiration du moment. Dans tous les cas, il faut être perçu, sans cela la conquête n'aurait pas de sens.

Les jeunes, enfants ou adolescents, se voient, sont vus.

Leur situation a été maintes fois décrite. On en restera donc à l'essentiel : une accumulation de crises.

Crise familiale d'abord. La vie de famille est vécue sur le mode de l'échec : avoir échoué là, dans le quartier ; avoir échoué dans l'équilibre entre les cultures, pour les immigrés ; avoir échoué dans la vie professionnelle, que ce soit dans un emploi dont les caractères sont jugés dégradants (la chaîne, le danger…) ou dans le chômage le plus désastreux [16] ; avoir échoué, enfin, dans la vie privée et assumer dans l'instabilité, la mésentente, l'alcoolisme…

Les tensions familiales sont fortes. On vit dans l'incompréhension du comportement des uns et des autres. Il est ainsi indiqué, par exemple, que si des hommes mûrs vont prier à la mosquée, (s'il en existe), le fait religieux ne se transmet nullement à la grande majorité des enfants musulmans. Les conflits existent : ils peuvent avoir des formes brutales, mais qui pourrait mesurer les violences bien réelles, envers les enfants ? Des jeunes sont chassés du foyer familial. Dans tous les cas, le dialogue paraît difficile, en raison des déceptions que les parents suscitent chez les enfants et que les enfants font naître chez les parents.

De la même manière que l'ampleur (passée) du mouvement démographique rendra plus difficile la gestion du système éducatif, la crise familiale ne trouvera pas d'apaisement dans les années qui viennent, selon toute vraisemblance. La pression sur le logement et la réduction du nombre des vacances d'appartements contraignent un nombre croissant de jeunes adultes à demeurer au foyer familial, contrairement à ce qui a pu se faire dans le passé.

Il n'y a guère d'alternative à cette socialisation souvent manquée. Peu d'adultes prêts à relayer les parents pour écouter l'enfant ou le jeune adolescent. Les aînés ne peuvent jouer, quand ils en ont les moyens, que partiellement ce rôle. La présence des éducateurs de rue n'apporte, selon plusieurs interlocuteurs, aucun remède à cet état de fait. Sur ce point, les quartiers ne sont sans doute pas tellement différents du reste de la ville. La vie moderne a refermé la cellule familiale sur elle-même, en postulant qu'on y était bien. Mais que se passe-t-il lorsque les relations entre parents et enfants sont insupportables aux uns et aux autres ?

Crise scolaire ensuite. L'échec scolaire est attesté partout, bien que le poids respectif des réussites et des impasses ne soit pratiquement jamais mesuré. Il pèse sur les enseignants confrontés à ces attitudes de défi dont parle F. Dubet. Il pèse sur les jeunes : l'école, note une jeune habitante, est le lieu où deux mondes sont confrontés, celui de la famille et de la société. Rejetant le premier, ne pouvant s'adapter au second, le jeune en difficulté se débat dans un conflit avec lui-même, sans issue et par conséquent, note-t-elle encore, sans possibilité de se prendre en charge à vingt ans. Les enseignants témoignent presque tous de l'approfondissement du mal de vivre, de manière accélérée. Deux professeurs d'éducation physique du nord de Paris notent que désormais «le sport ne les intéresse plus» et «qu'ils ne respectent même plus leur propre mère». On reviendra sur l'école dans le chapitre V de ce rapport.

Crise de l'insertion enfin. Les attentes en matière de formation professionnelle, de stages, de travail précaire, ont été cruellement déçues. D'une part, note un formateur (à propos du crédit-formation individualisé), parce que si telle procédure a permis de «rattraper» certains exclus, elle a aggravé l'exclusion de certains autres, qu'elle a laissés sur le bord du chemin. D'autre part, du fait que ces formules que beaucoup ont expérimentées (stages divers, TUC…) ne les ont pas conduit à l'emploi qu'ils en attendaient, mais seulement «de la précarité à la précarité». Enfin, parce que certains d'entre eux ont expérimenté, durant ces périodes, quelques relations très difficiles avec leur employeur-formateur; ils ont été «exploités» sans vergogne.

Ainsi, de même qu'Adil Jazouli, relève dans la vie des jeunes des cités la fréquence des «petites» violences (dégradation, violences du père, querelles de voisinage, intervention policière «à poigne»…), faut-il relever la multitude des «exclusions» quotidiennes : celles de la cellule familiale, de l'école dont on part dès 16 ans, au milieu de l'année scolaire si besoin est (mais pas avant, sauf cas exceptionnels), de tout ce qui peut procurer des revenus licites (par conséquent des commerces, sauf à y voler), de toute intimité (absence d'isolation et exiguïté du logement); exclusion du travail; exclusion de la protection sociale, à partir de 17 ans (un an après la fin de l'école) si aucun statut de stagiaire ou aucun contrat ne vient ouvrir à nouveau des droits… Tout est vécu, on l'a dit et redit, par des sensibilités exacerbées, sur le mode d'une formidable frustration, qui se concentre sur des objets symboliques : la richesse des supermarchés, le bien collectif (surtout lorsqu'il est utilisé par ceux de la ville : c'est le cas des transports en commun).

Ainsi s'accumulent d'un côté les déceptions (de moins en moins de candidats pour les stages et les diverses formules «d'insertion», à un point quelquefois très préoccupant) et, par conséquent, la méfiance, la distance et l'incrédulité. De l'autre, du côté des travailleurs sociaux, des enseignants, des professionnels, l'incapacité de faire face à tous les cas difficiles : il y a plusieurs centaines de jeunes chômeurs par quartier. Un club de prévention avoue, désespéré, son impuissance : «On ne peut suivre un groupe de jeunes, assurer un suivi individuel. Il faut choisir désormais les jeunes qu'on veut aider.» Dans la «galère», le rôle des collectivités consisterait-il à lancer la bouée à ceux qui surnageront au moment du naufrage?

Car il y a la délinquance, fruit de ces amertumes et aussi manière d'assurer les ressources, personnelles et éventuellement familiales. On reviendra sur cet aspect économique. Beaucoup plus répandue encore, la galère : «jeunesse résignée ou révoltée plus par désespoir que par réelle volonté d'en sortir»; «ces jeunes sans formation qui errent inoccupés, comme leurs grands frères, souvent comme leurs pères, leurs oncles, sont désespérés…»; «dans des cités où les valeurs de base n'existent plus (la cellule familiale et le respect du prochain), où la communication entre jeunes et adultes devient impossible, où l'émotion prend le pas sur la culture, la loi appartient à la rue».

On peut par conséquent noter, semble-t-il, une double évolution.

La violence en premier lieu, ou plutôt, comme le note Adil Jazouli, la raison d'être de la violence, dont l'expression (le vol avant tout, avec ou sans coups) est regardée comme une forme de «redistribution sociale» nécessaire. Raison d'être qui tient aussi à cette forme de violence contre soi-même (déconsidération de soi, pour reprendre les termes évoqués au début de ce chapitre) qu'est la toxico-manie, produit de luxe dans un monde de pauvreté.

La violence, faut-il le rappeler, est dirigée essentiellement contre le quartier, distribuée selon les tensions déjà signalées, en réponse aux réactions (les menaces après une plainte), ou selon l'humeur du moment et, si l'on ose s'exprimer ainsi, les opportunités : tel coiffeur du nord-est de la banlieue parisienne dévalisé entiè-rement, le jour de l'ouverture de son commerce, par une troupe de gamins. Comme le relève encore Adil Jazouli, la main courante des commissariats est pleine de cette violence.

Faut-il évoquer les « bandes de jeunes » comme on évoquait naguère les « bandes de loubards », et les « zoulous » après les « apaches » ? On a indiqué déjà la constante de ce type de discours à l'égard des classes populaires. On se bornera donc à une double observation, renvoyant pour le surplus à l'étude qu'Adil Jazouli a réalisée récemment pour le fonds d'action sociale [17] : la première est que l'idée de bandes telle qu'elle est donnée par les médias (voir l'article de journal précité), avec leurs codes et leurs lois, leurs chefs et leurs troupes, est déjà une représentation du monde de ces jeunes bien peu réelle. Elle dissimule la crise per-sonnelle de chacun qui rend ces codes, ces lois, ces chefs et ces troupes très instables, très variables. Il n'y a pas d'engagement réfléchi dans la violence. On y trouve seulement, pour reprendre le terme très heureux d'un inspecteur de police cité plus haut, de « l'émotion », au double sens de mouvement et d'exacerbation de la sensibilité.

Précisément les violences qui se déclenchent çà et là selon des temporalités et des modalités imprévisibles témoignent de cette destructuration. Il s'en produira sans doute d'autres. Il y a, toutes choses égales par ailleurs, une grande parenté sociale entre ces brusques flambées des quartiers et ces « émotions populaires » qui soulevaient la France de l'Ancien Régime, écrasée de fléaux [18]. Elles témoi-gnent de la force du sentiment et de la faiblesse de l'organisation sociale.

L'autre terme de l'évolution, en second lieu, **est l'impatience**. Il paraît encore plus déterminant pour les politiques publiques. Elle provient à la fois de ce que les jeunes des quartiers ont le sentiment que beaucoup de discours ont été tenus, que les problèmes ont été identifiés et que rien ne s'est passé ; et aussi de ce qu'il faut bien appeler leur difficile perception des réalités sociales et écono-miques. On se bornera ici à deux exemples. Le premier relève presque de l'anec-dote : la plupart de ces jeunes, y compris les plus dépourvus de qualification, réclament un emploi rémunéré au minimum 10 000 francs par mois. Sur le marché du travail, c'est le prix, pour ne parler que des emplois privés, d'un titulaire de diplôme bac + 5, à peu de choses près. Le second est la mise en place, à partir de 1989, du « crédit formation jeunes » puis du « crédit formation individualisé ». On se souvient que le gouvernement a lancé une campagne dont le thème était : « Chaque jeune a droit au crédit formation pour l'acquisition d'une qualification. »

Cette campagne a provoqué un afflux dans les permanences diverses, chacun demandant à bénéficier immédiatement de la mesure permettant d'acquérir la qualification.

Les professionnels soulignent ce climat, lié au sentiment que ce à quoi on a droit... est dû! «Tous les dispositifs sont de plus en plus vécus comme des droits» note cette responsable de mission locale du Nord. L'écho est identique à Marseille : «Montée de la notion du «dû» auprès des jeunes; revendication sur l'accès à des vacances... selon des modalités quelque peu dures.» On voit bien, alors, le décalage croissant qui s'opère entre des dispositifs dont l'efficacité n'est pas parfaite et des moyens qui contraignent, on l'a vu, à opérer une «sélection» des jeunes à sauver, et le sentiment que les choses essentielles sont dues, – la politique des quartiers en est une nouvelle preuve – et que, par conséquent, si elles ne sont pas données, ce ne peut être que par incurie, mauvais vouloir ou racisme. Entre l'ampleur des moyens mis en œuvre et l'impatience, l'écart qui se creuse est le plus sûr générateur de tensions sociales graves.

«L'espèce **d'instabilité structurale** de la représentation de l'identité sociale et des aspirations qui s'y trouvent légitimement incluses tend à renvoyer les agents, par un mouvement qui n'a rien de personnel, du terrain de la crise et de la critique sociales au terrain de la critique et de la crise personnelles», écrit Pierre Bourdieu [19]. Il convient de revenir, autant qu'il est possible, au terrain de la critique sociale et au conflit normal. Cela ne signifie pas qu'il soit nécessaire de satisfaire toutes les demandes qui sont exprimées. Faut-il, parce que les jeunes les plus en marge vivent surtout de 19 heures à 3 heures du matin, mobiliser tous les services toute la nuit? Il paraît plus utile de limiter, sur ce point, l'écart par rapport à la norme. En revanche, il est inacceptable – et, d'ailleurs, pas accepté par les intéressés! – de parler de «génération sacrifiée», comme si l'abandon des 18-25 ans à leur désarroi était une garantie de vie normale pour leurs jeunes frères ou sœurs. On doit mettre en garde contre de tels langages et de telles attitudes.

E - L'aggravation

La situation des jeunes de 1991 n'est plus celle de 1981. Ce n'est pas mettre en cause les efforts de ceux qui ont œuvré admirablement, et souvent silencieusement, sur le terrain que d'écrire que ce n'est pas là le seul facteur d'aggravation de la situation des quartiers depuis la mise en œuvre de la politique de développement social des quartiers.

Dissipons toute ambiguïté là aussi : la politique de développement social n'a pas aggravé les choses. Il faut beaucoup d'aplomb, ou beaucoup d'ignorance –

mais c'est la même chose – pour affirmer que rien n'a été fait depuis 1981 en matière de villes et de quartiers déshérités. Mais ce qui a été fait n'a pas suffi à équilibrer les facteurs d'aggravation. On peut en énumérer quelques-uns.

L'ampleur de ce qu'il est convenu d'appeler la crise économique, qui est pour la France une mutation de la concurrence et une compétition internationale accrue. Elle a, pour les quartiers, deux aspects. D'abord la profondeur et la durée du chômage parmi la population des ouvriers et des employés qui peuplent, on l'a mentionné, très majoritairement ces quartiers. Un exemple parmi d'autres, qui nous fait revenir à ces familles d'un quartier de l'Est de la France, dont la moitié est connue du service social : dans cette moitié, 53 % des hommes travaillent, 25 % sont au chômage, dont le tiers depuis plus de 3 ans, 14 % des femmes ont un emploi, 17 % se disent au chômage, dont près de la moitié depuis plus de 3 ans. Exemple volontairement choisi dans une région où le taux de chômage est l'un des plus bas du pays. Les autres témoigneront dans le même sens. S'il n'existe aucune donnée d'ensemble sur le chômage des quartiers en difficultés, tout donne à penser :

– qu'il est sensiblement plus élevé que dans les secteurs voisins (comme le montrait déjà N. Tabard en 1988) [20] ;

– que le retour à la croissance des années 1986 à 1989 a eu des effets limités pour contenir le chômage, mais qu'il n'est pas sûr en revanche que le ralentissement actuel demeure sans conséquences ;

– que, comme les autres phénomènes sociaux, le quartier ne peut être regardé comme unique de ce point de vue : des immeubles, des tranches d'âge, des cités sont plus atteintes que d'autres.

Ni le RMI, dont les effets sont encore mal connus, ni l'économie souterraine, par construction inconnue, n'ont sans doute compensé la perte de revenus et de stabilité résultant de l'aggravation du chômage.

Le second aspect est moins souvent mentionné. Il est d'importance pour les quartiers des villes grandes ou moyennes, notamment de l'Ouest de la France. Il s'agit de «l'écroulement du monde rural», sinon en terme de populations résidentes, du moins en termes économiques, avec la suppression corrélative de nombreux emplois et la venue de jeunes agriculteurs sans revenus dans les villes, en «rupture de ruralité» [21].

Un autre facteur d'aggravation réside dans l'appauvrissement des résidents du quartier résultant du départ des moins infortunés, remplacés par des plus déshérités.

Il n'est pas une visite dans l'un des quartiers sans que l'attention ne soit attirée ou bien par les associations, ou bien par les professionnels, sur les «effets pervers» de l'aide personnalisée au logement conjuguée à la réhabilitation du bâti.

Celle-ci, entreprise depuis plusieurs années, et singulièrement dans le cadre du IXe Plan (1984-1989), a entraîné des hausses de loyers dans les HLM. Il en est résulté, dit-on, que la part de la population ne bénéficiant pas de l'APL a jugé ces hausses insupportables et a été chercher ailleurs des loyers moins élevés. Ce serait le cas des ménages âgés, dont les enfants ont quitté le foyer. Or, ces personnes constituaient une part importante de la «mémoire» du quartier. A l'opposé, les familles les plus pauvres, dont la hausse de loyer est compensée en grande partie par une augmentation de l'aide personnalisée au logement, pourraient sans difficultés s'installer dans les cités.

Les choses apparaissent un peu plus nuancées. La modification des barèmes de l'APL, en 1987, a changé les données du problème. En particulier, toute hausse de loyers laisse, à la charge du locataire bénéficiaire de l'APL, une part qui peut être de l'ordre de 100 francs mensuels. Il se peut que certains, du fait de la modicité de leurs ressources, ne puissent supporter l'augmentation. Autrement dit, la réhabilitation pénalise aussi les pauvres.

Il reste incontestable que la politique de réhabilitation risque, selon la configuration que l'on donne à l'APL, d'écarter les moins infortunés ou bien les plus démunis. C'est la première hypothèse qui a prévalu au moins jusqu'en 1987. Le départ de ce qu'on a appelé un peu vite les «classes moyennes» des cités et la concentration des déshérités a accentué les écarts entre la ville et le quartier.

Ces départs ont eu également d'autres conséquences défavorables.

Ils sont, sans doute, une des causes du déclin des associations de quartier, dénoncé également de manière très large. Sans qu'on puisse se fonder sur des analyses très précises, il est probable que le phénomène associatif reposait à la fois sur la tradition de militants ouvriers engagés sur le lieu de leur travail et «naturellement» fondés à prolonger cet engagement dans leur cadre d'existence, et sur l'appui de municipalités de gauche, singulièrement celles du parti communiste français. Pour de multiples raisons sur lesquelles on ne reviendra pas ici [22], ce double «appui» s'est largement effrité. Désormais, beaucoup de témoignages insistent sur la faiblesse des effectifs des associations, à commencer par les associations de locataires : dans le sud de la banlieue parisienne, sur 15 tours de onze étages appartenant à la SCIC, l'association de locataires rassemble 15 personnes. Dans une commune de Seine-Saint-Denis, on mentionne 10 personnes pour une association, 5 pour une autre, le tout pour 300 logements. Dans l'Est de la France, la confédération, c'est une personne sur le quartier, estime-t-on.

Les départs retentissent évidemment sur ceux qui restent. Des associations ferment purement et simplement boutique, y compris lorsqu'elles sont gestionnaires d'équipements collectifs (en particulier de centres sociaux et culturels). Cela vaut aussi pour des équipements extérieurs au quartier, mais fréquentés par ses résidents, comme ce centre de planning familial de l'Ouest de la France. Cela signifie souvent la fin de médiations possibles, que les militants associatifs pouvaient réaliser. Et aussi la disparition de lieux d'écoute, fondamentale pour certains âges et pour certaines détresses. Pour les bénévoles qui restent, la situation est mal vécue : parmi «ceux qui animent les luttes, les moins écrasés partent; à chaque départ, ceux qui restent se sentent plus rejetés». La qualité de la tâche s'en ressent : les associations sont «de plus en plus petites et spécialisées»; les locaux associatifs sont moins animés.

Cette «dissolution» du monde associatif ouvrier (évidemment inégal selon les quartiers) ne s'est pas accompagnée d'une organisation des nouveaux arrivants. Ou plutôt, cette organisation a été éphémère. On doit cependant s'interroger sur le fait qu'aucun professionnel du développement, aucun élu, aucun militant, parmi ceux qui ont bien voulu participer à ce rapport, n'a mentionné ce sur quoi Adil Jazouli s'interroge longuement : la disparition de la «myriade d'associations locales, régionales et nationales» des jeunes issus de l'immigration et des banlieues (23). Ces associations, confrontées aux calculs politiques locaux et aux dissensions internes, ne survivent pas pour la plupart (il en subsiste, comme «les Craignos», à Lille). Elles n'ont pas plus duré que les «émotions» évoquées plus haut. Leur fin est sans doute aussi dommageable que celle des associations «ouvrières»; elle est cause, en tout cas, d'une déception durable de leurs militants. Apparemment, ce fait n'est pas apparu à ceux qui ont pour tâche de développer les quartiers. Faut-il pourtant rappeler que si l'espace de ces quartiers est divers, il en va de même de leur histoire?

L'affaiblissement très sensible de l'atout de la présence d'association n'a pas été relayé par un renforcement du politique au niveau communal. Au contraire, le désintérêt du politique s'est accentué. Dans les deux sens. D'une part, les municipalités n'ont pas montré, dans leur ensemble, de souci marqué pour les problèmes des quartiers. Intérêt certes facilité lorsque le maire habite un quartier en développement social urbain, ainsi que cela se fait à Tourcoing. Sans aller jusqu'à cette exigence, force est d'admettre que les habitants du quartier ne sont pas tous reconnus par les municipalités. On reviendra sur ce point central dans le prochain chapitre.

D'autre part, et ceci est lié à cela, les habitants ne s'estiment guère habilités à entrer dans des querelles de nature politique, y compris lorsqu'elles ont un rapport avec leur propre existence. En témoignent évidemment les données des élections municipales de 1989, sur lesquelles il n'y a pas lieu de revenir ici, d'autant moins que l'on dispose de peu de données sur les quartiers [24]. Il ne s'agit pas tant seulement de «culture politique», rappelle Pierre Bourdieu : «La propension à user d'un "pouvoir" politique (le pouvoir de voter, de parler politique ou de faire de la politique) est à la mesure de la réalité de ce pouvoir ou, si l'on préfère (...), l'indifférence n'est qu'une manifestation de l'impuissance [25].» L'impuissance des jeunes à trouver des emplois, celle de la police à mettre fin au trafic de drogue, ou du bailleur à rendre les logements moins sonores, l'impuissance par conséquent de porter des revendications qui soient satisfaites, c'est cela que traduit le déclin du politique.

On doit donc indiquer que, dans ces conditions, beaucoup d'enthousiasmes sont retombés. En ce sens, 1991 est différent du début des années quatre-vingt. Il faudra naturellement nuancer et montrer en quoi les assises de Bron et la création du ministère de la Ville ont suscité un nouvel intérêt. Mais il faut percevoir aussi, d'emblée, le découragement des habitants, qui n'ont plus les perspectives politiques fortes qui étaient celles de la Marche pour l'égalité et contre le racisme, ni la conviction qu'on peut changer leur quartier de manière radicale. Ils ont même parfois le sentiment que le militantisme dont ils ont fait preuve est confisqué au profit des professionnels du développement.

Ceux-ci, de leur côté, ne sont pas loin d'éprouver des sentiments analogues, au moins pour la génération qui a participé tôt, en 1982, voire plus précocement encore, à l'aventure des «quartiers». On connaît la crise des travailleurs sociaux. «La durée de vie (professionnelle) des éducateurs est en moyenne inférieure à leur temps de formation», remarque-t-on. Sans en venir à de telles réalités, les professionnels du développement social urbain ont le sentiment d'être pris entre le marteau de l'urgence, qu'appelle la situation qui est décrite dans ce chapitre, et l'enclume des rigidités des politiques publiques, auxquelles il faut à présent venir.

Notes

[1] MICHEL ANSELME « La formation des nouveaux territoires urbains et leur « crise » : les quartiers nord de Marseille » in *Peuples méditerranéens* n° 43, avril-juin 1988, page 121.

[2] CLAUDE BARTOLONE, cité par S. STEIN « La croisade d'un chrétien » *Les Cahiers de l'Express*, n° 3, 1990 (Dossier Immigration).

[3] Collectif, « Quartier-santé, projet santé Francs-Moisins – Bel Air : analyse sociologique et approche communautaire des besoins et des pratiques de santé des familles et des jeunes sur un quartier d'habitat social », décembre 1990, ronéogr., 155 p. , page 28.

[4] Dans le film de FRED SCHEPISI, « Un cri dans la nuit » (1989).

[5] *Le Parisien libéré*, 6 mars 1989 cité dans *Fonda*, Lcttrc d'information, n° 72-73, mai 1990, page 78. En 1964, la presse fait déjà état de « bandes de jeunes » dans les cités.

[6] Pour comparaison, voir GÉRARD MAUGIER et CLAUDE FOSSE-POLIAK, « Les loubards », *Actes de la recherche en sciences sociales*, n° 50, novembre 1983.

[7] Sur cette chronologie, voir, entre autres, FRÉDÉRIC DARMAU et PATRICK HEGIN, « Le logement social depuis 1820 » in *Regards sur l'actualité*, n° 97, janvier 1984.

[8] « Quartier-santé », op. cit. page 57.

[9] FR. CHANDERNAGOR, *L'Enfant aux loups*, Paris, 1990, p. 101-102.

[10] Sans doute est-il encore trop tôt pour risquer pareille comparaison : mais on ne peut manquer de remarquer la similitude de ce qu'ont produit dans les années cinquante ou soixante tous les rassemblements volontaires de personnes : camps militaires, camps de regroupement de la population en Algérie, cités nouvelles, installations de recherche ou de production…

[11] Cité dans *Le Gérant - Politiques immobilières*, n° 16, février 1991, page 41.

[12] Le premier hypermarché s'ouvre en France en 1963, à Sainte-Geneviève-des-Bois.

[13] L'opposition réside entre la ville et le quartier. Elle ne concerne pas les ruraux. L'analyse de l'origine géographique des chèques d'un centre Leclerc d'une cité montre que si les habitants de la ville vont faire leur courses ailleurs, ceux de la campagne n'hésitent pas à s'y rendre.

[14] Voir la bibliographie et la synthèse établies par Michel Legros, «Penser l'insertion : méthodes et critères» in *CREDOC - Cahier de recherche* n° 14, avril 1991.

[15] «La présence d'une "Maison des Presles" qui ne répond plus aux besoins des jeunes du quartier tranquillisent les décideurs, mais ne satisfait en aucun cas certains jeunes qui "galèrent" dans ce quartier», (un responsable associatif).

[16] Echantillon parmi d'autres, voici la situation de 87 jeunes accueillis dans une mission locale, dont l'origine familiale est établie et vérifiée : 22% ont leurs deux parents inactifs ou sans activité professionnelle; 36% ont l'un des deux parents (18%) ou les deux (18%) actifs; 12% n'ont qu'un parent, lequel est actif; 22% n'ont qu'un parent (leur mère), lequel n'a pas d'emploi.

[17] A. JAZOULI : *Jeunes des banlieues, violences et intégration : le dilemme français*, ADRI, décembre 1990, 48 pages. Voir aussi l'article que ce sociologue a publié dans *Le Monde* daté du 16 octobre 1990.

[18] «Les émotions populaires n'arrivent ordinairement que dans les très grandes villes; et vouloir les y empêcher, ce serait quelquefois s'opposer à l'impétuosité d'un torrent rapide... Comme ceux qui causent ces désordres sont presque toujours des gens de la lie du peuple, il n'est pas étonnant que, sensibles seulement aux maux qui les pressent, ils fassent peu d'attention aux desseins et volonté de Dieu, qui veut qu'on obéisse sans murmurer aux Princes et à ceux qui sont préposés de leur part, quelques excès qu'ils commettent dans les impôts qu'ils exigent.» *Histoire de la ville de Rouen en six parties, par un solitaire*, Rouen, 1731, tome 1, p. 537. Cité dans PIERRE LÉON, *Economies et sociétés préindustrielles*, tome 2, 1650-1780, Paris, 1970, page 102.

[19] Souligné par lui. Dans «Classement, déclassement, reclassement», *Actes de la recherche en sciences sociales*, n° 24, novembre 1978, page 19.

[20] NICOLE TABARD et ISA ALDEGHI, « Développement social des quartiers : les sites concernés et leurs caractéristiques socio-économiques par rapport aux autres communes françaises ou aux autres quartiers de l'Ile-de-France », CREDOC et Commissariat général du Plan, avril 1988, ronéogr. 88 pages.

[21] Voir BERTRAND HERVIEU, «Les ruptures du monde agricole» in *Regards sur l'actualité* n° 168, février 1991, page 28.

[22] DIDIER LAPEYRONNIE et MARCIN FRYBES, pour les quartiers où s'installent des immigrés, évoquent la «dislocation du monde ouvrier» in *L'intégration des minorités immigrées, étude comparative France - Grande-Bretagne,* ADRI, décembre 1990, 331 pages; page 167.

[23] A. JAZOULI, op. cit. Voir notamment pages 10 et 11.

[24] On reviendra plus loin sur les calculs de M. F. GOLDBERGER. Un seul exemple, à ce stade : à la Villeneuve, quartier qui, faut-il le rappeler, a été à l'époque de H. DUBEDOUT un modèle d'organisation urbaine, on a compté un taux de 44, 5 % d'abstention.

[25] Dans «Questions de politique», *Actes de la recherche en sciences sociales*, n° 16, septembre 1977, page 60.

Deuxième chapitre

Les politiques publiques et les quartiers

Quels que soient les moyens mis en œuvre, les politiques publiques doivent se juger sur leurs résultats. Elles sont entourées, en général, d'une forte « mise en scène », au sens fort de cette expression (et sans nuance péjorative) : annonces, arbitrages, moyens budgétaires, mobilisation de fonctionnaires. L'efficacité, ou plutôt l'efficience [1] n'est pas là. Elle est, si l'on peut écrire, dans la pièce qui est jouée.

Il est cependant un moyen qui mérite examen particulier. Les collectivités publiques ont – et ce point est beaucoup plus nouveau qu'il n'y paraît – « territorialisé » leur politique, à une échelle infra-communale. Cette territorialisation a-t-elle été réussie ?

La politique de développement social urbain met donc en jeu la capacité des politiques à la fois à apporter des solutions pertinentes à une difficulté sérieuse et, dans cette intention, à renouveler leurs méthodes d'action.

Les pionniers et la frontière

A - *Les pionniers : une prise de conscience fructueuse*

Les difficultés des cités ont amené des esprits inventifs et généreux à définir une politique nouvelle, fondée sur la nécessité d'une approche globale. Les défauts du bâti, l'insuffisance des ressources des habitants, les effets de la crise ne demandaient plus des interventions sectorielles inefficaces mais une politique coordonnée jouant sur différents leviers simultanément.

La genèse du développement social urbain a été longue. Elle a été retracée à plusieurs reprises et, notamment, dans le rapport que François Lévy a consacré aux *Bilan/perspectives des contrats de plan de développement social des quartiers* [2] et dans l'étude que Christian Bachmann, Michel Herrou et Nicole Le Guennec ont remise en 1990 au Plan urbain (ministère de l'Equipement). On rappellera, par conséquent, seulement la création du Fonds d'aménagement urbain en 1976, regroupant les crédits budgétaires affectés à diverses opérations urbaines, et notamment ceux des opérations programmées d'amélioration de l'habitat ; celle, en 1977, du comité interministériel « Habitat –Vie sociale », chargée de financer la part « Etat » de contrats entre la commune, les propriétaires HLM et l'Etat pour l'aménagement d'une cinquantaine de sites en banlieue de grandes agglomérations ; la tenue, en 1981, des Assises pour l'avenir des cités d'habitat social, à la suite d'initiatives de l'union nationale des fédérations d'organismes HLM et de l'association des maires de France, notamment.

A l'issue de ces assises est créée la Commission nationale de développement social des quartiers composée d'élus et de personnes qualifiées, présidée successivement par H. Dubedout, R. Pesce, F. Geindre et A. Diligent et à laquelle on ne donnera que tardivement une assise juridique (décret n° 86-183 du 6 février 1986). La Commission est la première à encourager la mise en œuvre d'une véritable politique globale, parfaitement définie dans le rapport Dubedout de 1982 [3], dont le caractère nouveau ne fait aucun doute. Elle inspire d'abord un programme du Plan intérimaire, puis, dans le cadre de financements assurés par le Comité interministériel des villes créé en 1984, le développement de 23 sites « nationaux » et 125 sites « régionaux » pendant la période du IXe Plan (1984-1989). Dès sa nomination, en 1988, le nouveau Premier ministre met l'accent sur les problèmes urbains, sur lesquels il revient longuement dans sa déclaration de politique générale devant le Parlement, comme illustration de la « démocratie de tous les jours ».

Le décret n° 88-1015 du 28 octobre 1988, encore en vigueur, supprime la Comission nationale et le Comité interministériel et crée pour les remplacer :

– d'une part, un Conseil national des villes et du développement social urbain, comprenant vingt élus, vingt-deux personnalités qualifiées et les ministres compétents ou leurs représentants, chargé de concourir à l'élaboration de la politique de développement social urbain [4] ;

– d'autre part, un Comité interministériel des villes et du développement social urbain, investi du soin de définir les programmes et leurs modalités, les crédits budgétaires nécessaires étant financés par chaque budget ministériel concerné ;

– enfin, une délégation interministérielle à la ville et au développement social urbain, dont l'institution avait été précédée de la nomination d'un délégué interministériel, M. Yves Dauge (décret du 18 juillet 1988), en charge de préparer les travaux des deux autres organismes et, surtout, d'évaluer, de former, d'animer et d'imaginer.

Dans le cadre des contrats passés entre l'Etat et les régions en 1989 et 1990, une nouvelle impulsion qualitative et quantitative est donnée au « développement social urbain ». Ce sont actuellement près de 400 quartiers qui, au titre il est vrai de diverses procédures, font l'objet d'une politique de cette nature.

Les troisièmes assises nationales de «Banlieues 89», réunies en décembre 1990, offrent l'occasion pour le président de la République de relancer la politique de la ville, en annonçant un plan de rénovation des quartiers défavorisés sur cinq ans, la création d'un ministère coordonnateur et un effort de solidarité entre communes riches et communes pauvres. Les orientations sont présentées par le Premier ministre le 18 décembre suivant devant le Parlement. Le ministre d'Etat, ministre de la Ville, est nommé le 19.

Plus encore que ces développements institutionnels, on doit retenir ce qui les précipite et ce qu'ils ont comme effets.

Les difficultés des cités n'ont été perçues ni par les élus, ni par les responsables, ni par les chercheurs, au cours des «étés chauds» du début des années quatre-vingt. Mais ils ont évidemment contribué à une mobilisation accélérée, de même – bien qu'elles soient, on doit insister très fortement sur ce point, d'une autre nature – que les violences de Vaulx-en-Velin du 6 au 14 octobre 1990. «Je veux absolument m'attaquer aux sources d'un malaise et d'un déséquilibre social qui sont d'une immense ampleur» indique le président de la République, après sa visite aux Minguettes le 10 août 1983. On doit également se rappeler que de tels événements ont aussi suscité parmi leurs auteurs des «pionniers» dont on doit entendre la parole.

La succession de ces violences ne doit pas faire croire cependant qu'elle est seule de nature à «payer», selon la formule consacrée. Au contraire, beaucoup sera gagné s'il est montré aux habitants des quartiers qu'une action en profondeur est plus efficace et si les élus comme les fonctionnaires s'en tiennent à cette ligne de conduite. Dans telle cité de Seine-Saint-Denis, un travail patient avait été entamé avec l'association Moving City, sans subventions, par différents responsables. En décembre dernier, les représentants de deux associations marginales vinrent casser quelques vitres à l'hôtel de ville. Dès le lendemain, on débloquait les subventions que ces deux associations souhaitaient. Résultat, commente le témoin, «deux ans de travail perdu pour le développement social des quartiers».

Heureusement les exemples inverses abondent. Les résultats de la claivoyance de «pionniers» peuvent être de deux natures.

Le développement social des quartiers a joué d'abord un rôle préventif important. Tout aussi sûrement que la célèbre «main invisible», comme d'ailleurs beaucoup de politiques sociales, celle-ci a non seulement prévenu les violences et les déviances dans beaucoup de circonstances, mais elle a fait obstacle au laisser-aller, à la capitulation, à la misère. Cela est attesté dans les quartiers.

Il a favorisé, concurremment avec d'autres politiques – la lutte en faveur de l'emploi surtout, mais aussi le RMI, les mesures contre la toxicomanie,... une forte prise de conscience des fonctionnaires de l'Etat de l'importance des difficultés de cette nature. En d'autres termes, en particulier dans les départements, les représentants de l'Etat se préoccupaient du politique (pour le corps préfectoral) et de l'investissement (pour les services extérieurs ministériels). Ils sont passés de la construction à la gestion, de la croissance à la lutte contre l'exclusion. L'évolution est, en particulier, très sensible dans de grands services « bâtisseurs » comme les directions départementales de l'équipement.

Peu de politiques sont appliquées par des agents aussi prêts à la recevoir et à la comprendre, que la politique de développement social urbain.

Mais si les fonctionnaires ont évolué, on ne saurait en dire autant des procédures. Les pionniers de l'approche globale se trouvent encore bloqués par des frontières apparemment peu franchissables.

B - La frontière : un double enchevêtrement de compétences

L'Etat et les collectivités territoriales

La mise en œuvre de la politique de développement social urbain implique un rapprochement entre différentes collectivités publiques. Ce rapprochement se fait mal.

Il se fait d'abord dans le cadre d'une véritable pièce de Feydeau administratif. L'Etat et la commune préparent ensemble le développement d'un quartier. La porte s'ouvre. Qui voit-on apparaître ? Le département ? Non, la région !

Le lien entre Etat et région pour les quartiers n'a pas été pensé en raison de l'intérêt de ces derniers mais selon une pure logique administrative : puisque l'action sur les quartiers devait se dérouler sur cinq ans et que les contrats entre l'Etat et les régions (ex-contrats de plan) offraient, seuls, une programmation pluri-annuelle, le rapprochement « s'imposait ». Il ne s'impose pas du tout. Ce n'est nullement faire injure aux régions que d'écrire que ni leurs missions ni, par conséquent, leurs préoccupations, ne sont attachées aux quartiers. Tout au plus le sont-elles par deux volets importants du développement social urbain : la culture et les lycées d'enseignement [5] ; plus subsidiairement la formation professionnelle. Mais, globalement, on leur fait « perdre leur temps ».

Cet éloignement, moins géographique que d'attributions, peut créer des discordances entre les décisions de la région, pas toujours bien informée (on relève par exemple « l'absence de représentation directe des villes au sein du Groupe régional des villes»), et les réalités du terrain. Cette discordance a pu se manifester notamment dans le choix des sites opéré dans la négociation avec l'Etat.

Il ne fait pas de doute, en revanche, que l'absence du département pénalise la réalisation de la politique des quartiers.

En termes de crédits disponibles, en premier lieu. Dans le département de l'Essonne, la présence d'un secrétaire général de préfecture actif a suffi pour convaincre le Conseil général de s'engager dans la procédure : chaque site de développement social urbain a ainsi perçu 480 000 F au titre de cette collectivité. Mais cet exemple est exceptionnel.

En termes de cohérence surtout en second lieu. Non seulement parce que, dans certains sites, tout ce qui relève du département est écarté d'office de financements «développement social urbain» et décourage naturellement la cohérence (ainsi les projets relatifs aux collèges du second degré). Mais surtout parce que le département ayant compétence en matière d'action sociale, on se prive localement de dynamismes supplémentaires (la question des travailleurs sociaux sera examinée plus spécifiquement au chapitre IV ci-après) : ainsi les clubs de prévention sont largement financés par les conseils généraux, tout comme de nombreuses associations liées au développement social. Sans parler des implications de la politique de revenu minimum d'insertion, dont de gros bataillons se recrutent dans les cités et dans laquelle les élus paraissent très impliqués [6].

Dans les rapports qui ont été noués entre Etat, région et commune, tout ne fonctionne pas harmonieusement, en particulier entre la commune et l'Etat. Sur ce point, trois éléments ont été fréquemment relevés.

Du côté des municipalités, est souvent évoqué, à propos du développement social urbain et d'une manière généralement peu amène, le thème du «retour» de l'Etat. Ce dernier est suspecté de vouloir, par le moyen du contrôle des dossiers soumis au préfet, s'immiscer directement dans un développement qui regarde exclusivement la commune. «Les services de l'Etat, affirme cette élue, veulent récupérer aujourd'hui (ce qui leur a échappé...). Ils veulent garder leur monopole.» La politique de développement social urbain ramène donc les élus, pour partie, avant la décentralisation, lorsque des projets techniques devaient recevoir l'aval des agents de l'Etat. Mais la décentralisation est survenue entre temps : l'Etat se comporte donc en «terrain conquis».

Cette impression est d'autant plus ressentie qu'elle s'alimente des effets de deux autres facteurs. D'une part, la politique de développement social urbain n'apparaît pas isolée. D'autres ont suivi (est plus particulièrement citée la mise en place du crédit formation individualisé) : il existe donc une propension forte de l'Etat à revenir sur ce qu'il a accordé en 1982 («On vous l'avait bien dit!»). D'autre part, les mesures pour les quartiers ont des effets d'ordre public importants : par crainte de répétition des violences de Vaulx-en-Velin ou de

Sartrouville, les représentants de l'Etat, dit-on encore du côté des municipalités, interviennent de manière un peu intempestive dès qu'ils estiment sourdre la menace. Dans certains cas, cette pensée peut leur venir souvent.

Ces arguments doivent être relativisés. Non sur la forme : des frictions sont inévitables et, comme on le verra, certaines procédures doivent être assouplies. Mais sur le fond : on oublie ici que, au contraire des responsabilités qui ont été intégralement transférées, l'Etat intervient ici avec ses propres crédits. Surtout, en dépit de quelques maladresses qui ont pu se produire ici ou là, la réalité semble être un peu différente.

Le deuxième élément, qui revient en effet comme un leit-motiv sous la plume ou dans la bouche des professionnels du développement urbain, réside au contraire dans le retrait de l'Etat des opérations : une fois la convention passée, l'Etat se désintéresse totalement des finalités de l'opération. Seul intervient le rituel contrôle *a priori* des dépenses, mais, dès lors qu'aucune irrégularité comptable n'apparaît, il finance. On connaît cette histoire de Lucky Luke, maire d'une petite ville de l'Ouest, craignant pour son bal du samedi soir, à qui le responsable de l'orchestre invité affirme : «Ne vous inquiétez pas M. Luke, nous jouons mal mais nous jouons fort, quoi qu'il advienne.» L'Etat peut payer mal, et même chichement, mais il paye «quoiqu'il advienne», y compris lorsque l'action financée est mal fondée.

Beaucoup de responsables insistent sur ce point : «Comment expliquer, écrit l'un, qu'un maire qui refuse que soit transmis aux partenaires de l'Etat une étude diagnostic concernant le site ne soit pas interpellé (par le représentant de l'Etat) ?» ; «la politique de la ville sur le terrain est bien de la compétence des élus locaux, et l'Etat et la région ont le droit et le devoir de contrôler l'utilisation de leurs subventions»; «le rôle de l'Etat doit être non seulement celui d'un référent mais également d'un garant que les objectifs visés seront remplis et que la solidarité s'applique bien à tous et spécialement aux plus défavorisés.»

Voilà résumées les trois justifications qui font que l'Etat aujourd'hui est «dramatiquement absent» du développement social urbain. Non qu'il doive s'occuper de bancs et de lampadaires; mais il doit intervenir lorsque les fonds sont détournés de leur objectif; il doit veiller à l'utilisation des fonds dont il est la source; il a le rôle d'un garant, au plan local, de la solidarité nationale.

Ce n'est pas ainsi que se déroulent les choses. Sauf attitude résolue de la part de certains de ses représentants, qui font exception à cette description, l'Etat paraît comme empêtré en la matière. «A la ferme autorité d'unité assurée par (l') Etat… succède une unité obtenue par coopération entre les représentants de l'Etat chargés de rappeler la règle commune et ceux qui ont la responsabilité des groupes concrets. La difficulté actuelle est que l'appareil de notre Etat, "segmenté", compromis dans les jeux locaux à force de les avoir manipulés, n'est pas préparé à jouer le rôle d'incarnation de la règle. Désemparé quand on lui a retiré son rôle de gestion directe, il risque, faute d'être capable de déterminer sa nouvelle position, de devenir l'instrument du même personnel politique local qu'il manœuvrait jadis [7]. »

Il n'y a rien à ajouter à ce commentaire. L'Etat a déserté les fins de la politique urbaine.

Le troisième élément de la relation Etat-collectivités territoriales est potentiel mais de grande importance.

Il est inévitable que des conflits apparaissent entre l'élu local, soucieux de garder la maîtrise d'un développement sur lequel les électeurs de la commune auront à se prononcer, et l'Etat, garant des orientations d'une politique ayant des implications nationales. Là où l'Etat prend ses responsabilités, ces conflits existent, (l'Etat a-t-il le droit de réunir les chefs de projet à son initiative... ?). Ils peuvent porter sur des quasi-querelles de préséance. Mais aussi sur des questions de fond : faut-il employer les crédits de développement social urbain pour telle reconstruction hors du quartier ?

De tels conflits sont fructueux, dès lors, naturellement, qu'ils sont résolus. A ce titre, les questions qu'ils posent doivent être autant que possible débattues. Elles restent aujourd'hui entre les murs des bureaux aux portes capitonnées. Il est souhaitable qu'il en aille autrement.

L'Etat et les Etats ; le pain d'épices et le mille-feuilles

On ne se livrera pas ici à des commentaires sociologiques sur la verticalité, l'horizontalité et leur sens dans l'action de l'Etat (cependant, pour une approche des théories de l'exclusion sociale, voir [8]). Mais on s'efforcera seulement de montrer qu'il n'y a pas qu'un Etat mais des Etats et que chacun d'entre eux agit le plus souvent pour son propre compte.

Enchevêtrement de compétences, est-il indiqué plus haut... Depuis longtemps, l'Etat a organisé une série de politiques sociales verticales, comme des tranches de pain d'épices. C'est que, depuis 1945 en particulier, beaucoup se faisait à partir des liens entre le travailleur et son emploi : formation sur le tas, droits à la protection sociale, loisir et culture (par le comité d'entreprise), revenus, congés... Restait à l'Etat à accompagner ces relations particulièrement riches, par des découpages correspondant à ces différents secteurs : relations du travail, protection sociale, sports, culture, logement... Le modèle a structuré en particulier gouvernements et administrations centrales. Seuls ceux dépourvus de contrats de travail et démunis de ressources pouvaient relever d'un ensemble plus cohérent, bien que lui-même segmenté, l'action sociale. Les lacunes de ces politiques verticales sont apparues récemment, avec d'autant plus de force que les liens du contrat de travail se sont affaiblis. Alors sont apparues des politiques visant des «publics» distincts, à visée plus globale : les rapatriés, les immigrés, les jeunes, les femmes, les exclus... Le malheur est que ces politiques horizontales ont été soigneusement superposées, comme les couches successives d'un mille-feuilles. Elles ont donné lieu à la création de ministères nouveaux et d'administrations nouvelles, le plus souvent réputées de «mission».

Celles-ci sont créées sous la pression de l'urgence et aussi comme résultat d'une sorte de fuite en avant : les administrations centrales, trop «verticales» ne peuvent être coordonnées suffisamment pour prendre en charge tous les aspects de la vie d'un «public»; dès lors il convient de créer une délégation gestionnaire de la nouvelle politique horizontale. On a créé, observe ce maire, les missions locales en attendant de réformer les structures ANPE, CIO... Mais la réforme n'est pas venue; on a créé un dispositif supplémentaire, dont les agents, recrutés par contrat, sont mieux payés que les fonctionnaires ou assimilés. En retour, «puisqu'ils gagnent plus et qu'ils sont si forts, qu'ils récupèrent les cas difficiles.»

Lorsqu'il convient enfin de mettre en œuvre une politique qui n'est plus fondée ni sur un aspect de la vie de chacun, ni sur un public déterminé, mais sur un territoire, comme le veut la politique de développement social urbain, cet espace est par avance quadrillé, labouré même, par les politiques qui s'y appliquent. La cohérence sur le terrain devient une tâche dévoreuse de temps et d'énergie.

On a cité le cas d'un quartier – en développement social urbain – comptant 24 zonages distincts : on peut penser que la liste n'était pas exhaustive. Dans telle commission locale interpartenariale (CLIP), on mentionne 80 participants. Dans telle autre – le quartier concerné étant, il est vrai, situé sur quatre communes de la banlieue sud de Paris – 300 membres.

Le problème n'est d'ailleurs pas le seul fait de l'Etat. La commune est aussi en cause. De son côté, le patrimoine HLM est souvent divisé en plusieurs bailleurs, quelquefois très nombreux. Et de manière générale, plus les pauvres sont pauvres, plus nombreux sont les organismes qui les ont en charge. «Plus de 150 professionnels publics ou para-publics interviennent dans le quartier : Education nationale, Office public départemental HLM, différents services communaux, services du département, police nationale, mission locale, entreprises d'insertion, organismes de formation, association,...» note un élu.

Ce n'est pas tout : la politique de la ville elle-même n'est pas exempte de procédures variées. Un chef de projet note que la politique de quartier comporte une part de flou et s'intègre difficilement en raison des différentes strates utilisées : quartier avec la politique de développement social des quartiers mais aussi les conventions de quartier [9]; ville avec les conventions «Ville-Habitat» et les treize contrats de ville signés ou en discussion; agglomérations avec le PACT urbain Arc Nord-Est s'appliquant à trente bassins d'emploi. Sans compter les soixante sites « pilote » pour l'intégration des immigrés (mais qui paraissent bien… intégrés à la procédure DSQ). Si, au moins, ces modalités très variées constituaient autant d'occasions de tendre la main aux habitants du quartier pour les admettre à participer aux débats. C'est bien plutôt l'inverse qui se produit : l'abondance des personnes venues de l'extérieur donne l'illusion d'une vaste concertation, si vaste qu'elle étouffe la voix des résidents de la cité.

Chaque politique nouvelle est l'occasion d'une tentative supplémentaire de fédérer les efforts. En particulier, après 1982, les missions locales, « légères, temporaires, globales, adaptées », pour reprendre les termes de Bertrand Schwartz [10], s'efforcèrent d'œuvrer en ce sens. Sauf exception, ces tentatives ne sont pas durables. Les agents publics sont pris dans un engrenage de dispositifs séparés, concourant aux mêmes buts, dont les conseils d'administration nécessitent des réunions fréquentes, réunissant les mêmes personnes dans des discussions très voisines.

Les politiques horizontales successives étant, comme il est normal, définies de manière centrale, mais sans guère de possibilités d'adaptation, on ne s'est pas pour autant donné la peine d'apprendre aux agents publics à travailler ensemble. L'impression d'ensemble est celle du maintien d'administrations cloisonnées : « On a entendu des conteurs politiques généreux… Dans l'ombre, les fonctionnaires chargés d'appliquer cette politique généreuse traçaient les limites du très peu. » On évoque les « citadelles », les « baronnies », le conservatisme des structures : « Touche pas à mon pauvre ! » [11].

Une tâche aussi nouvelle, qui requiert autant de décloisonnements, ne peut être mise en œuvre sans réflexion sur la liberté dont le fonctionnaire engagé dans un travail horizontal avec d'autres administrations dispose à l'égard de sa propre hiérarchie. Cette réflexion n'a sans doute guère été menée. C'est pourquoi les conservatismes dénoncés visent moins « les bonnes volontés de la base administrative » que les « rigidités hiérarchiques » auxquelles elles se heurtent, rigidités plus rigidifiées encore par les innombrables circulaires que, faute de souplesse, l'administration centrale est contrainte d'envoyer pour définir tous les cas de figure possibles.

L'indépendance de ces citadelles amène des résultats qui seraient cocasses, n'était la gravité du sujet. La mobilisation autour d'un quartier est celle d'une armée de comédie, les uns reculant au moment où les autres avancent : tel coordonnateur de zone d'éducation prioritaire indique que pendant le premier contrat, passé lors du IXe Plan, les enseignants du primaire étaient très actifs et pleins d'enthousiasme ; ceux du collège pratiquement pas concernés. Depuis 1989, les instituteurs, quelque peu découragés, se sont renfermés ; les professeurs partent, eux, « frais et joyeux ».

Si la multiplicité des statuts et le démembrement administratif peuvent avoir un effet salutaire au niveau central, le croisement sur le terrain d'agents d'établissements publics, de la commune, du département, de l'Etat, d'associations, sans compter les sociétés d'économie mixte... ne facilite pas les rapprochements. Surtout, du côté de l'Etat, le préfet n'a pas autorité *(horresco referens!)* sur quelques organismes qui ont un rôle décisif dans la matière : Education nationale, Justice, Agence nationale pour l'emploi, Agence pour la formation professionnelle des adultes...

Pour être complet, on doit ajouter que grief est fait aux fonctionnaires de changer d'affectation trop rapidement. La préoccupation – légitime au demeurant – de la carrière constitue un rythme de changement. Mais ce rythme coïncide-t-il avec le rythme du changement des quartiers ? Un haut fonctionnaire explique qu'il a pour interlocuteur son troisième inspecteur d'académie adjoint depuis 1985.

Enfin, on n'aurait pas à s'interroger sur la valeur des fonctionnaires si la qualité de ceux placés dans des quartiers ou communes réputées difficiles n'était pas, parfois, mise en doute. Interviennent là des questions complexes de barèmes et de demandes de mutation sur laquelle aucune donnée ne paraît disponible et sur lesquelles on ne peut donc conclure.

Encore n'a-t-on évoqué ici que les politiques directement liées au développement social urbain. Le tableau est sans doute moins riant encore pour les politiques de droit commun, c'est-à-dire celles qui s'appliquent selon des critères identiques sur tout le territoire national.

Dans cette hypothèse la liaison avec la politique de quartier apparaît singulièrement compliquée car peu de fonctionnaires, dans les services extérieurs de l'Etat, paraissent soucieux de s'interroger sur l'application concrète, dans un quartier officiellement prioritaire, des conditions d'applications des mesures nationales. Ce qui provoque l'irritation des professionnels du développement. Ainsi ce responsable d'une «régie de quartier» constate que la direction départementale du travail et de l'emploi considère la régie «de manière très éloignée, (...) sans voir les difficultés» et que «tous les dispositifs (d'insertion) mis en œuvre l'ont été de manière catastrophique». En revanche, ajoute-t-il, ce service ne manquera pas de signaler que «si vous êtes plus de dix, n'oubliez pas le délégué du personnel». Le même service refuse d'habiliter un «contrat de qualification» (formule de formation professionnelle pour les jeunes), pour le motif qu'il ne conduit pas à une qualification : or, le contrat en question repose sur une problématique de «nouvelles qualifications» [12]. Ailleurs, un directeur départemental indique qu'il ne dispose d'aucune «analyse particulière sur l'application des mesures "emploi" dans le quartier» : il a monté en revanche avec soin un programme particulier destiné à ses habitants. Mêmes échos en matière de logement : «il peut se révéler compliqué de concilier des impératifs de gestion d'un programme local (à l'échelle de la ville) avec des programmes plus larges (crédits logement à ventiler sur un département, par exemple)»; ou encore : «articulations à trouver entre une politique de logement social sur une ville et les actions prises en compte dans le plan d'action départemental pour le logement des plus démunis».

Naturellement ce constat n'est pas général. Il existe des exceptions heureuses. Dans l'ensemble, toutefois, l'Etat compartimente son action : il est comme ces très jeunes enfants qui jouent longuement avec un objet, puis avec un autre, sans voir que le rapprochement des deux (une clé et une serrure) peut ouvrir de nouvelles perspectives.

Il résulte de tout ceci, bien évidemment, une perte d'efficacité importante. Chacun étant «indépendant», on conventionne à tour de bras, comme jamais entre collectivités publiques, pour créer des obligations qu'on tiendra mal, ou de toute manière, au détriment des missions normales de service public. Et, pour appliquer à l'administration la formule célèbre dont Michel Debré usait à l'égard du parlement de la quatrième République [13], «accablée de textes, et courant en désordre vers la multiplication des interventions de détail», ses agents se débattent dans des procédures longues et difficiles.

Cela n'aurait pas d'importance – les fonctionnaires sont faits, après tout, pour les procédures – si, ce faisant, la connaissance des habitants, l'écoute de leurs situations, la présence à leurs côtés, ne s'en trouvaient pas radicalement affectées. Hormis quelques catégories de fonctionnaires souvent exceptionnels (la poste, la police,...) l'Etat a déserté l'animation comme il a déserté les fins. Sans doute au détriment d'une bonne connaissance de la vie locale.

L'attitude des responsables

A - *Les stratégies communales*

Sans vouloir porter ici de jugement sur les motifs qui ont conduit à de telles attitudes, il semble qu'on puisse résumer à trois les politiques communales à l'égard des quartiers.

La première attitude est le choix de l'ignorance, en particulier si le quartier en difficulté apparaît fortement minoritaire en nombre d'habitants et si aucune manifestation spectaculaire n'a appelé une particulière attention [14] : il n'y a pas de problème « significatif » et la politique est identique dans le quartier et dans le reste de la ville.

Le choix du silence a plusieurs causes.

La première est le manque de moyens. Passer une convention de développement social urbain signifie, pour la commune, s'engager également financièrement. Or la plupart des communes où sont situés les quartiers en difficultés sont démunies de moyens. Ainsi Michel Delebarre, ministre de la Ville, soulignait-il devant l'Assemblée nationale, le 20 mars 1991, qu'entre Courbevoie et Chanteloup-les-Vignes, l'écart de potentiel fiscal par habitant est de 1 à 12. Accroître la charge fiscale ne sera guère compris, souligne un maire, par les habitants de « l'ancienne ville » aux ressources modestes, d'autant moins si le produit de l'impôt doit financer le déficit des grands ensembles et de nouveaux équipements dont ils ne profiteront pas. La loi n° 91-429 du 13 mai 1991, dont l'article 7 (article L. 234-14-1 du code des communes) institue une « dotation de solidarité urbaine » entre communes pauvres et communes riches, apporte évidemment un élément de réponse à cette question.

La deuxième est la crainte que peuvent avoir les maires, tout comme les habitants dont il a été parlé dans le chapitre précédent, de l'effet de « stigmatisation » sur la commune. Passer une convention de développement social des quartiers est le signe qu'on a, sur le territoire communal, des habitants turbulents, mauvais payeurs ou délinquants. A la limite, ce pourrait être un signe de mauvaise gestion communale.

La troisième cause réside dans l'état d'esprit de la majorité du corps électoral. On ne doit pas penser que l'orientation sociale d'une politique, qu'elle soit nationale ou communale, vient spontanément à l'esprit des électeurs – sauf lorsqu'elle est en leur faveur. L'ignorance de la pauvreté peut être, aussi, cause de réélection.

Une variante très différente d'un choix identique est une politique municipale tout orientée vers le développement économique à tout va. En d'autres termes, le « socialisme municipal » célébré voici un siècle a laissé la place, notamment du fait du ralentissement de la croissance, au « libéralisme municipal ». Les industries anciennement installées, employant des personnes peu qualifiées, ferment leurs portes. La zone industrielle locale devient *high tech*, les bureaux s'installent. Eventuellement de nouvelles voies de communication. Le « quartier », jusqu'alors enraciné dans la vie locale, s'en va doucement à la dérive. La ville est engagée dans un cercle vertueux ; le quartier dans un mouvement inverse. Un peu d'attention fait apparaître les secteurs pour lesquels, demain, il faudra passer convention…

D'autres communes n'ont pas adopté le parti pris du silence ou de l'ignorance, mais celui de l'affrontement, c'est-à-dire de l'explication de tous les maux dont la commune souffre par la présence des quartiers et de la volonté de « mettre au pas », au plus vite, ces derniers.

Les éléments du débat ainsi résumés paraissent peut-être trop simples. En réalité, il résulte de situations difficiles, en particulier de trois composantes :

– l'opposition forte entre le centre ville et la cité : deux habitats, deux peuplements, deux modes de vie… ;

– un sentiment fort d'insécurité (voir ci-dessus, chapitre I) ;

– l'idée qu'a le maire d'une relative impuissance.

Une telle attitude repose sur une difficulté politique bien réelle, esquissée précédemment. A créer un fort courant d'investissement dans le quartier, on suscite une réaction négative ailleurs, une « politique de rejet des autres secteurs de la ville » dit un élu. Notamment chez ceux qui s'estiment, à tort ou à raison, eux aussi victimes de la « crise économique ». « Sur les 380 chômeurs du quartier, ajoute le même élu, il y en a autant dans la partie pavillonnaire que dans la cité nucléaire » (cette dernière principal objet du développement social urbain).

La réaction de rejet n'est pas d'ailleurs le seul fait des résidents du centre ville. Beaucoup signalent la réticence des employés communaux à venir travailler dans le quartier, comme des équipes d'entretien d'HLM, ou de salariés d'entreprises privées (les réparateurs d'ascenseurs étant particulièrement réservés…), ou publiques (difficultés rencontrées par les conducteurs d'autobus).

On doit marquer que, comme dans le cas précédent, un engrenage se met en place dont il viendra des tensions sociales de plus en plus fortes. L'analyse que Marie-Françoise Goldberger a faite du vote » Front national » dans 82 communes, pour le compte de « Banlieues 89 », montre que ce vote est d'autant plus bas que la municipalité, et en particulier le maire, s'occupent activement du « terrain » : dans les ZUP, ce vote peut être inférieur à la moyenne départementale. Il en va de même, à un moindre degré, là où des actions de l'Etat ont été menées, ou bien là où existent encore, vivaces, de fortes traditions ouvrières (et, sans doute, une présence associative significative).

En cristallisant les oppositions, sans avoir véritablement les moyens de les résoudre, le choix de l'affrontement risque donc de conduire à de plus fortes tensions encore.

Enfin les dernières communes ont fait le choix de l'engagement dans une politique de développement social urbain, sous la forme d'une convention.

Un tel choix ne doit pas tromper. Il recouvre des motivations et des attitudes bien différentes.

Les plus tièdes consistent en une chasse à la subvention, que connaissaient bien les mairies organisées. La politique DSQ est un guichet supplémentaire ouvert par l'Etat. Il s'agit de ne pas le manquer. Dans cette hypothèse, la mise en œuvre des objectifs de la convention est rangée au magasin des accessoires : « Comment peut-on croire que le DSQ est prioritaire lorsqu'il est souvent rattaché au service social de la ville, service lui-même compartimenté en secteur : logement, prévention, etc. On multiplie les intervenants et les délégations. »

L'effet de stigmate relevé précédemment peut jouer aussi dans un sens positif. L'affichage « développement social des quartiers » est destiné à montrer l'action de la municipalité en faveur des déshérités. Mais dans cette hypothèse, comme l'Etat passe à l'action, le risque est de faire, comme l'écrit un chef de projet, de la « vitrine », sans réflexion ni concertation. Rapidement d'ailleurs, lorsque l'Etat disparaît, pour les raisons évoquées plus haut, « l'obsession des échéances électorales, la peur de l'association ou de l'institution politique opposée, etc. créent des attitudes de repli parfois dramatiques ». Ou plus fréquemment encore, le choix est fait d'actions spectaculaires, au détriment de la longue durée efficace : « la dimension (de l'insertion socio-économique) est souvent mal comprise des élus, peu alléchante électoralement parlant et en contradiction avec le label de réussite de développement que souhaite posséder chaque ville. » En d'autres termes, l'urbanisme, surtout si le quartier est visible ou proche du centre (quartiers anciens) est gratifiant ; le social, beaucoup moins.

Une autre attitude réside dans ce qu'on pourrait appeler la bonne volonté désordonnée. Un élu décrit ainsi une première période de tâtonnement : « la démarche de la municipalité est alors loin d'être globale et cohérente :

– l'agence d'urbanisme n'est pas mobilisée ;

– il n'y a pas de chef de projet, pas de service municipal en charge de l'opération de façon globale ;

– l'intervention s'est faite sans diagnostic préalable et se centre sur les travaux d'infrastructure, réhabilitation sur cadre bâti, espaces extérieurs, restructuration du centre socio-culturel… »

Dans cet exemple, une seconde étape plus cohérente a suivi. Mais, on ne doit pas sous-estimer la difficulté que représente pour une ville l'application d'une politique territoriale.

Celle-ci, notamment pour une grande agglomération, lui pose des problèmes redoutables. Tant la municipalité que les services sont organisés, comme l'Etat, de manière verticale : un élu est chargé de l'urbanisme, un autre des affaires sociales, un troisième du développement économique… Il y a la direction de la voirie et celle de l'action sociale, etc. La politique DSQ crée des tensions : par exemple, s'il en existe (ce qui est loin d'être le cas partout), entre l'élu de quartier et l'élu chargé d'une catégorie d'affaires; quant au chef de projet, ou bien il est rattaché à un service déterminé, avec les limites d'attributions de ce service, ou bien il est placé auprès du secrétaire général, avec le risque de ne pas déterminer suffisamment les orientations des services.

Ces tensions expliquent les difficultés qu'il y a à mettre en place les maigres dispositifs prévus. Les chefs de projet sont nommés tardivement, au grand dam des associations d'habitants. L'absence de responsable génère à son tour des conflits entre techniciens, lesquels ne sont pas arbitrés. Ou bien les mêmes techniciens sont dans l'incapacité de faire prendre les décisions nécessaires, personne n'ayant reçu parmi les élus, délégation à cette fin et les services centraux étant principalement occupés par la gestion normale des affaires (cas d'une grande ville où le développement social des quartiers relève de la direction de l'habitat). En l'absence de vision politique ferme, le DSQ reste dans une logique administrative : «les projets sont analysés service par service : chacun va se demander si ce n'est pas contradictoire avec sa propre logique budgétaire (c'est du droit commun, ça me revient)».

Rappeler ces difficultés ne signifie pas mettre en cause la responsabilité des signataires d'une convention. Mais seulement souligner que les choses ne vont pas de soi et qu'on ne saurait entrer dans le développement social urbain sans adapter ses moyens aux fins recherchées.

Il reste que beaucoup d'élus se sont engagés comme il convenait après la passation de la convention. On se bornera alors à évoquer succinctement les difficultés de relations qui peuvent apparaître.

Avec les habitants d'abord; le point de savoir si les réalisations qui entrent dans le cadre du développement social des quartiers sont celles des habitants avec la municipalité ou de la municipalité sans les habitants pose des problèmes sur lesquels on reviendra. Notons seulement ici, avec un observateur avisé de la banlieue nord-ouest de Paris que l'absence de concertation «peut entraîner soit l'émergence de projets issus des habitants et des jeunes en particulier, accompagnés jusqu'à leur réalisation, soit le reproche fait à ces mêmes habitants de ne pas présenter des projets cohérents.

Les projets non concertés qui leur sont alors substitués par les municipalités ne sont souvent qu'un «replâtrage» artificiel qui ne règle pas les problèmes de fond posés par la disparition des différents tissus relationnels et l'identification au modèle dominant de la réussite sociale dans la société de consommation.

Avec le Conseil général ensuite. Le département n'est pas officiellement partie prenante dans la procédure, on l'a vu. Pour cette raison, ses efforts sont jugés trop maigres par les mairies. Un maire présente à bon droit comme dérisoire la somme de 1 350 F allouée pour l'année par le Conseil général pour l'office municipal de la jeunesse. Bien entendu, de telles perceptions deviennent conflits lorsque commune et département sont de bords politiques opposés, ou même, lorsque tout le monde est du même bord, dans l'hypothèse de querelles de personnes durables, comme la vie politique nationale sait en secréter. De telles tensions ne sont pas critiquables en soi ; elles peuvent être tout-à-fait positives, si les conflits auxquels elles donnent lieu ne sont pas, comme dans la relation entre l'Etat et la commune, réservés au silence des cabinets. Il convient précisément de revenir sur les relations avec l'Etat, enfin. Lorsque la commune s'est solidement organisée, y compris par des formules inventives et intéressantes, le risque existe d'un excès de «municipalisation» de la procédure qui fasse oublier l'apport des services de l'Etat.

On voudrait ici se faire bien comprendre. Le propos n'est pas de prendre parti dans la querelle de la décentralisation et du retour de l'Etat. Le rôle de ce dernier, lorsque la mairie a lancé la procédure avec bonheur, est sans nul doute de reconnaître et de faire connaître, ailleurs, les réussites et les innovations. Mais de manière très pragmatique, il convient de se rappeler que l'Etat dispose de services dont la participation est essentielle à l'affaire, ou qu'il existe des institutions communes – on pense ici aux missions locales – qui doivent être mobilisées. Dans les villes qui ont réussi à fédérer efficacement services municipaux et associations, le lien avec les services de l'Etat est souvent encore à consolider. Mais l'Etat et la commune ont-ils eu l'occasion d'apprendre à travailler sur le terrain ensemble ?

B - Des associations équilibristes

On s'intéressera ici moins aux associations des habitants du quartier qu'à celles, municipales ou plus larges encore, qui ont vocation à participer au développement social des quartiers. Nul doute que cette distinction soit parfois artificielle. Elle doit aider à dégager les difficultés.

Le rôle des associations est difficile à tenir. Sont-elles dans les quartiers pour suppléer les carences des collectivités publiques ou pour mettre en œuvre leurs propres conceptions, distinctes voire opposées ? Cette manière de poser la question est certainement celle des collectivités publiques en cause. De leur côté les associations tiennent beaucoup à un rôle de médiation entre habitants et collectivités, ou mieux de tuteur (non au sens du code civil mais à celui de l'arboriculture…) : « la fonction de médiation des associations reste indispensable. Car elles sont des espaces de rencontre, de créativité, d'élaboration commune, qui peuvent permettre aux habitants de formuler leurs aspirations et d'être acteurs de leur propre devenir individuel et collectif », écrit la FONDA. Même écho dans cette belle formule d'un représentant de la fédération des centres sociaux paraphrasant Michel Serres :

l'association est «tiers instruisant»; elle repère la demande sociale et l'aide à se construire, avec les moyens méthodologiques, logistiques et financiers nécessaires. Mais l'équilibre de ce tutorat, de cette médiation, de ce «tiers instruisant» est très difficile à tenir. Plusieurs facteurs poussent au déséquilibre. Le premier facteur est aisé à discerner : c'est la tentation de la confiscation. L'association, faite pour être le porte-parole de ceux qui sont «sans chances et sans voix» [15], parle si fort que l'on n'entend plus ceux dont elle est censée transmettre le message. Soyons clair : le cas est fréquent, d'autant plus que l'association ne connaît guère le quartier et qu'elle y a été implantée au forceps : «On fait trop de choses pour les gens (pour les occuper?) mais pas avec eux, en tenant compte de leur existence en les respectant», écrit un militant associatif. Naturellement ce phénomène ne s'explique pas par le mauvais vouloir mais seulement parce que le rôle à jouer dans un quartier est un enjeu de pouvoir. Il s'agit d'incarner une légitimité. La tentation est grande de prendre le monopole des initiatives et, inversement, de ruiner celles des «concurrents». Les échos de telles situations sont perceptibles.

Le deuxième risque de déséquilibre tient précisément aux relations avec «l'autre» légitimité qu'incarne la municipalité. Didier Lapeyronnie et Marcin Frybes [16] distinguent quatre cas de figure, selon les rapports qu'entretiennent services municipaux et associations :

– les services de la municipalité occupent une place centrale et jouent le rôle essentiel ;

– les associations, fortes de l'appui de financeurs extérieurs, comblent le vide ;

– il s'établit de fait une division du travail entre services et associations ;

– la concurrence débouche sur le conflit.

Quelque fructueux que puissent être ces conflits, une fois réglés (faut-il le redire une nouvelle fois?), ils sont difficilement ressentis par les militants d'associations surtout dans le cas, relativement fréquent, où la municipalité supplante les associations locales par une association dont elle est l'unique inspiratrice. «Le tout municipal brise les initiatives et les bonnes volontés individuelles» note un coordonnateur de zone d'éducation prioritaire, sans compter «les règlements de compte politiques qui viennent briser les efforts des indépendants».

Le troisième risque de déséquilibre tient à la manière dont les procédures de subvention soutiennent les associations, à peu près comme la corde soutient le pendu. Le développement social des quartiers ne présente sur ce plan, hélas, aucune originalité. Mais on conçoit que, face à l'urgence des situations et à l'impatience des habitants, décrites au premier chapitre, ces hoquets administratifs exaspèrent et déconsidèrent. «Ce qui n'est pas préoccupant pour les organismes (bailleurs) peut être catastrophique pour les associations qui n'ont pas de trésorerie.» A titre d'exemple, une association toulousaine prenant en charge des enfants l'après-midi a dû interrompre deux fois ses activités en 1990, dans l'attente de financements qui viennent, mais trop tard. Les cas de ce genre sont fréquents. Ils se trouvent aggravés, semble-t-il, en Alsace et Moselle, du fait de l'application de la loi locale de 1908 sur les associations, qui rend les responsables personnellement redevables des dettes éventuellement accumulées.

Mais le plus grave risque de déséquilibre de l'action associative réside dans la situation interne des associations, qui n'est pas sans retentissement sur le rôle qu'elles peuvent jouer dans un quartier. Il y a, à cet égard, un double débat.

Le premier débat concerne le poids respectif des «militants» et des «professionnels» au sein de l'association. La question se pose naturellement, dans le développement social urbain comme ailleurs, en raison de l'intervention associative dans des domaines de plus en plus techniques, ne serait-ce que dans les procédures budgétaires qui viennent d'être évoquées. Voici l'analyse qu'en fait le président d'une fédération départementale des centres sociaux : «On constate que les cadres bénévoles sont de moins en moins nombreux, et/ou moins disponibles, avec un renouvellement de plus en plus faible. (Ce) phénomène (peut engendrer) deux types de situations différentes :

a) Les bénévoles (au sens de militants) sont de plus en plus investis (…). Un fantastique travail est fait sur le terrain, mais que se passerait-il si l'un de ces bénévoles ne pouvait plus être disponible ? (…).

b) «Les professionnels assurent tout (…) mais les bénévoles, dépassés par les événements, ne peuvent plus s'investir, voire seulement comprendre ce qui se passe.» Les associations sont contraintes de faire des choix douloureux, qui peuvent être discutés (aux bénévoles l'action contre l'analphabétisme, aux professionnels celle contre l'illettrisme, explique l'une d'elles) et qui sont surtout de nature à modifier les relations avec les habitants et, par conséquent, la fonction de médiation évoquée plus en avant.

Le second débat, qui n'est pas sans lien avec le précédent, tient aux modes d'action des associations. Chargées de plus en plus de prendre en charge des équipements, elles peuvent perdre, là aussi, en faculté d'écoute et en ambition. Un chef de projet note que, sur le quartier qu'il a en charge, il observe un recul du mouvement d'éducation populaire… plus prestataire de service que promoteur d'une véritable évolution sociale. D'autres échos similaires ont été entendu. Ils sont tout à fait naturels. L'évolution qui guette les associations n'est pas, sur ce point, différente dans sa nature du rôle que peuvent jouer les agents des collectivités publiques. Mais, dans la mesure où elle porte sur les «chevau-légers» du développement des quartiers, ce dernier pourrait y perdre en dynamisme essentiel.

C - Le «partenariat» et le «projet» : les moyens et les fins

a - ... Qu'importe que je lutte pour la mauvaise cause, si c'est de bonne foi...

Au terme de cet examen des politiques publiques, on doit s'efforcer au concret pour mettre en valeur les insuffisances de l'action, sans s'attacher aux responsabilités des uns et des autres.

On demeure frappé avant tout par le fait que la mobilisation se fait sur des moyens beaucoup plus que sur des fins. Telle est la bonne foi : elle ne s'interroge pas sur les conséquences de son action.

Le discours administratif est souvent accablant de ce point de vue et, bien entendu, marque profondément l'esprit du fonctionnaire. Ce n'est pas à la réussite qu'est mesurée l'action, mais à l'effort. Mais à quoi sert de mobiliser, si la guerre doit être perdue? Déblocage de crédits, circulaires, orientations, réunions, concertations, directives... Toute une mécanique se met en branle, sans qu'on interroge sur son efficacité à remplir la mission. Y a-t-il seulement mission? Elle est exprimée en termes si vagues et si abstraits qu'elle autorise tous les accomodements.

Trois exemples :

Le premier est celui de la formulation des objectifs. Il s'agit d'une convention de développement social des quartiers entre l'Etat et une ville du Sud-Ouest. Son article 2, intitulé Programme de développement local, comporte des objectifs généraux :

– poursuivre et intensifier les efforts pour régler les problèmes sociaux et économiques de la population ;
– améliorer le cadre de vie ;
– engager un processus de ré-aménagement urbain du quartier (...).

Le même article énumère en quatre points (urbain, bâti et cadre de vie, social et culturel, économique), «les mesures envisagées pour atteindre ces objectifs». On ne donnera ici que deux d'entre elles, pour ne pas allonger la démonstration :

«– (...)Sur le plan du bâti et du cadre de vie : l'amélioration de l'aspect du bâti et des espaces publics sera réalisée en relation avec l'amélioration des logements et la recomposition urbaine du quartier. Des opérations lourdes notamment sur les cités des Violettes et des Mimosas et sur le Foyer des jeunes travailleurs sont à envisager (...);

«– Sur le plan économique : avec le concours du plus grand nombre de partenaires (chambres consulaires, ANPE, organismes de formation, chefs d'entreprises...)

des actions seront réalisées pour susciter la venue d'investisseurs susceptibles de s'implanter sur le secteur ou à proximité. »

Ce n'est pas ici de la souplesse mais de l'incertitude, sur laquelle viendront sans doute se greffer les dispositifs divers imaginés plus haut. De telle sorte, comme le note un animateur d'association lilloise, qu'en matière d'insertion des jeunes, par exemple, « on est en train de rendre les demandeurs d'emploi admissibles aux différents dispositifs existants ». La perspective se trouve donc totalement inversée par rapport à ce qu'elle devrait être. En regard – c'est le deuxième exemple – les instructions de l'administration centrale restent muettes sur les objectifs. Le moyen est la fin.

Les instructions d'un ministère relatives au développement social des quartiers mettent l'accent en particulier sur la création (actuellement au stade expérimental) de nouvelles structures administratives, sur la formation initiale et permanente et sur la politique de proximité sociale. Dans cette dernière, sont rangés la pratique de rapprochement des fonctionnaires de la population et le développement de relations avec le milieu scolaire.

Comme il est indiqué dans la note, il s'agit d'une adaptation des moyens des services de cette grande administration. L'adaptation ainsi définie est méritoire ; elle modifie bien des habitudes ; elle suppose des crédits supplémentaires. Mais elle ne s'interroge guère sur la finalité de ces opérations – qui deviennent dès lors insusceptibles d'évaluation. A quoi doit servir le rapprochement avec le milieu scolaire, par exemple ? Chacun en a, bien sûr, une idée. Mais mieux vaudrait qu'elle se concrétise sous forme d'objectif. Comment pourrait-on affirmer que les relations recherchées ont atteint leur but si, au sens propre, elles n'ont pas de but ?

Troisième exemple :

Dans cette ville du Sud-Ouest, les responsables policiers parlent avec fierté de l'îlotage, mis en œuvre depuis 14 ans. Mais tel brigadier de la même ville remarque que l'îlotage consiste pour deux policiers à se retrancher dans un commissariat pour y recueillir les plaintes. Est-ce vraiment l'effet recherché ? Et l'îlotage n'est-il pas le paravent commode derrière lequel se dissimulent des pratiques extrêmement diverses ? Et ces pratiques sont-elles compatibles avec les effets recherchés ? l'îlotage est un moyen : parvient-il aux fins assignées ?

La notion de partenariat, centrale depuis bien longtemps dans le développement social des quartiers, paraît être le paradigme de cette relation tronquée entre les moyens et les fins.

Qu'on comprenne bien, là aussi : le bien fondé de cette démarche n'est nullement remis ici en cause. Seulement son insuffisance. Au fond, tout se passe comme s'il suffisait d'être « partenaire » pour être parvenu aux fins recherchées. Cette attitude se justifie d'autant plus que le partenariat, auquel les agents de l'administration ont, le plus souvent, très volontiers consenti, est une prouesse administrative : non seulement l'Etat ne travaille pas, par nature, avec autrui [17], mais chaque service a, pendant longtemps dans le passé, œuvré dans l'ignorance des réalisations du service voisin. Aussi la réalisation – difficile – du partenariat devient un objectif pour elle-même et non pour des fins en vue desquelles il est constitué. En d'autres termes, le partenariat peut devenir un rideau de fumée très épais : les partenaires qui brillent par leur division et leur inefficacité seront récompensés au même titre que ceux qui ont abouti à des réalisations concrètes. Ainsi la débauche d'énergie nécessaire à le mettre en œuvre devient déterminante, même si cette énergie, note un fonctionnaire, est supérieure au gain obtenu en contrepartie ; même si, comme on le relève encore, par exemple, avec l'école, le partenariat s'arrête à 17 heures, comme le paupérisme s'éteignait à neuf heures du soir. «Partenaires?», écrit l'éditorialiste de la revue *Ouvertures*. «On est en droit de se demander si (l'usage de ce mot) correspond toujours à la réalité du rapport que nous observons, s'il appelle une réalité nouvelle toujours à venir, ou s'il couvre d'un voile pudique des rapports dont on voudrait cacher la vraie nature [18].»

Une analyse identique peut être faite à propos du terme de «projet», également essentiel dans la démarche de développement social urbain. Là aussi il s'agit d'un progrès très sensible dans les pratiques administratives, dominées encore par le respect à courte vue de la règle. Le projet va naturellement dans le sens d'une définition des «fins» qu'on vient d'évoquer. Mais, d'une part, le fait de constituer un projet dispense d'interroger son degré de précision et de réalisme (voir l'abus de ce terme en matière d'insertion des jeunes [19]). D'autre part, il évite de se poser la question de sa réalité, c'est-à-dire de savoir s'il est celui des habitants ou celui des professionnels de la modernisation. L'élaboration du projet est, à soi-seule, satisfaisante. Aucune vigilance ne s'exerce pour savoir quelle est réellement son origine. Sûrement pas, par exemple, lors du contrôle budgétaire, lequel ne fait aucune différence, on a eu l'occasion de le voir, entre ce qui a été élaboré avec patience par les résidents de la cité et le dossier bâclé par un technocrate pour les besoins de la cause. Qu'on pardonne cet excès de langage : il semble qu'ainsi toutes les escroqueries (au sens figuré de déviation par rapport aux fins à rechercher) sont permises.

Partenariat et projet constituent les deux assises de la démarche de développement social urbain. On voit les confusions que peut engendrer l'emploi de termes de cette nature, impropres, on l'a indiqué, à permettre l'évaluation.

De toute façon, l'évaluation n'existe pas, ou si peu. Elle supposerait, d'une part, que soient définis au départ des objectifs clairs, traduisant les besoins des habitants (la «demande sociale» si l'on veut). La convention dont on a donné plus haut des extraits ne répond pas à cette exigence, comme la plupart des autres textes homologues. Elle postulerait, d'autre part, que soient mis à la disposition de l'échelon local les instruments nécessaires. Or les experts nécessaires ne viennent pas, fait observer un préfet, auquel fait écho un élu : «les moyens d'évaluation et de suivi sont quasi inexistants». Elle exigerait, enfin et surtout, que soient associés au travail d'évaluation ceux auxquels l'action évaluée est destinée. C'est une manière d'assurer la véracité du bilan. On y reviendra.

Ces remarques ne mésestiment pas les efforts des administrations centrales de prendre la mesure de ce qui a été fait : «tableaux de bord» variés, ou études lancées comme, par exemple, par la direction de l'évaluation et de la prospective du ministère de l'Education nationale. Il reste à faire néanmoins pour réduire l'écart entre les déclarations et les réalisations.

b -... Qu'importe que je sois de mauvaise foi,

si c'est pour la bonne cause.

Il y a loin de la coupe aux lèvres. Les discours nationaux sur la ville, observe-t-on, donnent le sentiment aux quartiers qu'ils vont être submergés par un océan de crédits d'Etat, de la région ou de la ville. On peut penser que les habitants sont des naïfs, mais il en va ainsi. Or les mécaniques administratifs mis en œuvre ne servent, pourrait-on dire, qu'à exaspérer les frustrations au lieu de les satisfaire et à faire perdre aux résidents le sentiment que quelque chose est en train de se réaliser.

L'Etat central, responsable essentiel, sinon exclusif de ces mécanismes, ne mesure pas l'importance du temps, ou plutôt du tempo. Il continue à danser avec grâce un menuet des temps anciens, tandis que sa cavalière voudrait s'étourdir dans un rock endiablé! En termes plus sérieux, cela veut dire que le rythme de l'administration et le rythme des cités n'est pas le même. Il se peut que ce dernier doive ralentir; mais cela ne viendra que progressivement. Il est sûr en revanche que le premier doit s'accélérer : c'est en cela, a-t-on écrit en introduction, que la société doit changer le décret.

Toutes les personnes interrogées, ou presque, mettent l'accent sur la pratique de constitution, de dépôt et d'examen des dossiers à fin d'obtention de crédits. Comme le relèvent des coordonnateurs de ZEP, on pratique la «projé-ite» aiguë : il faut des projets, encore des projets. En général demandés au dernier moment, puisque ce n'est qu'au dernier moment que des crédits sont encore disponibles.

A la fin de 1990, un inspecteur d'académie demande aux écoles primaires d'une commune des projets pour un montant de 90 000 F sur les crédits ZEP de l'année, à lui faire connaître dans les huit jours. Chacun sait que les exemples de cette nature abondent. Mais personne n'est prêt à prendre les mesures pour qu'il en aille autrement.

Une fois le dossier bouclé, sans guère d'association avec les destinataires du projet (pas le temps…), quatre événements sont à prendre en considération : le hasard, la lenteur, la dépossession, l'incohérence.

Le hasard : sur dix dossiers envoyés le même jour, les réponses vont s'égréner dans le plus parfait désordre au fil des mois, sans le moindre lien avec l'urgence ou la priorité des projets. Certaines réponses arriveront après qu'on ait demandé, d'ailleurs, la constitution de nouvelles demandes pour des projets identiques ou voisins [20].

La lenteur : il est inutile de la détailler. On se contentera ici de citer deux exemples, frappant par l'ampleur qu'ils prennent (on allait écrire l'enflure), hors de proportion avec le sujet posé ! Cette ville de Seine-Saint-Denis est connue pour les difficultés de son quartier. Voici deux ou trois ans, soucieux d'y remédier, le sous-préfet de l'arrondissement propose d'y implanter une mission locale pour les jeunes. La mairie accepte, heureuse, la maîtrise d'ouvrage pour l'aménagement des locaux. Au moment de la décision finale, l'Etat, initiateur du projet, refuse, en raison de l'opposition de l'administration de l'Education nationale. Tant bien que mal, on s'ingénie, localement, à transformer le projet en maison d'accueil pour les jeunes, avec une équipe. Le budget de fonctionnement doit être apporté par l'Etat, à raison de 1,3 million de francs par an. Au moment d'ouvrir, on s'aperçoit que cette somme n'est inscrite sur aucun budget de l'Etat. Les choses en sont là. Localement, on assure que la question du financement du fonctionnement de la maison d'accueil a été évoquée à deux reprises en réunion à l'hôtel de Matignon… Les fonctionnaires en sourient ; les jeunes de la commune partagent moins cet humour.

Dans le Nord de la France, un ministre signe avec un office HLM un contrat d'objectifs, portant sur des actions de réhabilitation. L'événement – public – se produit le 2 février 1990. L'administration en notifie la réalité audit office le 30 décembre 1990. La dernière pièce administrative nécessaire parvient à l'office le 20 avril 1991.

Dans ces affaires, ordonnateurs et comptables se démènent du mieux qu'ils peuvent. «Les services de l'Etat, dit un chef de projet, sont très mobilisés, très disponibles, très coopératifs pour l'instruction (des dossiers). C'est leur mode de financement qui est en cause.»

On ne détaillera pas ici ce mode, qui a fait l'objet, sous la plume de Claude Sardais, d'un récent rapport de l'inspection générale des finances [21], parfaitement exhaustif. On lui empruntera cet exemple (fictif) concret, apporté par le préfet de la région Haute-Normandie, de l'aménagement d'une aire de jeux pour enfants au pied d'un immeuble HLM, coûtant 150 000 à 200 000 francs pour laquelle les procédures requièrent 18 à 24 mois. C'est dire, conclut le préfet, «qu'entre le moment où les familles ont fait part de leurs souhaits et de leurs espoirs sur un projet modique, et le début des travaux, alors que les grandes décisions gouvernementales sont déjà prises, il peut se passer deux ans ! C'est dire aussi que si le Conseil régional finance seul une action voulue et promue par le gouvernement, la famille sera satisfaite un an plus tôt. » M. Sardais a bien démontré les origines des délais : lenteur pour que les neufs ministères concernés délèguent les crédits de seize chapitres à 25 régions ; absence de vigilance des échelons centraux et extérieurs ; contraintes du partenariat ; inadaptation des procédures permettant de mobiliser des crédits de fonctionnement. En bref, la procédure de financement n'est pas à la hauteur de l'ambition d'une politique interministérielle de territoire. Le gouvernement a décidé, à la fin 1990, d'opérer la globalisation des crédits destinés à la ville. Il conviendra de confronter cette volonté réelle de simplification avec la réalité : la date à laquelle ce document a été écrit n'a pas permis d'en juger.

Troisième événement à prendre en considération : la dépossession à travers les mécanismes de contrôle successif. Il se passe entre l'administration et les habitants ce qui se passe entre Higgins et Eliza dans *Pygmalion*. Une transformation qui rend la demande initiale méconnaissable. Les services instructeurs sont malheureusement peu à même d'apprécier la pertinence relative des dossiers puisque, comme on l'a indiqué, ils ne disposent plus de fonctionnaires sur le terrain (la direction de l'action sanitaire et sociale, celle de la jeunesse et des sports sont citées). En outre, comme le note C. Sardais dans son rapport, la confusion fonctionnement-investissement contraint, en raison de la rigueur du principe, à modifier la construction initiale. Enfin « le soutien financier de l'Etat demeure étroitement lié à la capacité d'intégrer l'action définie localement dans tel ou tel chapitre budgétaire » écrit un chef de projet : on risque donc de mettre de côté la logique du dossier pour ne garder que celle du chapitre budgétaire. Et voilà pourquoi, au bout du compte, les projets sont altérés ou donnent lieu à des réalisations qui échappent largement à leurs auteurs. Eliza a appris à parler convenablement, mais elle ne se reconnaît plus.

Il n'y a pas à insister davantage sur le quatrième et dernier événement : l'incohérence. Celle-ci découle de l'existence des « Etats » qu'on a décrit au début de ce chapitre ; on se bornera donc à deux courts exemples. Il en est bien d'autres. Un projet d'animation d'un centre commercial en déshérence est élaboré, avec les habitants, les commerçants et certains services de l'Etat ; au moment où il commence à prendre forme, la poste annonce la réduction de ses horaires d'ouverture, du fait des difficultés dans ses effectifs.

Ou encore : dans la convention de développement social de quartier, l'accent a été mis sur la petite enfance. Mais le service de programmation qui a en charge l'implantation des écoles maternelles ne connaît pas (ne veut pas connaître) la convention. Il y aura donc moins de maternelles qu'escompté, dans un quartier où les enfants d'immigrés sont scolarisés à 4 ans seulement.

Le hasard, la lenteur, la dépossession, l'incohérence ont des effets dévastateurs dans ces quartiers. La multiplication des dossiers, des procédures, des barèmes, des contrôles et, par dessus tout, des effets d'annonce, exaspère. En «mauvais» citoyens, les habitants n'ont pas encore compris pourquoi les réalités du quartier doivent se plier aux rigidités administratives, et non l'inverse. Surtout, ce qui paraît décisif est que cette incompréhension a pour origine la manière dont se déroule la négociation : en coulisses. Les habitants ne sont pas acteurs; mais ils ne sont même pas spectateurs du devenir de leurs projets. Autant qu'aux procédures budgétaires, on doit veiller à la manière concrète dont elles sont appliquées. Or, comme le dit un animateur, «plus le DSQ se développe, moins les habitants participent.»

Les conséquences en sont que bien des projets mobilisateurs ne sont pas réalisés, faute de financement. Le taux de déperdition est ici mal connu : il faudrait en prendre la mesure, et s'employer à l'atténuer. Mais, surtout, les professionnels (associations, chefs de projet…) y perdent toute crédibilité. Les procédures les dépouillent donc deux fois : en leur volant le temps qu'ils devraient passer sur le terrain; en ruinant leur crédit auprès de ceux qu'ils ont en charge.

Dans le climat, qu'on a dépeint au chapitre précédent, de désespoir et de scepticisme, le maintien de ces effets exacerberait le premier, encouragerait le second. Or ni le désespoir ni le scepticisme ne sont souhaitables pour mettre en œuvre un véritable développement social urbain, dont on va définir à présent les principes.

Notes

[1]   Efficacité au moindre coût.

[2]   Le rapport LÉVY a été rédigé en mai 1988 (avec NOËLLE LENOIR, CLAIRE GUIGNARD-HAMON et NICOLE SMADJA) et publié en 1989, La Documentation française, Paris, 275 pages). Voir aussi « 148 quartiers : bilan des contrats de développement social des quartiers du IXe Plan » - DATAR, 2e trim. 1990, 208 pages.

[3]   « Ensemble, refaire la ville », rapport au Premier ministre du président de la Commission nationale pour le développement social des quartiers, La Documentation française, Paris, 1983, 122 pages. Voir par exemple page 15.

[4]   La composition de ce conseil a été renouvelée en avril 1991. Le gouvernement (Conseil des ministres du 27 mars 1991) a décidé le principe de son élargissement.

[5]   La compétence des collectivités territoriales en matière d'établissements d'enseignement relève d'une logique tout aussi artificielle que les attributions régionales en matière de quartiers. Mais l'ambition de ce rapport n'est pas de remettre en cause les partages qui résultent de la section 2 du titre II de la loi du 22 juillet 1983 modifiée.

[6]   Selon JEAN-FRANÇOIS NOËL « Insérer l'insertion » à paraître dans la revue *Esprit*.

[7]   Secrétariat d'Etat au Plan. *Entrer dans le XXIe siècle*, Paris 1990, 296 pages, pages 225-226.

[8]   M. XIBBERRAS, « Les théories de l'exclusion sociale », rapport de recherche pour le commissariat général au Plan, Fondation pour la recherche en action sociale, Montrouge, février 1991, ronéogr. 191 pages.

[9]   Les conventions de quartier étaient censées être employées, dans certains cas, postérieurement à une procédure DSQ. En réalité, cette procédure apparaît avoir été employé comme un succédané de DSQ, pour les quartiers jugés non éligibles à cette politique.

[10] BERTRAND SCHWARTZ, *L'insertion professionnelle et sociale des jeunes*, La Documentation française, Paris, 1983, 146 pages, page 131.

(11   «Je ne vais tout de même pas faire la formation des flics», répond un coordonnateur ZEP, sollicité par le commissaire de police pour donner quelque leçon aux futurs îlotiers.

[12] Sur cette idée impulsée par BERTRAND SCHWARTZ, voir PATRICE SAUVAGE, *Insertion des jeunes et modernisation*, Paris 1988, 204 pages; pages 95 et suivantes.

[13] Discours devant le Conseil d'Etat sur le projet de Constitution, 27 août 1958.

[14] Sur les attitudes des municipalités à l'égard des minorités immigrés, voir D. LAPEYRONNIE et M. FRYBES, *op. cit.,* pages 202 et suivantes.

[15] *Sem vez e sem voz*, en portugais. La formule est de l'archevêque dom HELDER CAMARA.

[16] *Op. cit.* pages 242-243.

[17] La notion de partenariat où l'Etat serait ravalé au rang de partenaires comme d'autres personnes physiques ou morales est critiquée, on le sait, par certains juristes, pour lesquels l'Etat, seul dépositaire de l'intérêt général, est d'une autre nature que ses «partenaires». Cette critique est fondée. Mais l'Etat a aujourd'hui plusieurs visages…

[18] Jean Bastide dans *Ouvertures*, revue des centres sociaux, n° 1 nouvelle série, février 1990, page 1.

[19] «Personnellement, j'ai une formation initiale à bac+4, vingt ans de vie professionnelle, un parcours totalement cahotique et pas de projet à plus d'un an. Et vous?» questionne ironiquement Jean-François Noel (article précité).

[20] Les projets du quartier d'une ville méditerranéenne sont demandés en mars 1990. La décision de financement est parvenue le 3 janvier 1991. Entre-temps avaient été sollicités les projets pour 1991.

[21] N° 90-302 du 22 septembre 1990.

Troisième chapitre

Quelle stratégie ?

Rien de ce qui a été décrit dans les deux chapitres précédents n'est irréversible. On l'a écrit, l'essentiel se trouve dans la main des collectivités publiques. La situation n'est pas bloquée. A la condition que la mesure des enjeux soit prise et qu'à une situation sociale préoccupante on réagisse avec la hauteur de vues nécessaire.

Avant d'en venir aux objectifs, trois précautions doivent être rappelées.

a) Il est paradoxal de devoir énoncer une stratégie commune alors que la réalité des quartiers est avant tout leur diversité. Diversité au sein de la cité, diversité entre les cités. Toute politique normative sur l'ensemble est donc à proscrire résolument. On doit craindre *a priori* toute mesure, plus «médiatique» que réfléchie, s'appliquant à la totalité des quatre cents quartiers qui sont aujourd'hui l'objet d'une attention particulière.

Les examens auxquels il a été procédé pour cette mission montrent, tout au contraire, que les seules réussites qu'on peut enregistrer trouvent leur assise dans les atouts propres à chaque cité. Car chacune a ses atouts, qu'il convient de mettre en valeur autant que les faiblesses : la tradition des réfugiés espagnols et de l'action catholique ouvrière parmi les habitants d'un quartier de Toulouse, la facilité de contact entre l'habitant et l'élu de la tradition marseillaise, le christianisme social alsacien, la tradition musicale lorraine à Bar-le-Duc, l'accès relativement aisé au centre depuis la Courneuve, etc.

L'administration a une solide habitude inverse, qui a ses vertus : la conviction que ce qui a réussi quelque part doit être étendu ailleurs. On doit se garder ici de cette facilité et préserver la particularité de chaque «territoire».

b) On se rappelle que l'accent a été mis, dans le premier chapitre, sur les relations ambivalentes que les habitants ont avec leur quartier et avec les résidents du centre ville. On ne fera rien sans tenir compte de cette domuble dimension. Il convient à la fois de valoriser le quartier mais aussi de l'enraciner dans la ville ; de s'intéresser en particulier à ses habitants mais de les amener à des échanges au delà. Il faut s'efforcer surtout, de mêler court terme, nécessaire, et long terme, inévitable. «L'équipe, dit le chef de projet dunkerquois, est chargée de mettre en place des actions… qui nécessitent du temps, du recul et une bonne analyse des faits sociaux, alors qu'elle est condamnée à agir immédiatement. La population doit lire annuellement des transformations…[1] »

La «double dimension» de chacune des données, le temps et l'espace, est nécessaire : temps bref, temps long; espace restreint, espace ample. La politique suivie doit se caler sur les perceptions des habitants du quartier. C'est sa richesse. C'est aussi sa difficulté, que les professionnels ne doivent pas méconnaître : on leur reprochera le long terme, au nom du court terme et réciproquement... De telles tensions sont inévitables et normales. Il y a là motif supplémentaire pour inciter à la souplesse.

c) On ne doit pas, précisément, dissimuler qu'il y aura des échecs. «Reconnaître une spécificité pour les quartiers sensibles, c'est reconnaître un peu tard... un certain nombre de difficultés. Ce retard pris a généré une accumulation de problèmes...» écrit le maire d'une ville concernée. L'adaptation des machines administratives à une réalité sociale et économique à la fois lourde et mouvante n'est jamais simple. Mais indiquons clairement les choix : mieux vaut, en la circonstance, agir qu'attendre; gaspiller qu'économiser; se tromper qu'avoir raison « théoriquement». Ce qui n'est pas faire n'importe quoi. Mais être prêt à presser le pas. Et en rendre l'hommage à ceux qui, sur le terrain, le font déjà.

Que faire ?

A - Les missions

Les missions données à la politique de développement social urbain (on reviendra sur cette appellation plus loin) sont simples.

La première est celle de la paix sociale. Naturellement, une telle perspective suscite la réprobation et l'ironie : si la politique de la ville n'est faite que pour empêcher les pillages de magasins... Elle ne peut être faite que pour cela. Mais elle est conçue aussi pour ce motif. On aura à l'esprit les deux éléments suivants qui ont été précédemment indiqués. En premier lieu, la population des quartiers souffre, bien avant celle du centre ville, des désordres quotidiens; elle demande, elle aussi, la paix. En second lieu, le développement social urbain s'accommode mal de la violence et du sentiment que le bris de vitrine «paye»; il convient seulement que cessent toutes les déviations, y compris les «petites violences» mentionnées par Adil Jazouli (cf. chapitre I). En d'autres termes, la paix sociale est nécessaire; elle n'a de sens que si elle s'applique à tous. Elle n'en a aussi que si elle est accompagnée d'une seconde mission, plus importante encore : la transformation des quartiers déshérités en quartiers d'habitat populaire pleinement considérés. On doit souscrire à cet égard à l'opinion de Daniel Behar : «Quand sera-t-on prêt à reconnaître l'existence durable de quartiers populaires, à reconnaître les pauvres comme légitimes, en tant que groupe social, en tant que territoire dans la ville ? [2]» Il faut affirmer sans ambiguïté cette reconnaissance. Elle est seule de nature à prendre en compte le sentiment des habitants à l'égard de «leur» quartier. Seulement la reconnaissance des cités comme quartiers populaires, différents d'autres parties de la ville, postule que soient réunies deux conditions :

– la fin de la «relégation» et la possibilité pour les habitants de sortir des quartiers et d'y rentrer, selon leur vœu; c'est-à-dire la possibilité (dans les prix compatibles avec les revenus) de choisir le lieu de leur résidence;

– la transformation des cités : si elles sont aimées, elles sont aussi détestées; on ne saurait maintenir ces quartiers tels qu'ils sont sans confirmer leurs habitants dans le sentiment qu'ils sont en dehors de la société française. «Sommes-nous capables de redonner une valeur urbaine et architecturale aux quartiers d'habitat social?» demandait H. Dubedout [3].

Rétablir la paix sociale dans tous ses aspects; reconnaître, après transformation, les cités comme quartiers populaires, telles sont les missions.

Cette prise en considération des personnes telles qu'elles sont et non telles qu'elles devraient être aidera beaucoup à revenir au principe de réalité. On doit méditer pour les politiques publiques ce qu'un inspecteur principal de police dit de la prévention : «on doit adapter la prévention au quartier puisqu'on ne peut faire autrement !».

B - Le changement de perspective

Il est nécessaire, en outre, d'apprécier la réalité du quartier et celle de la ville ensemble. On l'a vu, l'image qui s'impose est alors celle de la tumeur, du boulet que la ville traîne avec elle.

Sans forcer les choses, ni jouer de paradoxes, il est nécessaire d'insister sur les ressemblances plutôt que sur les écarts.

Le quartier n'est, au fond, qu'une ville exacerbée.

La plupart des difficultés dont il souffre ne sont que le paroxysme des maux dont souffre (et vit) la ville : différences de population, chômage, difficultés de transport, problèmes de voisinage, éloignement domicile-travail, inquiétudes du devenir scolaire, insuffisance des équipements publics... L'aspect du bâti, certes complètement différent, ne doit pas masquer ces réalités proches, même si elles sont beaucoup plus accentuées ici que là.

Par conséquent, il faut chercher dans les quartiers, parce que les problèmes se posent avec une acuité particulière, les solutions qui pourront être étendues ailleurs, ou plutôt, celles qui pourront servir d'effet d'entraînement au reste de l'agglomération. Dans une ville de l'Est de la France – comme dans d'autres – la politique de quartier a été l'occasion d'éveiller les enfants d'âge scolaire, surtout ceux de l'école primaire, à la culture musicale. Cet éveil a eu tant de conséquences pour ces enfants, mais aussi pour le reste de la ville, qu'un projet de convention «ville-enfant» en matière culturelle est en chantier. Le quartier, sans renoncer à sa spécificité, peut être le point de départ de l'innovation urbaine.

Il est vrai que tel était en apparence le pari des années soixante, dont on a vu ce qu'il est devenu; inventer une nouvelle vie urbaine à partir de nouveaux quartiers. Ici le pari est plus réaliste cependant : prendre conscience des difficultés communes de la ville et du quartier – à y bien regarder, la plupart le sont – et chercher dans le quartier les méthodes originales pour les résoudre.

Tels sont les termes de «l'échange» possible.

Citoyenneté oubliée, citoyenneté obligée

A - *Le récitatif obligé*

Il n'est pas de leit-motiv qui ait été plus repris, depuis l'origine de la politique des quartiers, que celui de ce qu'on a appelé la «participation des habitants» : ainsi dans la circulaire signée du ministre de la Solidarité nationale, Nicole Questiaux, du 28 mai 1982; ainsi dans le rapport Dubedout, qui souhaite que l'intervention des habitants soit «l'un des moteurs de la gestion urbaine» [4]...

On peut rattacher cette insistance à trois origines :

– la première à la situation de la politique des quartiers comme nouvelle politique sociale ; or, les anciennes politiques sociales (santé, vieillesse...) avaient, au fil du temps, alourdi leurs structures et leurs bureaux ; de ce fait, la participation des intéressés paraissait manquer ; le même défaut devait être évité à la politique de développement social des quartiers ;

– la deuxième origine est celle de la décentralisation, contemporaine de la politique des quartiers ; la réforme entendait certes émanciper les collectivités territoriales et leurs élus de la tutelle de l'Etat ; elle entendait aussi « améliorer les conditions de participation du citoyen à la vie locale » [5] et donner « aux citoyens... le moyen de participer, vraiment, à l'organisation de leur vie quotidienne[6]. » L'article 1er de la loi du 2 mars 1982 donnait, à cet égard, une indication très claire ;

– enfin, il apparaissait que, de même que les travailleurs devaient être mis en situation d'avoir leur mot à dire dans l'entreprise, de même les habitants devaient-ils pouvoir intervenir dans la définition de leur cadre de vie. La loi n° 82-526 du 22 juin 1982 relative aux droits et obligations des locataires et des bailleurs comportait un titre III (article 28 et suivants) portant reconnaissance du rôle des associations de locataires et définissant une procédure d'accords négociés : ces dispositions ont été, pour l'essentiel, maintenues dans les lois du 23 décembre 1986 et du 6 juillet 1989 ; elles ont servi, en particulier, pour de nombreuses opérations de réhabilitation.

La bonne volonté, au moins à Paris, était entière. Pourtant la réalité de cette « participation » est très contrastée. Il est vrai que, au plus près des populations, des travailleurs sociaux, des responsables de régies de quartier... n'ont pas « attendu les discours sur la nouvelle citoyenneté pour la mettre en œuvre, » en faisant en sorte que les habitants se prennent en charge : cette réalité, un peu oubliée, existe et il importe d'en tenir compte [7]. Mais, dans la plupart des cas, lorsqu'il s'agit non plus de peser sur une décision individuelle mais d'influencer le cours de la vie collective, la « participation » des habitants disparaît. Le constat recueilli à cet égard est largement partagé. Le record du taux d'abstention aux élections municipales des 12 et 19 mars 1989 (37 % et 33,95 % respectivement) dans les villes de plus de 20 000 habitants est plutôt à cet égard un aboutissement logique qu'un signe avant-coureur.

Que dit-on de la difficulté ?

L'accent est mis sur les obstacles voire sur l'impossibilité qu'il y a à obtenir le concours des habitants. De manière somme toute classique, les diagnostics s'opposent ici quelque peu. Les élus, du moins ceux du « centre » (de la mairie, par opposition à d'éventuels élus de quartier) mettent en avant les efforts réalisés pour amener la participation des habitants, et les réponses plus ou moins favorables obtenues : « L'objectif qui peut résumer l'ensemble des projets que nous conduisons sur le quartier, c'est la reconnaissance de la citoyenneté active»; «c'est en rendant aux habitants eux-mêmes une grande partie du pouvoir local que la municipalité a permis le déblocage d'une situation figée et désespérante.»

De leur côté les chefs de projet, les bénévoles mais aussi d'autres élus, plus lucides peut-être, constatent la difficulté du processus de participation : «La vie tourne autour de petits noyaux très contestataires et souvent politiquement opposés, soit autour de jeunes confrontés à la violence, mais manifestant pour beaucoup une réelle volonté d'insertion.» On conçoit alors que, «de ce point de vue, l'équipe municipale est très frileuse et bloque beaucoup d'initiatives» et que «depuis bientôt dix mois que j'assume mes fonctions de chef de projet, je dois dire que j'ai beaucoup déchanté à propos de ce que l'on appelle la démocratie locale.»

Quelles que soient les réalités de ce débat – mais l'observation de la vie locale fait pencher davantage pour la fréquence de la seconde vision –, ce qui est le plus frappant est ceci : il n'apparaît jamais que, confrontés à une telle difficulté de «participation», les élus et les professionnels aient voulu prendre le temps et les moyens nécessaires d'y réfléchir et d'y remédier.

On essaiera ici de sérier les problèmes, de manière nécessairement fragmentaire, en insistant sur quatre éléments :

a - Les habitants

Les déshérités sont dépossédés... Qu'on pardonne ce truisme ! Mais la dépossession implique aussi celle de l'expression, des moyens d'expression et de la croyance en l'utilité de l'expression (voir ci-dessus, au chapitre I, la remarque de Pierre Bourdieu). «Rien n'est plus difficile que de faire surgir la demande, l'expression des besoins ou des attentes de ceux qui, économiquement ou socialement, vivent aux marges de notre société» relevait encore récemment le Premier ministre [8]. Parmi ces habitants, beaucoup d'étrangers, souvent respectueux à l'excès des lois de leur pays d'accueil (cas d'une famille turque refusant de porter plainte...), contrairement à l'idée reçue, et peu désireux de se mêler d'une vie collective qu'ils ne sentent pas comme la leur. Beaucoup de jeunes ou de très jeunes pour lesquels la représentation ne passe pas par des formes élaborées.

Dans ces sociétés de quartiers, aussi, une faiblesse réelle des facteurs de sociabilité (on ne pense pas ici seulement aux associations, dont le déclin a déjà été signalé, mais à la vie religieuse, sportive, à la convivialité de rue, la pétanque par exemple...) : les plus pauvres vivent de manière plus aigue une tendance partagée par l'ensemble de la société, d'autant plus marquée par ailleurs que croît la densité de l'habitat [9]. Et puis, surtout, une force corrélative des problèmes de la vie quotidienne à résoudre (la queue au guichet...). Comme le remarque avec bon sens un habitant, «demander à des gens pauvres de résister à la pauvreté et de prendre en charge en plus les difficultés des autres, c'est beaucoup demander.»

On doit ajouter que tous milieux confondus, l'organisation collective dans le cadre de vie n'a jamais eu en France la place qu'avait l'organisation des travailleurs dans l'entreprise. On l'a mentionné au début de ce document : l'intégration à la société s'est réalisée longtemps dans le travail. C'est là que le «front» a été constitué. Beaucoup de militants du cadre de vie ne faisaient que prolonger, dans les associations de locataires en particulier, le combat commencé dans les usines. L'essoufflement du militantisme ouvrier dans les quartiers a coïncidé avec la crise qu'ils traversaient. Celle-ci n'a pas inversé la tendance.

b - Démocratie formelle ou démocratie nouvelle

Il est bien vrai que la tâche de la municipalité n'est pas simple. Elle se trouve aux prises avec une première difficulté qui est le conflit que génèrent les problèmes du quartier entre trois légitimités [10] : celle de l'élu au suffrage universel (sans doute moins «porté» là qu'ailleurs, en raison du fort taux d'abstention) ; celle des associations qui peuvent représenter les habitants ; celle du bailleur, propriétaire non seulement des logements mais aussi, parfois, des espaces extérieurs.

Elle est également en butte à la suspicion que peut éprouver la majorité de ses électeurs à l'encontre du quartier. Cela vaut dans le domaine de l'organisation collective comme dans le reste : on ne reviendra par ici sur «la considération des autres».

Enfin elle doit affronter des formes nouvelles de dialogue et de représentation. C'est là que paraît résider la plus forte réticence. Les réactions des mairies devant la demande sociale sont souvent «Combien êtes-vous ?» ; «Qui représentez-vous ?». La prise en considération de la demande ne se fait que selon les critères de notre vie municipale formelle. Il doit être clair qu'au moins dans certains quartiers, et avec certains publics, ces formules n'ont guère de sens et qu'il faut accepter, à tout prix, une évolution des esprits, avec le risque de voir se créer des conflits de représentativité [11].

c - La distinction du professionnel

Même si elle était, d'une certaine manière, souhaitée, on a mal mesuré ce que représentait, au moins pour les habitants désireux de s'associer au mouvement de développement, l'irruption des professionnels de la politique des quartiers. En particulier, le hiatus très fort pouvant exister entre les pratiques et les discours des uns et des autres. D'autant plus fort que tous ces professionnels n'étaient pas forcément préparés à ce contact : «Est-il judicieux de recruter un chef de projet qui ne connaît pas le quartier?» demande l'un d'eux.

Il y a d'abord une question de nombre : «A Castellane, les travaux étaient annoncés depuis trois mois. Il y a eu une réunion de concertation. Il y avait un représentant des habitants avec cinquante techniciens. Comment développer la vie associative dans ces conditions?». Il y a ensuite une question de moyens : «On injecte des sommes considérables sur une équipe de développement alors que le syndicat CSCV vit avec 500 francs (par an) de la mairie et zéro franc de subvention.» Il y a aussi une question de temps : les professionnels sont en général visibles, ou tiennent les réunions, pendant les horaires… de travail et d'activité des habitants. Il y a également le jargon : «Je ne comprends plus le vocabulaire que l'on utilise pour soi-disant cerner la problématique d'un territoire. Les mots sont pourtant dans le dictionnaire (…). Je me suis aperçu que je ne pouvais plus supporter le langage d'experts… que je qualifie, sans aucune hésitation, par l'image populaire que véhicule la télévision : «le temps du café Grand'Mère est sacré». Que dire du vocabulaire de l'architecture, de l'urbanisme, du budget? Il existe des quartiers où la composition de la population permet de constituer un instrument destiné à faciliter l'ingestion mais aussi la réplique : ces quartiers sont très minoritaires. Inversement, de tels langages font obstacle à tout dialogue avec les jeunes générations. Il y a, enfin, une manière de poser les problèmes, de trier les difficultés, d'avancer dans les procédures, largement étrangère aux habitants.

Si l'on insiste sur ce point, c'est en raison de la «discordance des temps» ou des rythmes des habitants, notamment des jeunes, et des professionnels déjà évoquée; en raison aussi du risque de dépossession supplémentaire que peut être le développement social des quartiers.

d - Un rôle crédible?

Une dernière raison de la maigre «participation» des habitants tient à la faiblesse du rôle que l'on fait jouer, de manière générale, à leurs associations. Là où elles existent (sans mettre en cause, une fois encore, la bonne volonté des uns ou des autres), les exemples abondent d'une part, d'opacité des procédures, d'autre part, de concertations purement formelles et, en général, tardives : «refus de communication de la convention de quartier»; les dossiers «sont bouclés avant qu'on n'arrive»; «dans l'entreprise, l'employeur négociait ou non; mais ce n'était pas l'assistante sociale qui représentait les travailleurs. Dans le DSQ, si!»; «tendance à faire des (professionnels) des porte-parole, se substituant à la fois aux associations et aux habitants».

Ce silence vaut autant pour l'équipe chargée du développement, que pour la mairie ou le bailleur : «il y a eu un deuxième groupe scolaire au Polygone; pas de débat sur ce que peut être une école dans un tel quartier»; «terrain vague à côté :

on en a fait un jardin. Jamais les habitants n'ont eu leur mot à dire. Quand cela se peut, «projet trop avancé!», «trop tard!». C'est un vrai problème du service public»; «il y a dès le départ un manque de connaissance de la stratégie patrimoniale de l'office HLM,»...[13].

Certes on pourra faire valoir que les demandes des habitants sont bien souvent à courte vue et si concrètes (la rampe de la montée 10 à refaire au deuxième...) qu'elles sont loin de pouvoir «convenir» à la mise en œuvre de la convention. Même si elle était véridique, cette affirmation n'enlèverait rien aux inconvénients qu'implique la démobilisation des habitants ou, pire encore, la confiscation de leur expression.

B - *Une nécessité absolue : la citoyenneté*

Si l'on a employé avec mesure, jusqu'alors, le terme de «participation», pourtant consacré, c'est qu'il paraît ressortir à une analyse comparable à celle déjà faite des mots «partenariat» ou «projet» : un nuage d'encens, fort aux narines mais épais au regard, derrière lequel peut se faire tout et son contraire [12]. Il est préférable, au fond, d'évoquer la citoyenneté, c'est-à-dire le droit d'intervenir qu'une personne peut avoir sur les décisions qui la concernent.

«Ce qui est en cause, disait encore le Premier ministre, c'est bien la nécessité – à l'heure de la décentralisation – de réinventer la démocratie de base, celle du quartier, du voisinage ou de l'agglomération [14].»

La réussite du développement social urbain dépend en effet de la démocratie locale. Ou bien une population, déjà souvent dépossédée, reçoit le «DSQ comme elle a reçu son affectation de logement dans la cité, "d'en haut", et le vivra tant bien que mal, écartelée. Ou bien progressivement, avec des moyens adaptés, avec le temps nécessaire, on accroît l'aptitude qu'ont les personnes à se prendre en charge et à devenir des acteurs de l'évolution et l'amélioration de leur vie sociale et culturelle» (comme l'écrit un éducateur spécialisé). Dans le premier cas, la politique de développement sera inefficace : elle se dégradera et sera incapable d'assurer ce pourquoi elle est faite; comme les tours ou les barres des cités. Dans le second, une mobilisation peut être espérée, d'où naîtra une forme de démocratie, qui engendrera l'adhésion.

On aura l'occasion de dire qu'il ne peut y avoir, dans ces quartiers, de militants sans professionnels. A coup sûr on ne peut espérer aboutir s'il ne se trouve que des professionnels sans militants. A cet égard, on doit être frappé du souhait général des chefs de projet, techniciens... de voir revenir l'Etat dans les choix, comme garantie de bonne foi (chapitre II). Mais on peut être préoccupé aussi de l'absence que paraît jouer, dans bien des esprits, la «garantie» des habitants. Or elle est sûrement meilleure que tous les garde-fous institutionnels...

La mobilisation des habitants – et, par conséquent, des militants – est longue. «Elle ne se décrète pas, elle se construit» écrit un chef de projet. Elle demande du temps. Des villes s'y sont engagé. Encore faut-il au moins ne pas les pénaliser, au motif que leurs projets ne sont pas prêts, et favoriser les communes où tout se décide au centre.

L'autonomie et l'intervention des habitants est aussi le seul vrai moyen de simplifier les procédures. La démocratie s'accomode d'un peu de complexité ; pas de trop. «Comment les jeunes, fait observer un responsable d'association, pourront-ils accéder seuls (aux) subventions ou moyens de financement, quand une association elle-même doit passer des semaines à rassembler les informations éparses, des heures de téléphone ou de courrier pour obtenir finalement quelques aides en leur faveur ?» Faisons-leur confiance pour accélérer un peu le renouveau du service public...

Enfin la citoyenneté des habitants fera naître sans nul doute des situations conflictuelles, certes difficiles pour les élus, surtout si la contestation vient d'un autre bord. Mais aucun de ceux qui ont livré le fruit de leurs réflexions n'ont paru craindre une telle évolution, seule alternative à la violence.

Il faut se hâter, en effet. Du temps a été perdu et des occasions manquées.

Le choix de la citoyenneté s'impose sans ambiguïté.

Il semble que les solutions alternatives sont déjà discernables, pas forcément exclusives, d'ailleurs :

– ou bien des regroupements «communautaires», tout à fait étrangers à la tradition républicaine, comme l'a souligné, dans son premier rapport, le Haut Conseil à l'intégration : «Obéir à une logique d'égalité et non à une logique de minorités [15]» ;

– ou bien, une dérive à la sicilienne dans les cités ; les médias s'inquiètent des ghettos à l'américaine ; rejetant, comme on l'a indiqué, cette hypothèse, on peut craindre beaucoup plus ces évolutions où, pour contrôler une violence et une économie illicites, des «familles» organisent le crime et le trafic ;

– ou bien, enfin, l'extension de ces phénomènes qu'on commence à voir de manière marginale, ces lieux sans foi ni loi, dans lesquels rien ni personne n'a de prise.

Il faut faire vite. Comme on l'a relevé, ces quartiers ont déjà une histoire d'espoirs déçus. Il convient de revenir à l'obligation de la citoyenneté. «Depuis qu'il y a dans ces sociétés (populaires) trop de fonctionnaires, trop peu de citoyens, le peuple y est nul» (c'est-à-dire absent), notait Saint-Just [16].

C - Des lieux et des liens pour les habitants

a - L'expression

L'administration parle aux usagers à travers un «hygiaphone» et, à tout le moins, derrière un guichet. Nécessité fait loi. Mais ce n'est pas ainsi qu'on parle à ceux auxquels on fait des confidences : le coiffeur, la concierge ou le curé, le médecin ou le commerçant. Le guichet suppose, à chaque fois, une opération délimitée, qui a une fin. Telle n'est pas l'écoute. La question doit être posée de savoir si les habitants des quartiers s'expriment et où ils s'expriment (par la parole ou autrement). Dans un quartier de Toulouse, existe une maison de quartier gérée par dix-sept associations. Les deux salles (une grande, une petite) sont réservées aux familles le samedi et le dimanche : on peut les louer pour 150 francs. Des réunions ont eu lieu pour expliquer les modalités de la gestion, et les utilisateurs sont représentés au conseil d'administration de la maison. S'y tiennent, les jours de fin de semaine, les fêtes, les mariages... Deux autres jours par semaine, des bénévoles y tiennent des permanences.

Lieux d'écoute et lieux de dialogue. La ville fourmille (ou plutôt fourmillait, à voir les films de Jacques Tati) de lieux de sociabilité. La «cité» n'en a guère, alors même que l'espace y est disponible. Aires de pétanque, espaces de jeux, marchés... existent de manière variable. La question se pose de l'ouverture de débits de boissons : elle est actuellement réglementée par les article L. 53-1 à L. 53-3 du code des débits de boissons et des mesures contre l'alcoolisme, de manière très restrictive, ce qui n'empêche nullement l'alcoolisme dans les cités. Ces dispositions mériteraient largement d'être assouplies, si parallèlement des initiatives sont prises en matière de santé et d'hygiène (voir chapitre V ci-dessous).

Il est regrettable qu'on soit, sur l'existence de tels lieux, encore beaucoup trop chiche et mesuré. Des cités de 10 000 habitants doivent encore, en 1991, quémander l'ouverture d'un local pour les jeunes... Et on doit, peut-être, dans ces circonstances, sacrifier un peu de réussite architecturale : «Il y a déjà 20 ans, dit un militant, on s'est battu pour refuser les beaux centres communaux au profit des baraquements où la discussion était libre.» Aujourd'hui, certes, la violence s'est accrue, la consommation de drogue aussi. Il faut pourtant risquer et éviter de condamner une ville au silence : cela ne se fait déjà que trop. Les médiateurs, dont on parle beaucoup, peuvent être un lien nécessaire à condition qu'ils soient choisis parmi les résidents des quartiers et que s'y appliquent les principes qu'on lira ci-dessous. Mais si l'on cherche des instruments propres aux quartiers, sans doute faut-il rechercher les moyens de permettre aux habitants de se rendre compte et de rendre compte de la vie de la cité : théâtre, radio, vidéo peuvent en être les vecteurs, dans des formes évidemment spécifiques. A Bar-le-Duc, théâtre dans un appartement de la cité ; ailleurs, sous l'égide de l'association, Moderniser sans exclure, de B. Schwartz, 100 000 F permettent à des jeunes de réaliser eux-mêmes quatre films vidéo diffusés ensuite sur un réseau « interne », avec seulement le concours d'un moniteur ; radio scolaire à Gennevilliers…

De tels champs d'expressions peuvent être ensuite élargis à d'autres lieux ou à d'autres cultures, comme on le verra ci-dessous (chapitre V). L'école peut – et doit – naturellement participer aux apprentissages nécessaires.

On se souviendra dans tous les cas que la parole à saisir est multiple et fragile. « … Fragiles initiatives des jeunes… Ces initiatives locales sont, selon moi, une occasion à ne pas trahir » écrit une psychologue.

C'est pourquoi la consolidation de cette expression passe aussi par des prolongements institutionnels.

b - Les institutions

Puisque la question posée est celle de la démocratie locale, il convient de passer en revue tous les moyens d'associer les habitants à leur propre devenir.

Des ressources du développement social des quartiers doivent dans le cadre des conventions, être affectées à la vie démocratique (1 % au minimum, le pourcentage étant fixé par chaque convention). L'utilisation de ces crédits peut être variée : moyens donnés aux habitants de s'exprimer (cf. ci-dessus), contrats avec association, formation… (cf. ci-dessous). Il est entendu que ces sommes ne doivent pas contribuer à augmenter le budget « communication » de la ville. L'idée est celle d'une « mise à disposition » de crédits de fonctionnements, dans le but exclusif de développer la citoyenneté.

La mairie doit être décentralisée. Pour les raisons qui tiennent à l'implantation des quartiers dans les années soixante (et exception faite, bien entendu, des quartiers très proches du centre), la municipalité et les services doivent venir aux habitants et non l'inverse. Beaucoup d'élus l'ont d'ailleurs compris. Des mairies de quartier fonctionnent depuis longtemps dans certaines grandes villes. D'autres s'y refusent : « Les administrés ont beaucoup moins besoin d'aller à la mairie qu'au bureau de poste… » Certes, mais le receveur n'est pas un élu ; le maire, si. On doit percevoir que la commune couvre aussi les quartiers et ne s'arrête pas aux frontières de la ville plus ancienne [17].

Mairie de quartier suppose élu de quartier. Il n'y a nulle innovation sur ce point : des pas considérables ont été franchis depuis 1982 en la matière. Mais pas partout. Beaucoup de municipalités sont organisées exclusivement par fonction. Naturellement, l'existence d'un élu dans les quartiers difficiles ne va pas sans difficultés : on ne reviendra pas sur les conflits potentiels entre élus « fonctionnels » et élus « géographiques » (cf. chapitre II). Mais ces conflits ne sont pas sans solutions [18]. Le maire est là pour arbitrer. Surtout, la vertu fondamentale de l'élu de quartier est de «porter», au sein de l'équipe municipale, l'expression politique des difficultés et des réussites des quartiers. Sa présence est corollaire du principe retenu : apporter à la ville les solutions retenues dans le quartier, puisque les problèmes sont largements communs.

Encore faut-il que l'élu de quartier dispose de prérogatives. A cet égard, la tradition municipale française est inverse : elle concentre l'essentiel des pouvoirs aux mains du maire, soit en vertu de la législation applicable, qui lui confère des pouvoirs en matière d'exécution des délibérations du conseil municipal, de gestion, de police, de comptabilité... (articles L. 122-19 et suivants, L. 131-1 et suivants, L. 241-3... du code des communes), soit du fait des habitudes politiques (la tête de liste aux élections municipales a la maîtrise du jeu). On ne peut ignorer non plus que si le gouvernement n'a, en définitive, pas mis moins de neuf ans avant de déposer le projet de loi prévu à l'article 1er de la loi du 2 mars 1982 sur les droits et libertés des communes, des départements et des régions, c'est parce qu'il a longtemps estimé qu'on ne pouvait légiférer sur ce qui relevait essentiellement de la pratique. On doit se demander si l'expérience des quartiers ne conduit pas à un raisonnement inverse et s'ils ne peuvent servir de «moteur» à une modification du *statu quo,* en particulier à tirer en droit la conséquence de certaines réalisations. Cela pourrait vouloir dire que les dispositions du code des communes sur les territoires infra-communaux («secteurs de commune» cf. note [17], «section de commune», articles L. 151-1 et suivants...) pourraient être revues. Dans une ville où la «décentralisation» communale est plutôt une tradition, une mairie de quartier de 110 000 habitants dispose d'un budget de 8 millions de francs, dont 600 000 francs pour la vie associative. Autant dire que l'élu de quartier ne peut guère peser sur les choix de la politique de développement social urbain. Même constat en matière d'attributions de logement : sur 517 logements demandés par la mairie de quartier, 40 ont été accordés en deux ans.

Si la mairie doit se décentraliser, il convient aussi d'aller dans le sens de l'expression politique des habitants des quartiers. Certes, on trouvera à cette expression beaucoup d'inconvénients : faiblesse de la participation, échecs, représentants non souhaités (à commencer par ceux du Front national...). Mais, une nouvelle fois, il convient de prendre les habitants tels qu'ils sont : « On trouve des personnes, si on accepte leurs maladresses, leur côté Front national, leurs enfants délinquants... » fait-on observer. Là aussi les quartiers doivent montrer l'exemple.

Il existe parfois des «comités de quartier» consultatifs [19], dont les appellations sont variables, et les membres désignés (même si l'on vous affirme aimablement qu'ils sont «élus par... le conseil municipal»). Soyons clairs : les comités de quartier sont un minimum, et leur constitution devrait être au moins une des conditions de la signature des conventions.

Plus efficace apparaît être une formalisation de tels organismes. Des organisations de locataires suggèrent la constitution de quelque «conseil économique et social» local, où siègeraient les associations, mais qui ne pourrait guère être que placé auprès du maire; ses membres perdraient de ce fait leurs fonctions de représentation du quartier. En revanche, l'article 16 de la loi n° 82-1169 du 31 décembre 1982 relative à l'organisation administrative de Paris, Marseille et Lyon, notamment, prévoit «dans chaque arrondissement... un comité d'initiative et de consultation d'arrondissement» auquel participent les représentants d'associations qui le souhaitent. Dans un esprit de large ouverture – y compris à des membres d'associations de fait – et sous réserve de garder un caractère démocratique aux discussions, de telles commissions pourraient être organisées dans les quartiers, là aussi en anticipation du reste de la ville.

Mais ce qui paraît le plus nécessaire, même si l'on a parfaitement conscience de la difficulté de l'opération, reste l'élection, pour la durée du contrat de développement social urbain et dans ce seul champ de compétences, d'un conseil de cité, dont les prérogatives devraient se limiter à discuter et approuver la préparation, le déroulement et l'évaluation du projet. A la manière des élections prévues en matière professionnelle et de Sécurité sociale, seraient électeurs tous les résidents permanents concernés par l'opération (locataires ou propriétaires), âgés de seize ans accomplis (pour comparaison, on se reportera par exemple à l'article L. 423-7 du code du travail ou à l'article L. 214-1 du code de la Sécurité sociale). On ne verra une «révolution» dans cette proposition que si l'on méconnaît les habitudes déjà acquises dans le milieu de travail et qui nous paraissent ici, pouvoir être étendues sans difficultés à l'aspect technique du développement du quartier. Pour dire le vrai, le seul obstacle majeur de cette affaire est bien de faire participer les intéressés au scrutin. Mais s'il est consenti, par avance, au conseil de cité de réelles prérogatives (on renvoie ici à ce qui a été indiqué précédemment sur le rôle des associations), on peut être raisonnablement optimiste. Répétons-le : ce qui est en jeu est le retour des habitants dans une vie communale, et donc démocratique, normale.

D - Des mesures pour les associations

Les associations d'habitants, si maigres que soient aujourd'hui leurs effectifs, sont les intermédiaires nécessaires entre les élus et les professionnels du développement d'une part et les habitants d'autre part. On peut gager que s'il n'en était pas ainsi, on se lamenterait demain sur la disparition totale des associations. C'est d'ailleurs le rôle qu'elles s'efforcent d'ores et déjà de jouer [20]. Il convient, ainsi que cela est constaté à la Villeneuve par exemple, de créer des quartiers dans lesquels le dialogue est toujours un préalable au traitement des difficultés. Il y a naturellement un lien entre les manifestations violentes et l'absence de dialogue, par conséquent la faiblesse des associations.

a) Le 1 % « citoyenneté », défini ci-dessus, doit permettre de renforcer les moyens des associations pour être à même d'appréhender l'opération de développement social urbain : formation des militants, facilités d'investigation, mise à disposition de moyens techniques.

Ce point n'est nullement négligeable. A la question posée à une association lilloise de « beurs » (déjà mentionnée) de savoir pourquoi elle avait survécu, là où tant d'autres avaient disparu, la réponse tient en trois points : « On a gardé la tête sur les épaules ; on a gardé la proximité avec les jeunes du quartier ; on a appris les procédures ». Rendre les associations efficaces, autrement dit leur donner la crédibilité nécessaire dans l'action, suppose que les professionnels du développement communiquent leur savoir aux militants de la cité. Rien n'est évidemment simple en ce domaine. Pour y parvenir, tous les moyens sont bons.

b) Les associations doivent être aussi le relais de la formation des habitants. On méconnaît souvent la difficulté qu'ont les résidents d'identifier les procédures, ce qui n'est pas sans lien avec leur découragement et leur impatience (cf. chapitre I) [21]. Un militant associatif fait remarquer, à juste titre, que l'on propose aux habitants des actions en faveur de l'illettrisme, mais que rien n'est prévu pour les aider à apprendre à contrôler le calcul de leurs charges locatives. Il voit la marque d'un mépris peut-être, d'un oubli fâcheux, sûrement. Il faut trouver avec les associations (et non pas imposer) les moyens d'y remédier.

c) L'organisation des associations de locataires doit retenir en particulier l'attention. Chacun connaît – et elles l'admettent volontiers – leur crise, au moins dans ces quartiers. Chacun doit mesurer que leur disparition compliquerait lourdement la tâche des professionnels du développement. Il convient donc de leur donner de nouveaux moyens.

Moyens de représentation d'abord. Il n'y a que des avantages à ce que, dès lors qu'un organisme privé d'habitations à loyer modéré compte des logements d'un quartier dans son patrimoine, il soit assujetti à la même obligation que celle qui résulte, pour les organismes publics, de l'article L. 421. 8 du code de la construction et de l'habitation (présence de représentants des locataires dans les conseils d'administration).

D'une manière similaire, dès que les organismes d'HLM d'un même quartier devraient se réunir pour avoir une politique coordonnée (voir ci-dessous), il est souhaitable qu'au sein de ce comité de coordination la représentation des locataires soit assurée.

Moyens d'expertise ensuite. L'article L. 434-6 du code du travail prévoit que les comités d'entreprise peuvent se faire assister d'un expert (comptable ou non) à la charge de l'entreprise, après accord sur une mission déterminée. L'extension d'une disposition homologue aux associations de locataires ne paraît pas poser d'obstacles de principe.

Plus généralement d'ailleurs, les choses pourraient être clarifiées, comme en matière de droit de travail, sur les éléments de la gestion des organismes bailleurs qui pourraient être portés à la connaissance des représentants des locataires, en contrepartie de la discrétion nécessaire.

Ces différents points font l'objet de négociations, peu fructueuses jusqu'alors en raison des inconvénients que de telles évolutions peuvent représenter pour certains organismes. Mais, là aussi, la situation des quartiers appelle des évolutions et peut servir d'exemple. Le gouvernement doit faire connaître aux négociateurs qu'il est prêt à déposer un projet de loi modifiant le code de la construction et de l'habitation.

Moyen de transparence également, dans le droit fil de ce qui précède. En particulier en matière d'attribution de logement, point crucial, s'il en est, de l'évolution du quartier. Sans associer les habitants à la décision, il faut assurer les moyens d'une information. Une association d'habitants, particulièrement tenace, réussit à glaner quelques informations via… le gardien d'immeuble et à imposer une «commission mixte» compétente pour connaître des attributions sur les seuls logements réhabilités. On ne peut s'en tenir à cette «clandestinité». Naturellement, en la matière, l'information peut provoquer beaucoup de réactions. Seulement la «fuite» du quartier est aussi une réaction. Il est sans doute préférable d'instaurer un débat – la compétence de la décision n'étant pas modifiée, redisons-le – que d'agir de manière subreptice.

Moyens enfin donnés aux organisations nationales. Le gouvernement en a compris la nécessité, puisque les subventions ont été, cette année, accrues. Reste que les ordres de grandeur, selon les intéressés, restent insuffisants pour leur permettre de suivre les «quatre cents» quartiers, c'est-à-dire d'apporter l'aide nécessaire à leurs militants locaux.

d) Il est possible de faire œuvrer les associations à la mobilisation des habitants dans le cadre du développement social urbain. Dans une ville de l'Isère, la municipalité a passé contrat avec une association de locataires pour «favoriser l'expression de la demande des habitants… organiser, mobiliser les habitants… élaborer des projets, assurer un accompagnement social» (article 2 de la convention). A cette fin, une aide financière (versée sur trois ans) est consentie pour un montant de 30 000 francs.

Plus généralement, les associations peuvent être la «pépinière» d'autres associations, comme il existe des «pépinières d'entreprises». A cet égard, diverses solutions locales peuvent être imaginées, pour tenir compte, notamment, de la réticence de certaines associations à mêler leurs moyens. Ce soutien initial peut même être une substitution pure et simple lorsque des groupes veulent bénéficier de subventions sans souhaiter pour autant avoir le statut juridique d'associations. Il est clair qu'un dispositif d'association «écran» (maison de quartier, centre social...) est depuis longtemps intégré dans les pratiques de certaines villes, alors qu'il reste encore méconnu dans d'autres.

e) Il importe, en effet, de ne pas favoriser de manière expéditive – et encore moins d'exiger – la constitution d'associations qui ne seraient qu'éphémères. Sur ce plan, les associations sont comme les êtres humains : la prématurité n'est pas recommandée. Les quartiers ont, sur ce point, une histoire difficile. Il est donc nécessaire d'accepter, en dépit des difficultés réelles que cela peut provoquer, notamment pour les idées de représentation, ou les procédures budgétaires, des formules plus improvisées. Le milieu militant associatif n'est pas – c'est une litote – entièrement pacifique : le fait que des jeunes – ou d'autres – souhaitent rester étrangers aux conflits est plutôt un signe de santé. On doit aussi rechercher la pérennisation des actions : une association trop soutenue s'effondrera avec la fin de l'opération de développement social urbain.

Enfin, *last but not least,* il ne s'agit pas, là aussi, de déposséder les habitants et de monter trop vite, sous prétexte que le quartier est un désert associatif, une association municipale étroitement contrôlée. Sur ce point aussi, il faut savoir clairement si l'on veut bousculer et désorganiser les fragiles liens sociaux existants, ou prendre appui sur eux.

Quelques principes stratégiques

Dans la mesure seulement où la citoyenneté des quartiers serait une réalité, l'action doit être orientée selon les trois principes qui suivent.

A - Une trilogie inséparable : l'urbain, le social, l'économique

Le principe selon lequel, dans le développement des quartiers, l'urbain, le social et l'économique constituent une trilogie inséparable est un leit-motiv presque aussi constant que le rappel de la nécessaire participation des habitants.

Le rapport Dubedout, mettant l'accent sur la «compositon sociale» des quartiers, insistait ensuite sur la nécessité de «relier le développement social au développement économique local» [22]; l'évaluation faite en 1988 par François Lévy mettait l'accent sur la promotion des actions de l'emploi et de la formation [23]. «Tout se tient, disait encore récemment le Premier ministre : le logement, la formation, l'environnement social, l'emploi. Voilà pourquoi la politique de la ville est une politique globale... [24]» Plus récemment encore, le Conseil économique et social, dans l'avis qu'il a rendu, au rapport de Marcel Lair, sur le projet de loi d'orientation sur la ville, marquait son souhait de «rappeler que les tensions urbaines et le mal-vivre de certaines populations est aussi le fait d'un environnement plus général : transports, équipements collectifs, animation et communication, formation et emploi surtout, sont des problèmes lourds dont le traitement simultané est indispensable pour la réussite même d'une politique de logement [25].»

On se souvient que les premières opérations significatives sur les quartiers, ou conventions «Habitat – Vie sociale», avaient privilégié largement le bâti, par les réhabilitations d'immeubles (les «réhabs»...). Ce que l'on appelle ici «l'urbain», par commodité, était massivement servi. Encore faut-il entendre par ce terme le logement et son environnement immédiat, sans que leur soit associé un «projet urbain» comprenant l'urbanisme, en particulier les liens avec le centre ville et l'élaboration d'une réflexion sur le devenir de l'agglomération.

L'institution du développement social des quartiers a voulu, comme son nom même l'indique, instituer un «accompagnement social» de l'action sur le bâti. Ce volet reste encore très modeste, par l'ampleur des crédits qui lui sont consacrés, par rapport à l'action sur les logements. Selon l'investigation des élèves de l'ENA, de l'ordre de 20 millions de francs sur 218 millions à la Villeneuve. Naturellement les données sur les coûts ne sont pas comparables. La réhabilitation du bâti d'usage public ou privatif est onéreuse (un architecte estime le montant de la remise en état d'une barre de «la cité des 4000» à 57 millions de francs, la rénovation d'un éclairage public à 24 millions). On peut supposer que les montants sont bien moindres en matière sociale.

Mais précisément, cette dissymétrie de départ rend malaisée l'appréciation que l'on peut porter sur l'importance réelle donnée au développement social. Ce qui a été dit sur la citoyenneté laisse penser que davantage pourrait être fait.

En tout état de cause, l'économique est soigneusement mis de côté, encore aujourd'hui. Sauf là où existent dans le quartier des activités importantes (en particulier dans les quartiers anciens) : mais c'est là une exception.

On en voit bien les raisons :

– d'une part, l'articulation entre «l'économie» et le «quartier» se fait mal; il n'y a pas d'économie de quartier; ce serait même ignorer la complémentarité offerte par la ville, ce qui est dans sa nature même, que de chercher un développement économique propre au quartier ;

– d'autre part, le champ économique présente les difficultés les plus redoutables ; si chacun convient, avec quelle facilité, que l'emploi est au cœur des débats, les solutions pour remédier à sa pénurie sont loin d'être évidentes ; et l'on conçoit que l'on n'ait pas voulu différer le développement du quartier jusqu'au moment où les solutions économiques auraient été découvertes.

Il reste vrai, cependant, qu'à agir sur deux des facteurs, et *a fortiori* sur un seul, on a toutes chances de se condamner à l'inefficacité de long terme. Cette opinion vaut, peut-on penser, quel que soit l'ordre des facteurs. Il convient de remédier à la crise du chômage. Mais employer les résidents (il en existe déjà, heureusement…) dans des immeubles dégradés et éloignés ne résoudra pas la crise des quartiers. Et ceux-ci méritent qu'on y mène une vie collective comme ailleurs. Urbain, social et économique sont inséparables. L'action doit s'intéresser à tous les trois : « les enfants ne sont pas encadrés, les jeunes traînent, les pères (quand il y en a) n'ont pas d'emploi, les femmes ne parlent pas le français… Comment ose-t-on espérer traiter ces problèmes en repeignant les façades ? » remarque un acteur du développement lyonnais.

Il convient donc de changer clairement de perspectives à cet égard, à commencer par le contenu des conventions à venir (ou les avenants des conventions en cours). A cet égard, bien que les changements de vocabulaire des politiques n'inspirent qu'une médiocre dilection, tant ils camouflent souvent l'immobilisme et sèment, simultanément, la confusion, l'appellation de « développement social urbain » ou de « développement social des quartiers » paraît quelque peu réductrice et, aussi, hermétique. Sans prétendre ici en imposer une autre, on peut croire que des formules telles que « mieux-vivre en ville », naguère employées, pouvaient être plus accessibles. Mais là n'est pas l'essentiel.

B - Des contrats de ville

On vient de l'indiquer pour l'économie. Une politique de quartier ne peut prétendre appréhender des problèmes dont la solution est, d'évidence, ailleurs. Mais comme le problème se pose dès lors que l'on borne un territoire, la question n'est pas de savoir dans quelle étendue territoriale on embrassera l'ensemble des problèmes – il n'en existe pas –, mais d'appréhender les avantages et les inconvénients relatifs d'une solution ou d'une autre.

Or, pour le quartier, l'essentiel n'est pas dans la circonstance qu'il lui manquerait tel ou tel élément de la vie urbaine, mais quelle est l'ampleur et la nature des échanges «urbains», c'est-à-dire quel est le degré de son rattachement (et de son attachement) à la ville.

La politique de quartier est, par construction, ségrégative. Elle conforte les habitants des cités dans l'idée qu'ils sont (en négatif) différents des autres urbains (sous réserve de ce qu'on indiquera ci-dessous sur la qualité) [26]. Elle fait penser aux autres habitants de la ville (qui n'ont guère, en l'espèce, un esprit de «concitoyens») que le quartier, qu'on dépeint, on l'a vu, sur les couleurs les plus sombres, bénéficie d'avantages particulièrement immérités, au détriment de leurs propres besoins. On sait désormais que de telles évolutions favorisent les tensions, qu'exprime d'abord la sortie du jeu politique habituel, par l'abstention ou le vote Front national, en attendant, ensuite, d'autres raidissements.

A l'opposé, une politique de contrat de ville, d'ailleurs lancée, en contrepoint des actions de quartier, par le gouvernement, à l'initiative de la délégation interministérielle à la ville, n'est pas sans danger. Pour des motifs déjà expliqués (voir ci-dessus les politiques communales, dans le chapitre II), proposer un contrat de ville à une municipalité est prendre le risque de se voir suggérer en retour la construction ou l'amélioration d'équipements publics et privés qui bénéficieront principalement aux secteurs déjà «développés» de la ville. Un calcul économique peut d'ailleurs, aussi, justifier un tel choix : favoriser les atouts dont dispose la ville, c'est créer un effet d'entraînement dont bénéficiera toute l'agglomération (en quelque sorte : «les investissements d'aujourd'hui font les emplois de demain qui feront les quartiers d'après-demain»). Cette volonté tout à fait légitime de développement communal axée sur les obstacles à l'essor de zones plutôt favorisées est d'ailleurs l'une des difficultés qui rend actuellement la signature de certains contrats malaisée. Au surplus, même là où la ville épouse les thèmes d'un développement prioritaire du quartier déshérité, il y a risque de» détournement» ou de «contournement» dans l'emploi des fonds. D'autant plus que, même à les supposer mobilisés, les habitants de la cité en cause disposeront d'une voix affaiblie parmi l'ensemble des résidents de la commune, leur expression se trouvant, en quelque sorte, banalisée. Enfin, il va de soi que là où les circonstances géographiques et sociologiques imposeront un contrat d'agglomération – plutôt qu'un contrat de ville –, on ne manquera pas de se heurter aux combinaisons délicats du jeu politique local.

En dépit de ces inconvénients réels, pour lesquels il faudra trouver des remèdes, on ne saurait assez recommander l'abandon, à l'avenir, des conventions de quartiers dès lors que les précautions sont prises pour que soient sauvegardés les intérêts de ces derniers.

On l'a suggéré au début de ce chapitre : si l'on admet le changement de perspective indiqué (quartier-pilote et non plus quartier-boulet), alors il convient de mettre quartier et ville dans un seul ensemble. Sans que cela soit contradictoire, intégrer l'un et l'autre permet de prendre la mesure des écarts entre les deux. A force de regarder de trop près, il n'y a plus de société duale... L'approche des réalités, quartier par quartier, tout comme l'approche public par public, finit par être un excellent camouflage des tensions sociales qu'elles étaient censées prendre en charge. Il est clair que la relégation ne peut prendre fin qu'avec le retour des relégués.

L'Etat doit être exigeant sur les garanties que peut offrir la convention pour un réel développement des quartiers en difficultés. Pour les actions retenues, il faudra examiner, dans le cadre de la citoyenneté définie ci-dessus, les retombées positives ou négatives sur les zones déshérités et, plus encore, comment des actions entreprises dans celles-ci pourront avoir effet d'entraînement sur le reste de la ville. Il appartiendra aux représentants de l'Etat, par conséquent, de veiller non seulement au fond, mais aussi à la manière dont elle aura été élaborée (avec les habitants). On doit rappeler, car cet élément est bien souvent oublié, que la signature d'un contrat n'est jamais obligatoire (sauf prescription législative)... L'expérience des sept contrats approuvés au jour de la rédaction de ce document [27] n'incline pas à l'optimisme sur le plan de la vigilance du co-contractant. D'autant moins si l'on se souvient de la tendance bien connue des politiques sociales à glisser vers les classes moyennes plutôt que vers les déshérités. Faute de la vigilance requise, les quartiers y perdraient.

La réinsertion, dès la convention, des quartiers dans la ville aidera à trouver des politiques actives dans quelques matières cruciales pour le développement du quartier.

– Le problème majeur de l'attribution des logements ; il est évident pour beaucoup que plus le patrimoine considéré dans le champ de la décision est vaste et varié, plus diversifiées peuvent être les solutions.

– Il en va de même de l'économique : ces quartiers, disait cette responsable d'entreprise d'insertion, ont un aspect «réserve d'Indiens» : «Comment pourraient-ils trouver eux-mêmes les ressources (de tous ordres) nécessaires pour s'en sortir?» Cela vaut pour les quartiers de vieille industrie effondrée (qu'on pourrait appeler les «délaissés économiques») mais plus encore pour ceux, «monofonctionnels», uniquement voués à la résidence privée.

– Solution identique pour la formation : le quartier a une identité jusqu'au collège inclus ; au delà, le recrutement des établissements (lycées, établissements de formation continue, instituts universitaires de technologie...) déborde un cadre géographique trop limité.

Il en va de même de bien d'autres domaines auxquels on n'associe pas spontanément le développement du quartier (la fiscalité, par exemple...) qui sont autant de liens déjà existants avec la ville.

Le contrat de ville s'impose.

C- Un nombre de sites limité

Dès lors que les besoins sont pressants et qu'une formule paraît prometteuse, il est bien normal que chacun vise à tirer le maximum d'avantages de la seconde pour satisfaire les premiers. Tout naturellement, le volume de la mesure est conduit à enfler jusqu'à ce que, par une sorte d'équilibre entre l'offre et la demande politiques, le dispositif ayant perdu de son attrait premier, il se stabilise. Il en a été ainsi des missions locales. Il en va de même des sites de développement social des quartiers.

A écouter ce qu'indiquent les uns et les autres, à voir différents sites, on ne doit pas douter que quatre cents sites (le chiffre est, en réalité, un peu inférieur), relevant de procédures diverses mais tendant au même objectif, est un nombre excessif. La chose est si vraie que le nombre de «sites pilotes pour l'intégration» est lui, bien inférieur.

Le rapport d'évaluation de F. Lévy, pour conclure que la procédure de développement social des quartiers devait rester exceptionnelle, s'était fondé sur une étude déjà citée de N. Tabard et I. Aldeghi, dans laquelle ces deux experts (alors au CREDOC) de la typologie des quartiers s'efforçaient de caractériser les sites DSQ ou susceptibles de l'être par rapport aux communes françaises selon une batterie très large de critères (catégorie professionnelle, emploi, nombre d'enfants par ménage, habitat, possession de véhicule...). Cette étude n'a pas vieilli même si elle mériterait d'être actualisée à la lumière des données du recensement général de la population de 1990. Le rapport Lévy estimait à 150 le chiffre de sites à ne pas dépasser [28]. Ce chiffre n'a pas davantage vieilli que les données qui le justifient.

Il est une autre raison qui conduit à la même réflexion : lorsque le nombre de sites est restreint, les administrations régionale, municipale et de l'Etat voient dans la procédure un élément tout à fait exceptionnel qui impose souplesse d'application et disponibilité des agents. «On pouvait obliger l'Etat à travailler autrement», commente un maire. Un élu ajoute que l'extension à un grand nombre a amené une perte de souplesse. Sans doute y a-t-il là, pour partie, confusion entre petit nombre et nouveauté : l'Etat, déconcerté, a sans doute mis quelque temps à s'adapter; les élus ne s'en sont pas plaints. Mais pour partie seulement. Se pose également un problème de ressources financières. Alors que la contrainte économique pèse lourdement sur les évolutions budgétaires, mais que l'Etat se doit impérativement de ne pas décevoir, il faut concentrer l'effort sur les quartiers les plus prioritaires. D'autant plus que l'effort dont on indiquera les grandes lignes dans les chapitres qui suivent entraînera des dépenses supplémentaires (quoique modérées). Le gouvernement doit donc se préparer à restreindre les quartiers relevant de la procédure, ou bien se condamner à l'inefficacité et, partant, aux difficultés sociales. Les échéances lui laissent encore le temps de préparer ce choix.

Cette limitation mettra fin à un relatif saupoudrage des crédits. En région Ile-de-France, au mois de septembre 1990, fut annoncé le déblocage de crédits exceptionnels pour « l'intégration ». Mais ces crédits étaient à diviser par le nombre de sites de la région (soit 49) et ensuite par le nombre de ministères intéressés, près d'une dizaine : soit environ 200 000 F par site et par ministère, à diviser à nouveau, éventuellement, en plusieurs opérations (collèges, écoles, associations…), le tout devant être, bien entendu, dépensé avant la fin de 1990 sous peine de non-reconduction. Il doit clairement être admis qu'il y a un nombre de sites où des tensions fortes exigent des collectivités publiques un effort exceptionnel, non seulement en crédits mais en adaptation des procédures. Cette restriction, très relative, compensée par une réelle efficacité, ne fera pas obstacle aux nécessités politiques et laissera, bien entendu, la porte ouverte à d'autres procédures. Il faut le redire une nouvelle fois : l'urgence et la gravité appellent des solutions graves et urgentes.

Quelques nécessités tactiques

Les considérations qui suivent ne doivent pas être prises pour des réflexions philosophiques sur l'administration. Mais comme des impératifs tout à fait catégoriques de l'action dans ces quartiers, que ce soit celle de l'enseignant, du gardien d'immeuble, de l'agent communal ou du guichetier de la caisse de Sécurité sociale. Si ces nécessités n'étaient pas suivies d'effets, il serait vraisemblablement vain de multiplier les efforts.

C'est aussi parce que les services publics seront « plus efficaces, plus présents et plus proches du terrain », pour reprendre une formule de Michel Delebarre, qu'ils pourront être ensuite améliorés dans l'ensemble de la ville, selon le principe indiqué au début de ce chapitre.

A - L'unité

Sans que chacun abandonne sa spécifité et son caractère (l'unité n'est pas l'uniformité), il faut que tous travaillent ensemble.

Quelques exemples illustratifs.

Le premier est négatif. On se souvient qu'à «la cité des 4000» à La Courneuve, fut condamnée et démolie une «barre» de logements, la barre dite «Debussy». Ses habitants furent relogés pour la plupart dans le même quartier, un bon nombre dans des conditions d'ailleurs très proches. L'année suivante, la Trésorerie de la commune ne manqua pas de réclamer la taxe d'habitation au titre de la barre Debussy, au besoin par des procédures quelque peu contraignantes. Les habitants concernés ne l'ont pas compris et sans doute avaient-ils raison.

Dès lors qu'on prenait le parti de supprimer le passé, ne pouvait-on aller jusqu'à le faire, pour des montants relativement modestes, sur le plan fiscal. On ne manquera pas de faire remarquer que les articles 1407 et suivants du code général des impôts ne prévoient pas d'exonération pour les immeubles démolis. Cependant une possibilité d'action est ouverte à la commission communale des impôts directs. Et même si elle était impuissante, le Parlement ne se déshonorerait pas en prenant une disposition éxonérant du paiement de la taxe, pour les mois précédant la démolition, les résidents d'immeubles détruits dans le cadre d'une opération de développement social urbain. Mais ce qui est surtout préoccupant dans cette affaire est l'absence de liens entre l'opération urbaine et la perception de l'impôt.

Deuxième exemple, celui d'une unité manquée : des policiers de bonne volonté viennent dans une réunion publique de quartier. Ils y expliquent que la lutte contre la toxicomanie n'est pas de leur ressort, eux qui relèvent du commissariat local, mais de la police judiciaire. Rassurée sur sa tranquillité, la filière de la drogue se montre plus voyante que jamais.

Des exemples plus rassurants : dans une réunion toulousaine relative à l'attribution des logements, l'îlotier (policier) concerné est convié et présente un rapport. Il est écouté parce que chacun connaît sa connaissance du quartier. A Epinay-sous-Sénart, dans une école municipale de sports on a placé aux côtés de l'animateur sportif un animateur social chargé de veiller à la venue d'enfants des familles défavorisées, dont on sait qu'elles accèdent plus difficilement aux équipements collectifs. Ailleurs, des entretiens conjoints entre l'agent de l'ANPE et un travailleur social d'une part, et les usagers des mesures d'insertion d'autre part, sont organisés.

Quelques réflexions qui peuvent être brèves, parce qu'elles font écho aux manières de faire des services décrits dans le chapitre II, naissent de ces exemples.

L'unité signifie que tous les services concernés, quels que soient leur dénomination, statut ou appartenance, participent à l'opération. A cet égard, une question s'impose. Dans toutes les réflexions recueillies dans le cadre de l'élaboration de ce document, on n'a pratiquement jamais entendu parler de la caisse d'allocations familiales; encore moins de la poste; pas une fois de la Trésorerie publique. La caisse est l'un des plus gros fournisseurs de revenus des quartiers (il est, dans tous les cas, vraisemblablement le premier en volume); la poste est le service public le plus proche des habitants (les tournées du postier); le Trésor public est le plus gros bénéficiaire des revenus de la population. Cette observation n'enlève évidemment rien à la nécessité de la présence de l'enseignant, du gardien d'immeuble ou du policier. Il n'empêche que l'unité se réfléchit...

L'unité ne signifie pas la fusion dans on ne sait quelle apocalypse administrative des procédures. On l'a vu, plus on est pauvre, plus la procédure est riche. Peu importe... Les situations difficiles l'exigent. Peu importe, si du moins ce sont les fonctionnaires ou les agents du service public qui gèrent la complexité des formules et non pas le malheureux usager. Si on évoquait à l'instant, les caisses d'allocations familiales et la poste, c'est que leur rapprochement pourrait lever les incertitudes sur le quantième du mois où les prestations sont disponibles. On a déjà évoqué le problème. Faire gérer la complexité par les agents chargés de l'appliquer suppose qu'ils se rapprochent et que le nombre de guichets soit réduit au minimum. On reviendra sur ce thème, comme sur la nécessité de comprendre, dans ce rapprochement, les travailleurs sociaux du département (ou des caisses d'allocations familiales), aujourd'hui fâcheusement coupés de la procédure DSQ.

Il faut croire enfin que, comme l'investissement, l'unité a un effet multiplicateur, pourvu qu'elle ne se traduise pas en une infinité de réunions inutiles. Il n'est pas nécessaire d'insister sur ce point : les exemples cités parlent d'eux-mêmes. Il suffit de dire qu'un tel effet multiplicateur est de nature à motiver les agents en charge de ces quartiers, qui voient leurs problèmes partagés et leur action redoubler d'efficacité.

B - La qualité

Un certain nombre d'opérations, en particulier en matière de spectacles et de sport, a été résolument placé sous le signe de la qualité.

Là encore, quelques exemples, dans lesquels on pourrait ranger certaines propositions énoncées par B. Tapie à Montfermeil.

A Bar-le-Duc, l'implantation d'un instrumentarium musical au centre social, et la mise à disposition de professeurs de musique pendant le temps scolaire et hors du temps scolaire, a été au point de départ de la création d'un opéra avec des élèves de CE2 et CM2 Pour aider à sa réalisation, il a été fait appel à une association lyonnaise et à un artiste connu, Steve Waring. La réalisation (chant, musique, mimes, éclairage, sono...) a créé, si l'on peut dire, une dialectique de la perfection entre le quartier, heureux de la présence de l'artiste, et ce dernier, intéressé par l'expérience.

Inversement, en banlieue parisienne, les enfants d'une commune découvrent l'éducation physique au collège. Ils n'en ont fait ni à l'école maternelle, ni à l'école primaire. Les enseignants, dit-on, ne sont guère formés pour cela. Ainsi, les activités sportives sont mal perçues, et, au football une chaussure tient lieu de ballon alors même qu'existe le matériel nécessaire.

La qualité est essentielle. Ce n'est pas seulement offrir des prestations convenables, «même aux pauvres». Ce n'est pas seulement donner à chacun un petit espace de luxe dans une vie difficile. C'est donner tout son sens à la «discrimination positive». Comme le dit parfaitement un habitant : «Il faut être inégalitaire dans le bon sens du terme. Donnons réellement une priorité. Les bonnes intentions se retournent. La zone d'éducation prioritaire n'a pas de moyens ; elle ne fait plus que désigner, en mal.»

On ne saurait mieux dire.

Si le développement social des quartiers signifie des interventions de qualité, il sera perçu positivement comme un début de retour à une vie normale. Dans le cas contraire, ce n'est qu'un effet de «marquage» supplémentaire.

C'est si vrai que le DSQ s'affiche peu. Sauf à Bar-le-Duc, où un panneau signale, à l'entrée du quartier, le déroulement de la procédure : on peut imaginer qu'il est perçu positivement. Le développement social urbain doit être l'occasion d'innover et de rendre le quartier «pionnier» de la rénovation. L'école a besoin aujourd'hui de bureaux où élèves et enseignants puissent se rencontrer. Le coût est exorbitant pour l'ensemble des établissements. Pourquoi ne pas commencer par les quartiers ? A cet égard, l'utilisation des 4 milliards de francs débloqués pour les bâtiments scolaires mériterait attention. Les besoins de la petite enfance sont, dans ces secteurs, primordiaux : les écoles maternelles devraient y être encore beaucoup plus belles qu'ailleurs (c'est le cas dans un quartier de Strasbourg) ; même chose pour les crèches. Le fonctionnement des « nouveaux » services publics doit commencer là.

Ainsi viendra la manière de changer la considération que la population des cités a d'elle-même, l'apport du quartier à la ville, et, par conséquent, la manière dont la ville regarde le quartier.

C - L'immédiateté

Pour beaucoup d'entre eux, les habitants des cités passent leur temps à attendre. On ne reviendra pas ici sur le tempo des quartiers et celui des intervenants. Mais il convient d'y venir sur la nécessité, dès lors qu'une action est entreprise, en particulier en matière sociale, de la mener rondement. Et cette immédia-teté-là n'est nullement contraire aux exigences du long terme.

Quelques exemples, là encore.

On se plaint souvent de ce que les procédures budgétaires font obstacle à la réalisation de projets, notamment avec les jeunes. Et l'on dit vrai.

Dans le Sud-Ouest, pour trois quartiers en développement, un fonds d'initia-tives locales a été mis en place, doté de 150 000 F sur crédits DSQ (50 % Etat; 50 % région). Si un projet apparaît, le chef de projet concerné en parle, monte un « petit dossier très simple » comportant une « fiche-navette » circulant par télécopie d'abord à la ville, puis à la région, enfin à la préfecture. Si les avis sont favorables, ils sont obtenus en 48 heures. L'argent a été délégué par le comptable public à la mission locale, sous la réserve que le montant par opération n'excède pas 10 000 francs.

Même orientation dans le Nord : un fonds d'initiatives des habitants, cofi-nancé par la ville et la région, est doté de 150 000 francs par an et par quartier. Le chèque, dit-on, arrive dans la semaine.

Dans un autre domaine, deux exemples en région parisienne.

Dans une commune, la ville est propriétaire d'un certain nombre de loge-ments, dans le cadre d'une opération de réhabilitation complexe. Au sein de l'équipe DSQ, une personne est à temps plein chargée des loyers. Si un non-paie-ment est constaté le 10 du mois, une rencontre a lieu tout de suite, dans le loge-ment, avec le preneur défaillant. Les impayés sont peu nombreux.

Dans un collège où vols et bagarres s'accroissaient, parents et enseignants ont regardé ensemble les déclarations d'accidents et de pertes pour examiner quelles étaient les difficultés et comment les résoudre. Les « accidents » sont pas-sés de 35 en 1982 à 2 en 1990.

Des exemples inverses?

Dans cette ville de la banlieue parisienne, le collège a été victime d'un incen-die criminel en juin 1990. La cour a été envahie, pour assurer le fonctionnement de l'établissement, de bâtiments préfabriqués. En avril 1991, les enseignants ne savent pas s'ils sont destinés à rester, quand d'éventuels travaux auront lieu et, dans cette hypothèse, comment s'organisera la vie de l'établissement?

Dans le domaine de la délinquance, les jeunes sont convoqués par le juge des enfants plusieurs mois après les faits. Ils ne comprennent pas, selon le policier qui raconte cette manière de faire, pourquoi ils sont convoqués, puisqu'ils ont oublié qu'ils avaient commis ce qu'on leur reproche. Et lorsqu'on leur rappelle, ils ne comprennent pas pourquoi ils sont poursuivis pour « celui-là », puisque depuis, ils en ont commis cinquante identiques. Tout au contraire, des adolescents, arrêtés pour vol à la première tentative importante, reconnaissent que s'ils n'avaient pas été pris, ils auraient continué. «Les agents sociaux, écrit Max Weber, obéissent à la règle quand l'intérêt à lui obéir l'emporte sur l'intérêt à lui désobéir [29].»

L'urgence est nécessaire. Elle coûte, mais elle est aussi source d'économies. Comme le fait remarquer un chef de projet, les licenciés de l'entreprise voisine «partiront avec 60 000 francs chacun. Deux ans plus tard, on les retrouvera à la charge de la commune avec 60 000 francs de dettes. Il faudrait intervenir plus tôt et pouvoir s'associer à eux.»

L'immédiateté implique sans doute un réseau dense et coordonné pour être organisée. Elle suppose surtout que soient repérés, dans les procédures et les délais de réaction, ce qui est motif à retard et comment il peut y être remédié, de la coupure d'électricité pour impayé à la réparation des ascenseurs. Du côté du service public, cela suppose vraisemblablement qu'on déroge à beaucoup d'habitudes et probablement qu'on modifie des règles. On sait qu'un juge pour enfants strasbourgeois tenait des audiences régulières dans le quartier du Neuhof. Les initiatives de cette nature devraient être multipliées et, à tout le moins, encouragées.

On sait que ces lenteurs sont imputables pour partie à des nécessités qui ont leurs lettres de noblesse : l'établissement des faits délictueux pour la répression, les règles de la comptabilité publique pour les collectivités territoriales... Il ne convient évidemment pas de laisser croire que tout peut être satisfait sur un simple claquement de doigts. L'immédiateté n'a de sens que si, en même temps, les habitants sont éclairés sur les procédures (ci-dessus) et que l'école fait la place dans son discours au temps nécessaire.

Mais on doit rechercher activement les moyens d'abréger considérablement les délais qui peuvent l'être; l'objectif n'étant pas l'effort consenti (moyen), mais l'immédiateté (fin).

Les offices publics d'HLM, astreints aux règles de la comptabilité publique (comme tous les établissements publics administratifs), sont, de ce fait, soumis au comptable de la commune, du département ou au comptable spécial (article L. 421-6 du code de la construction et de l'habitation) et ont quelque difficulté, pour cette raison, à détecter les impayés de loyers avant un délai relativement long (très dommageable à l'office et aussi au locataire en cause). Sans doute faut-il aligner alors, par dérogation législative, les règles de la comptabilité des offices sur celles d'autres organismes HLM – ce qui n'est pas impensable. Ou bien les autoriser à tenir une comptabilité provisoire, suffisante pour intervenir assez tôt auprès des locataires basculant dans la pauvreté, certifiée ensuite par le comptable public.

L'imagination est moins nécessaire ici que la mesure exacte de ce qui fait difficulté, qu'au demeurant, seuls les habitants pourront exprimer.

D - La proximité

Elle vaut pour le temps : tel était l'objet des développements précédents. Elle vaut aussi pour l'espace et pour les relations entre les personnes.

On se rappelle en effet (chapitre I) quelle est l'importance de l'idée d'isolement, d'enclavement et d'éloignement. On doit ajouter ici que la vie dans les cités est souvent empreinte d'une grande solitude, notamment pour les jeunes, en rupture familiale et sans adultes à qui se confier.

Quelques illustrations là aussi ; d'abord en négatif.

Dans une ville de l'Ouest, l'îlotage policier a été mis en place. Ses horaires sont ainsi fixés : 8 h à 12 h ; 14 h à 18 h. Tels sont les horaires administratifs «classiques». Seulement les adolescents «difficiles» dorment le matin et veillent tard dans la nuit. Terminer à 18 heures signifie ne guère les rencontrer. Ou, au moins, gaspiller 4 heures. 14 h à 22 h, note notre informateur, ou, si le personnel est insuffisant, 16 h à 22 h : voilà qui serait plus utile. Dans cette ville du midi, le commissariat est en lisière du quartier DSQ et, notamment, à quelques dizaines de mètres du siège d'une «régie de quartier» (cf. chapitre IV). Il est ouvert jour et nuit. Les policiers ne sont jamais venus à une réunion de concertation et ne participent pas à la politique de prévention. Un jour, un cambriolage a eu lieu au siège de la régie. Le commissariat, avisé, n'a envoyé personne et l'appel téléphonique n'était pas mentionné sur la main-courante.

La proximité dont on parle ici n'est évidemment pas la seule proximité géographique. Lorsqu'il y a un seul équipement, note cet habitant d'une ville de l'Est, il est utilisé au delà de ses capacités. Pour une aire de jeux aménagée, des dizaines et des centaines d'enfants. Alors tout est vite abîmé et cassé. «Ce ne sont pas les enfants qui cassent, mais tout s'use. »

Deux illustrations plus positives, et la première concerne la police ; la vérité oblige à dire que sa «proximité» peut être exemplaire et que là où ce n'est pas le cas, beaucoup de services publics sont évidemment concernés.

Dans une ville du Sud-Est, les interventions de la police (brigade canine) provoquent des réactions de violence et de rejet difficilement contrôlables de la part des jeunes, parmi lesquels s'est développé un sentiment prononcé d'hostilité à l'égard des «flics». Par sa présence «essentiellement préventive et au besoin… répressive», un policier a inversé la tendance et surtout ramené quelque paix, en s'adaptant au terrain, en restant en contact permanent avec les jeunes, qu'il connaît personnellement et en étant à l'écoute permanente de la population. Il faut, indique ce policier, «instaurer une véritable police de proximité. Non par un îlotage théorique simplement sur papier, mais un îlotage réel et permanent (…). Bien des jeunes ont grandi dans des quartiers à risque sans aucune présence policière (…). Ces erreurs d'appréciation ont permis de nombreux dérapages qui auraient pu être évités.»

Seconde illustration d'un désordre tout aussi grave auquel il a pu être remédié.

«Dans le système de Sécurité sociale, pour faire valoir ses droits, il faut les connaître.» Dans cette caisse primaire d'assurance maladie, largement ouverte au public avec 145 permanences (60 000 personnes accueillies en 1988), on a pris conscience que l'amélioration de l'accueil traditionnel ne suffirait pas à mettre fin à l'exclusion sociale résultant de l'absence de «couverture» par la Sécurité sociale. C'est pourquoi, avec l'accord du conseil d'administration, le directeur de la caisse a mis en place un système de «détection et de traitement de l'exclusion sociale» (DETRES). Trois délégués-conseils et un cadre, appelés (numéro vert) par les associations, les travailleurs sociaux… se rendent à domicile pour examiner la situation des personnes qui font difficulté pour une hospitalisation, la perception d'indemnités journalières, l'ouverture des droits… «On va chez les gens car ils ont déjà été au guichet…» Leurs problèmes ne sont pas résolus pour autant. Et «même s'ils ne lisent pas les papiers, ils les gardent.» Le service DETRES effectue ainsi 3 000 interventions par an, règle la plupart des situations sans difficultés majeures et renvoie éventuellement les intéressés à d'autres personnes connues de lui pour régler d'autres problèmes.

Que tirer de ces quelques exemples?

Il y a là une forte demande et un appel insistant au renouvellement du service public. On ne manquera pas de soulever le problème du «contrôle social». Voyez cet exemple : «Au Japon, les policiers d'un "Roban" (poste de police fixe d'un quartier) sont tenus de rendre personnellement visite à chaque domicile de leur secteur, deux fois par an, y compris aux logements individuels… Ils demandent quels sont les noms des personnes qui vivent à chaque endroit, leur âge, leurs liens de parenté, leurs activités; ils vérifient si la personne possède un véhicule automobile et quelles en sont les caractéristiques; voient si ces gens désirent des conseils sur la protection de leur maison et de leurs biens (…). On ne les considère pas comme de simples agents de surveillance officiels, mais comme des guides de la moralité [30].»

Ce genre d'organisation serait sans doute perçu en France comme inacceptable. On sait qu'une certaine vigilance heureuse existe, sensible à toute atteinte aux libertés publiques et, au delà, à un contrôle normatif trop étroit, y compris de la déviance. En d'autres termes, entre le « frère » secourable et le Big Brother d'Orwell, la frontière peut être quelque peu floue.

Ne nous méprenons pas cependant. Du côté du service public, dans les quartiers, on est encore loin de la fraternité ouverte. Trop de responsables – car il ne s'agit pas ici des exécutants – pensent encore la mission du service à travers une double morale :

– la morale du confort : exécuter les tâches dans les formes qui ont été définies et qui ont fait leurs preuves.

– La morale de l'effort : la générosité de la collectivité (la mairie, l'Etat, le bailleur…) se mérite. C'est bien le moins que l'exclu vienne au guichet. Il a besoin de montrer qu'il veut s'en sortir…

Ces principes paraissent, pour les quartiers profondément erronés, en tout cas de nature à ignorer les difficultés et surtout à ne pas bien les résoudre. La caisse primaire dont on vient d'évoquer le rôle note que l'agent d'accueil traditionnel conseille l'assuré qui vient à lui. Dans le cas du nouveau service, l'intervention se fait en amont et cherche à régler les difficultés de couverture sociale de la personne avant qu'elle ne soit malade. Autrement dit, la proximité n'est pas seulement une tâche supplémentaire demandée à un service déjà débordé, le plus souvent, c'est une manière de renforcer l'efficacité et de faire « baisser la tension », souvent vive (chacun le sait) entre habitants et service public.

Une telle proximité doit aussi permettre d'associer directement les résidents à l'exécution du service public, selon des formules juridiques qui n'ont pas besoin d'être bouleversées, semble-t-il. D'une part, en affectant sur place les fonctionnaires qui demeurent dans le quartier (tel inspecteur principal de police déjà mentionné est dans ce cas) ; d'autre part, en confiant aux habitants des tâches connexes, à la manière dont, au Royaume-Uni, ce sont les retraités du lieu qui, dûment équipés, surveillent l'entrée et la sortie des écoles. Naturellement, on tiendra sur la proximité le discours prononcé sur l'immédiateté. Tout ne peut être immédiat ; tout ne peut être proche ; tous les instituts de formation ne peuvent se décentraliser dans un quartier ; ni tous les services médicaux lourds… Mais on ne doit pas s'abuser. Il reste beaucoup à faire pour rapprocher, avant que l'on ne tombe dans l'excès inverse.

Cette politique de rapprochement est onéreuse, en personnel et en équipements, bien que les sources soient parfois divergentes : pour avoir un policier présent jour et nuit, dit-on, un effectif de plus de 6 personnes est nécessaire. On ne peut cependant en faire l'économie, d'autant moins si l'on va dans le sens d'une restriction du nombre de sites (cf. ci-dessus).

Des formes nouvelles sont, d'ailleurs, à inventer [31]. Certains quartiers devraient être des lieux d'organisation de services comme en milieu rural, même si sur ce point les appréciations peuvent diverger. On devra rechercher, en toute hypothèse, l'adaptation la plus stricte aux réalités locales : à chaque service, en coordination avec les partenaires, et après un dialogue avec les habitants, de déterminer les formes d'organisation à donner, selon les particularités du quartier. Cela implique, vraisemblablement, que les multiples circulaires qui définissent – et, ici entravent – l'action des services soient suspendues, lorsqu'elles sont contraignantes sur les moyens.

Cette exigence de proximité s'impose en particulier aux organismes bailleurs de logements, au delà de la symbolique – forte, néanmoins – de l'installation des sièges sociaux des offices dans les quartiers [32], comme à Belfort ou à Lille.

Certains organismes ont fait un effort de décentralisation de leur gestion. A Marseille, cinq agences de quartier ont été ouvertes, ayant chacune la charge de 3 000 à 4 000 logements. En outre une «équipe de gestion spécialisée» est compétente pour les quelques centaines de familles dont la situation est la plus difficile: elle compte 25 salariés (trois fois plus que la charge normale de personnel).

De la même manière, l'accent a été mis sur les gardiens d'immeubles, en termes de nombre (à Meaux, un pour 100 habitants dans le quartier en développement social urbain) et de formation.

Ces efforts, réels et soutenus activement par l'Union HLM, doivent être largement amplifiés et, s'il le faut, contraints, dans les quartiers qui, sur ce point aussi, peuvent être exemplaires. Les raisons en sont évidentes. L'importance du patrimoine, le risque de dégradations, les difficultés de certaines familles [33], l'absence de lien social plaident pour un rapprochement. On sait le rôle social de la concierge, notamment pour prévenir le «laisser aller» et «l'abandon» des habitants dont parlait le président de la République aux Minguettes.

Il est donc nécessaire de retenir trois principes :

– là où plusieurs organismes sont responsables du parc d'un quartier, la constitution d'une unité de coordination, avec une représentation des locataires, s'impose : elle aurait notamment pour compétences de développer une approche commune des attributions de logement, de l'entretien et des réparations, du soutien aux initiatives économiques de quartier et de lien avec les responsables du développement ;

– la gestion doit être entièrement décentralisée au sein de chaque organisme, sauf pour les attributions de logement (des locaux communs pourraient être trouvés entre organismes et surtout avec d'autres services). Sans qu'il soit possible de fixer un chiffre rigoureux, un ratio de l'ordre de 2 000 logements au plus par unité de gestion paraît raisonnnable, compte tenu des besoins (34). La comptabilité des offices devrait être adaptée, si cela s'avérait nécessaire ;

– les gardiens d'immeubles doivent être à la fois accrus en nombre (un pour 100 logements est un plafond), de telle sorte que des liens personnels puissent s'établir; recrutés sur place dans la mesure du possible; enfin, faire l'objet, pour leur formation, d'opérations du type «nouvelles qualifications» pour lesquelles le cadre paraît particulièrement bien adapté. Sans doute, faudrait-il associer les habitants à la définition d'une telle formation.

E - L'équité

Dans les quartiers, les normes admises de la vie sociale doivent être reconnues et appliquées. Rechercher l'équité est faire en sorte que les habitants du quartier aient droit… au droit. Il n'y a rien de plus propice au désarroi que le sentiment d'une impuissance collective, qu'elle s'applique à l'emploi, à la santé, à la propreté ou à la délinquance.

Encore faut-il s'entendre sur la manière de faire. Les conflits d'intérêt sont ici inévitables et normaux. Coexistent le désespoir de la galère qui conduit à la drogue et la colère devant le trafic impuni; la nécessité de trouver un logement d'urgence et l'injustice de tolérer un «squatt» lorsque des locataires guère plus fortunés ont du mal à payer leur loyer; entre l'urgence des situations et le nombre de détresses; entre l'ampleur des besoins et les moyens fournis.

On ne saurait indiquer, dans le cadre de ce document, comment ces conflits, qui appellent des solutions locales, doivent être réglés. Il est seulement nécessaire de rappeler leur existence inévitable – ce qui rend naturellement difficile la tâche des professionnels. Se rappeler aussi qu'autant que possible, ils doivent trouver matière à débats publics, non seulement entre agents des services, mais avec les habitants du quartier et les élus.

Les quatre principes d'action qui ont été décrits précédemment doivent éclairer sur les réponses à donner. Mais il est aussi des réflexions que l'Etat doit engager sans tarder au niveau national : le projet de loi relatif aux «squatters» en est une. La réponse à donner aux jeunes délinquants en est une autre, puisque «entre la famille et la prison, il n'y a plus rien», commente-t-on, du fait de l'inefficacité des autres formules. La fragilité de la protection sociale pour les 17-25 ans en est une autre, déjà évoquée, de même que l'adaptation du dispositif scolaire, où le développement de l'emploi, comme on le verra aux chapitres ci-après. L'équité sera déjà assurée dès lors que l'effort y tendra et que la société ne restera pas sourde et muette aux problèmes posés.

Notes

[1]   GILLES TAVEAU, interview donnée à *la Voix du Nord,* 31 mars et 1er avril 1991.

[2]   Dans «Vive les quartiers populaires!», *Le Monde*, 26 décembre 1990.

[3]   Rapport *op. cit.* page 74.

[4]   *Op. cit.* page 35.

[5]   GASTON DEFFERRE, ministre de l'Intérieur et de la Décentralisation, devant le Parlement le 16 juillet 1981.

[6]   Discours d'investiture de M. Pierre Mauroy, Premier ministre, le 10 juillet 1981.

[7]   Ne pas le faire reviendrait à se priver d'une source exemplaire et à décevoir ceux et celles qui ont été profondément impliqués dans cet apprentissage.

[8]   Intervention de MICHEL ROCARD, Premier ministre, au colloque national «Développement solidarité» de la Caisse des dépôts et consignations, le 25 octobre 1990.

[9]   FRANÇOIS HERAN, «Comment les Français voisinent», *Economie et statistique* et aussi, du même auteur, «Trouver à qui parler : le sexe et l'âge de nos interlocuteurs», Données sociales 1990, INSEE, page 364.

[10] Ainsi qu'on l'a rappelé lors d'un entretien au Conseil économique et social et au cours d'une rencontre avec le président de la CNL

[11] Aujourd'hui, les associations sont, le plus souvent, extrêmement minoritaires. Il y a donc une tartufferie à s'interroger exagérément sur la représentativité de petits groupes qui ne se différencient des précédents que parce qu'ils ne se rattachent pas à une structure nationale.

[12] On renverra sur ce point aux utiles débats organisés par la fédération des centres sociaux pour l'Ile-de-France, le 15 décembre 1989, au Conseil régional, sur «la participation des habitants ; l'expérience des centres sociaux dans le développement social des quartiers», dont les actes ont été publiés.

[13] Voir le bilan dressé à la suite d'une enquête réalisée dans le Sud de la France par 25 responsables de la CSCV, *Cadre de vie*, novembre, décembre 1990 -janvier 1991, page 6).

[14] Op. cit.

[15] Haut Conseil à l'intégration. Premier rapport, février 1991, page 10.

[16] Dans son *Rapport sur les factions de l'étranger*, Œuvres choisies, Paris, Gallimard, 1968 p. 217.

[17] Le code des communes prévoit certes un régime particulier applicable aux «nouveaux ensembles d'habitation», construits dans des ZUP ou en application de plans d'urbanisme approuvés. Ce sont les «secteurs de commune» (articles L. 152-1 et suivants de ce code). Mais ce régime est «provisoire» et, surtout, il distingue plus qu'il ne confond. Le but n'est pas de «marquer» une fois encore le quartier, mais de l'intégrer au droit commun, fût-ce au prix de moyens particuliers, éventuellement généralisables ultérieurement.

[18] S'agissant des opérations de développement social des quartiers, il existe à Strasbourg un «groupe de pilotage» des élus, où se prennent les décisions.

[19] Par exemple les «comités locaux de quartier» d'Epinay-sur-Seine.

[20] Par exemple pour les immigrés, Haut Conseil de l'intégration, *op. cit.* page 13.

[21] Un seul exemple : coup de téléphone d'une mère excédée à un collège, le 8 mai : «pourquoi n'y a-t-il pas de professeurs aujourd'hui ?».

[22] *Op. cit.,* page 69.

[23] Rapport LÉVY - *Op. cit.* page 69.

[24] *Op. cit.*

[25] Conseil économique et social - séances des 16 et 17 avril 1991, «Projet de loi d'orientation pour la ville», avis, *Journal officiel,* avis et rapports du CES , année 1991, n° 11, page 4.

[26] «Les populations concernées, note-t-on, voient bien qu'il y a un autre processus de décision que pour les autres quartiers. c'est l'inverse de l'intégration. »

[27] Ceux de Creil, le Creusot-Montceau-les-Mines et Dunkerque ont été approuvés au Comité interministériel des villes et du développement social urbain du 25 avril 1991.

[28] Cf. F. LÉVY, *op. cit.* page 65.

[29] Cité par P. BOURDIEU, « Habitus, code et codification », *Actes de la recherche en science sociales,* n° 64, septembre 1986.

[30] Cité dans « Police et inégalités sociales » de JEAN-CLAUDE MONET. *Regards sur l'actualité,* n° 117, janvier 1986.

[31] On pense ici aux « boutiques de droit » de la région lyonnaise, fort préoccupées du vote de la loi n° 90-1259 du 31 décembre 1990, portant réforme de certaines professions judiciaires et juridiques.

[32] Il en va de même, bien entendu, de l'implantation d'autres activités administratives, tout à fait intéressante : l'exemple de l'école de police de Marseille est, désormais, bien connu.

[33] Les impayés sont une notion difficile à cerner (à quelle échéance ?), qui peut varier, par conséquent, selon les définitions qu'on en donne. Selon une enquête récente de l'Union nationale des fédérations d'organismes HLM, le pourcentage d'impayés était en 1988 de 9,5 dans les sociétés anonymes et de 14 dans les offices.

Quatrième chapitre

L'urbain, le social et l'économique

Il convient de reprendre ici les contenus que l'on entend donner à la « trilogie » définie au chapitre précédent, en rappelant que le sens du mot « urbain » englobe ici, de manière certes conventionnelle, ce qui relève de l'habitat, du logement et de l'urbanisme.

L'urbain

A - *La diversification du peuplement est un objectif illusoire*

L'illusion réside dans l'idée qu'une modification de la politique d'attribution de peuplement pourrait modifier la composition sociale des quartiers et, par conséquent, remédier à ses difficultés.

Un tel raisonnement paraît doublement fallacieux. Il repose en premier lieu sur l'idée que la population des cités est « homogène ». Idée elle-même « auto-entretenue », en quelque sorte par l'image si forte – si fréquemment employée, mais volontairement omise dans ce document – du « ghetto » [1].

Mais il est constant, d'une part, que le concept de « population homogène » reste encore à définir et que son emploi, d'autre part, renvoie surtout aux perceptions qu'ont ceux qui n'habitent pas les cités des personnes qui y résident (voir chapitre I ci-dessus).

Les résidents des quartiers n'ont pas, comme pourrait dire Arletty dans un film bien connu, une « gueule d'homogènes ».

On doit savoir que tous les candidats n'ont pas la chance d'y résider. Les commissions d'attribution éliminent des listes les ménages très endettés, ceux qui ne peuvent ni acquitter le « ticket d'entrée », ni assumer les charges d'un loyer ; une population marginale est également exclue, comme celle qui provient des centres

119

d'hébergement; enfin certains cas particuliers ne sont guère prisés des commissions, comme les personnes atteintes du sida, dit-on [2].

L'histoire des quartiers, certes différente d'une cité à l'autre, trop peu prisée des professionnels, fait vivre ensemble plusieurs populations très diverses dont on ne cherchera pas ici à donner une liste exhaustive : personnes âgées venues de centres villes lors d'opérations de rénovation; personnes de tradition et d'emploi ouvriers, souvent engagées, venues tôt dans les ZUP; premières vagues d'immigration, converties souvent en salariés d'entreprises industrielles sur des emplois non qualifiés [3]; ruraux à la recherche d'un premier emploi urbain; employés d'entreprises ou de collectivités bénéficiant du 1% logement; immigrés de fraîche date; etc. On a déjà mentionné l'existence de quartiers au sein du quartier. Comment parler d'une population homogène, lorsque les tensions sont si vives ou lorsqu'on énumère la liste des nationalités des habitants (54 recensées dans un quartier de Strasbourg, par exemple)? Il n'y a d'homogénéité que dans la commune relégation et dans ces analyses un peu myopes pour lesquelles le départ des «classes moyennes» signifie un nivellement par le bas d'une part de la ville [4]. Les habitants des quartiers ne se sentent nullement identiques [5].

Le second aspect fallacieux du raisonnement réside dans l'idée que des techniciens, des cadres moyens iraient résider dans les logements des quartiers.

Plusieurs travaux ont, depuis quelques années, tentés de donner une idée plus précise de l'attribution des logements sociaux [6]. Il reste extrêmement difficile, dans ce domaine essentiel, d'avoir une idée exacte de la situation.

La loi (code de la construction et de l'habitation, articles L. 441-1 et L. 441 2) et le règlement (même code, section I du chapitre 1er du titre I du livre IV) définissent d'une part, des critères d'attribution, d'autre part, des procédures, les uns et les autres relativement précis. Sont par exemple prioritaires les personnes à la recherche d'un logement parce qu'elles ont dû déménager à la suite d'une opération d'urbanisme, les handicapés ou les chefs de famille monoparentale, les «personnes ayant des difficultés graves à faire face aux dépenses liées au logement qu'elles occupent à la suite d'une réduction brutale de leurs ressources», etc. Un règlement départemental établi par le préfet définit les conditions de mise en œuvre de ces priorités.

Mais, en ce domaine, la pratique est beaucoup plus importante. D'une part, dans l'application des critères : on est passé du droit écrit au «droit coutumier», c'est-à-dire à des critères locaux implicites, qui l'emportent pour la définition du peuplement des logements HLM [7]; ou, plus exactement, l'afflux des candidats et la relative faiblesse de l'offre ont permis aux praticiens d'ajouter la coutume au droit écrit. D'autre part, dans les procédures : en principe, le dernier mot revient à l'organisme bailleur. La législation prévoit un éventuel mécanisme de substitution au profit d'un délégué nommé par le préfet : il n'a pratiquement jamais été mis en œuvre. Pendant longtemps, la partie s'est donc jouée à deux : l'organisme HLM et le maire, chacun disposant de ses listes de demandeurs de logements [8]. Au grand dam des élus, le bailleur l'emporte souvent et l'attribution se fait, dans des conditions de grande discrétion, selon les critères qu'il a décidés de mettre en œuvre. Parfois (notamment dans les offices communaux), la municipalité a au contraire un rôle déterminant. Ou encore, elle « arrache » à l'organisme, par convention, un droit de regard, et même de décision, sur les attributions (article R. 441-2 du code).

L'Etat est resté longtemps absent de ces procédures. Il est, notamment, resté en dehors de ces transferts massifs de la population pauvre des centres villes, chassée par la rénovation, vers des communes de la périphérie (d'autant plus aisée, dans le cas de ville comme Paris, que les organismes HLM de la ville centre disposaient de patrimoine dans ces communes : La Courneuve, Champigny-sur-Marne, etc.). Il intervient seulement pour loger ses agents (comme les postiers), de même que les entreprises publiques le font pour les leurs et que, de manière générale, les employeurs ont leurs « réservations » au titre du 1 % logement (article L. 313. 1 du code et, sur l'emploi des sommes collectées, article R. 313. 9).

Depuis l'intervention de la loi n° 90-449 du 31 mai 1990 visant à la mise en œuvre du droit au logement (loi Besson), les prérogatives de l'Etat ont été accrues : des « protocoles d'occupation du patrimoine social » peuvent être conclus, en relation avec le plan départemental d'action pour le logement des personnes défavorisées; en l'absence d'un de ces protocoles, le préfet peut imposer à un organisme de loger des candidats, le nombre de ceux-ci s'imputant sur un contingent réservé au représentant de l'Etat par la réglementation, quelque peu tombée en désuétude sur ce point.

Il est trop tôt pour tirer des conclusions de ces mesures récentes. D'ores et déjà cependant, elles ont ranimé l'activité des préfectures en matière de logement : elles ont pour beaucoup, désormais, leur propre liste de demandeurs.

Quoiqu'il en soit, jusqu'à l'intervention de la loi, et bien que l'on ait pu soutenir que toutes les politiques d'attribution avaient été essayées, il ne fait pas de doute que, massivement dans la période récente, les organismes HLM ont « concentré » sur les quartiers les demandeurs dont ils estimaient, à tort ou à raison, qu'ils constitueraient leurs locataires les plus difficiles. L'idée était, sans doute, de sauvegarder la majeure partie de leur patrimoine et d'y constituer, quelque part, un véritable « délaissé social » (9). On a même parfois poussé le zèle jusqu'à mêler, comme à Pau, les Grecs et les Turcs... Dans le cadre de la préparation de ce document, aucun exemple n'a été cité de politique volontariste « réussie » de diversification.

L'évolution majeure est donc faite, d'autant plus que, on l'a indiqué, les mouvements de locataires sont désormais ralentis [10]. Dans ces conditions, à supposer même que la diversification des logements, entendue au sens d'un accroissement de la diversité sociale, soit un objectif réaliste, il faudrait longtemps pour obtenir quelque effet : « toute modification des politiques d'attribution est illusoire et marginale » écrit un chef de projet.

Au surplus, en l'état actuel des choses, le projet n'est pas réaliste. Ceux dont on espère le retour sont partis du quartier sans idée de retour. Certes, aucune recension des refus d'habiter dans telle ou telle zone n'a été faite (selon ce que l'on peut en connaître) parmi les demandeurs de logement. Mais, comme on l'a indiqué, les élus insistent sur la fréquence de ces refus.

Par conséquent, il est souhaitable que cessent les ambiguïtés et les illusions. On l'a dit au chapitre précédent : l'objectif est bien de déterminer un cadre de vie populaire, non de ramener la paix sociale avec des peuplements moins « dérangeants ». On peut seulement ici ajouter quatre objectifs :

– Le gouvernement doit parvenir rapidement à donner aux attributions plus de transparence, ainsi qu'il a été indiqué à propos des associations de locataires (chapitre III). Il est choquant que, en France, l'exercice de ce que la loi récente a appelé « le droit au logement » soit déterminé par des pratiques inconnues des intéressés. Par conséquent, sans vouloir dépasser le cadre de ce rapport, il est souhaitable que soient prévues, par la négociation et la réglementation, la manière dont les représentants des locataires assistent aux réunions d'attributions, l'obligation pour les mairies, les organismes et, bien entendu, les préfectures, de respecter des procédures rendant possibles l'exercice de contrôles (articles R. 451-1 et suivants du code de la construction et de l'habitation), la mise en œuvre de sanctions administratives plus efficaces que l'actuelle substitution de l'article L. 441-2 (3e alinéa) du code.

– Dans le cadre d'une politique d'attributions plus affinée, il est possible de s'appuyer, ainsi que cela a été fait parfois, sur les liens sociaux qui se constituent au fil des années, sans prendre pour autant un parti « communautaire » trop exclusif. Là où ils existent, fait observer une élue, les boîtes aux lettres ne sont plus détruites... Une politique de cette nature (quel est le fruit d'une possibilité d'échanges d'appartements ? Quelle est la marge de choix du demandeur entre plusieurs appartements adaptés ?) suppose naturellement une connaissance réaliste (et non imaginative) de tels liens et, par conséquent, la mise en œuvre de la politique de décentralisation des organismes, comme l'appui de ceux qui connaissent le quartier, deux éléments déjà évoqués au chapitre précédent [11].

– Le problème des familles dites « lourdes » ou des cas difficiles ne peut être sous-estimé. Un regroupement est possible, si les moyens nécessaires sont dégagés et qu'ils tendent notamment à faciliter les échanges. L'habitat individuel, ou un logement collectif réduit, est sans doute préférable. On sait aussi la nécessité de ne pas concentrer les logements de familles nombreuses (T5, T6…) sur une seule montée d'immeuble.

– L'accueil des nouveaux arrivants devrait être beaucoup plus systématiquement organisé. Dans d'autres pays, il est le fait spontané du voisinage. En France, il n'en va pas ainsi. Il convient donc de l'organiser, avec le concours du gardien et des représentants des habitants et d'autres services. Aucune régie de quartier n'a, à notre connaissance, été chargée de ce service : cela devrait pouvoir être étudié [12].

Considérer la diversification des quartiers comme déjà faite ou comme illusoire, selon la définition qu'on en donne, ne s'applique naturellement pas aux dispositions du projet de loi d'orientation sur la ville, qui poursuivent un objectif de diversité parfaitement nécessaire et réaliste.

B - La vente de logements locatifs est contraire aux buts poursuivis

Depuis longtemps les gouvernements ont cherché à développer, au sein du patrimoine HLM, la vente de logements à leurs occupants. Cette politique constante a deux objectifs : satisfaire la demande d'accession à la propriété de ménages pourvus de revenus modestes ; fournir des ressources aux organismes HLM (et, accessoirement, diminuer leurs charges), nécessaires en raison de leur endettement et du poids de l'entretien et de la réhabilitation. Des lois du 10 juillet 1965 et du 8 novembre 1983 ont, notamment, défini le cadre de cette politique, assoupli en dernier lieu par la loi du 23 décembre 1986 (loi Méhaignerie). La politique française a été fondée, entre autres, sur les choix opérés par les District Councils britanniques, qui ont mis en vente une part importante de leur patrimoine locatif (environ 3 millions de logements ont ainsi changé de mains, sur 8 millions).

Les offres ainsi faites n'ont pas eu le succès escompté et on ne doit, à cet égard, avoir aucun regret.

On n'évoquera pas ici, pour ne pas sortir de l'objet du rapport, les difficultés financières des organismes, contrastées et sans doute largement atténuées par les mesures déjà prises. Elles sont sans doute solubles par d'autres voies, moins marginales.

L'exemple anglais doit être relativisé : le parc locatif reste supérieur au parc français. Au surplus, la vente a porté, pour l'essentiel, sur des maisons individuelles (ou partagées par deux familles), ce qui les rendaient sans doute beaucoup plus attractives.

Mais, surtout, le seul espoir d'une évolution rapide des quartiers réside en grande partie, on l'a indiqué, dans l'importance des instruments dont dispose la puissance publique, qu'elle prenne la forme de l'Etat, des collectivités territoriales ou des établissements publics. La vente du patrimoine à des particuliers implique un dessaisissement de ces collectivités et le risque de voir se constituer des copropriétés à l'abandon. Sur ce point, et celui-là seulement, on peut imaginer une dérive «à l'américaine» de quartiers flottants au gré des circonstances sans possibilité d'agir de la collectivité.

Certes, il existe aujourd'hui, dans des quartiers en développement, des immeubles en copropriété parfaitement tenus, qui appartenaient antérieurement à l'organisme bailleur. Ces logements sont, dans tous les cas, minoritaires. Il n'y a aucun inconvénient à leur situation. Il en va autrement lorsque de telles formules deviennent majoritaires, alors que les habitants ne peuvent assumer convenablement, faute de ressources, les charges qui en découlent. On a toutes chances, dans cette hypothèse de voir s'y loger, à prix plus élevé qu'en HLM, des familles dont la candidature n'a pas été retenue pour un logement locatif. A titre d'ordre de grandeur, le loyer d'un F4 non réhabilité est de l'ordre de 1 000 F, et près de trois fois plus dans un logement identique de la cité des Bosquets [13]. Naturellement les évolutions comparables à celles qu'ont connues les Bosquets ou tel quartier d'une ville de l'Essonne ne sont pas exceptionnelles. Elles ne tiennent pas exclusivement au statut de propriété des logements (l'enfermement, l'éloignement... évoqués au chapitre I ont eu leur rôle). En l'état actuel des données sociales et économiques des quartiers toutefois, il convient résolument d'écarter des ventes importantes de logement.

Tout au contraire, on doit s'interroger sur la capacité de la collectivité publique de prévenir des spirales de laisser-aller comme celles où sont entraînées les habitants des cités en copropriété qu'on vient de mentionner. Spirales où se conjuguent la nécessité de loger des familles non parce qu'elles sont solvables, mais parce qu'elles ont un besoin urgent de logement ; la réalité du surpeuplement, causé pour partie par la présence de populations «clandestines» ; le calcul de propriétaires non-occupants qui n'acquittent plus les charges [14]...

Mais spirales délimitées par de purs rapports de droit privé. La seule intervention possible réside donc dans le comportement de collectivités publiques comme des personnes privées : rachat, un par un, de logements à l'amiable, au prix fixé par les Domaines, ce qui permet à des petits propriétaires d'éponger leurs dettes ; ou bien travail patient sur le processus de non-décision au sein de l'assemblée générale des copropriétaires... Dans tous les cas, un processus aussi lent est incompatible avec la dégradation des conditions de vie, voire de la sécurité (descellement d'un panneau de façade à la cité des Bosquets) [15].

La seule intervention possible est celle reconnue au préfet en application des dispositions des articles L. 26 et suivants du code de la santé publique, pour les immeubles reconnus insalubres, de faire exécuter d'office des travaux aux frais des propriétaires après autorisation du juge.

Mais cette procédure ne paraît pas de nature à remédier au problème de fond d'une copropriété désireuse de ne prendre aucune décision, pas plus que la faculté reconnue au syndic, par l'article 18 de la loi du 10 juillet 1965 fixant le statut de la copropriété, «en cas d'urgence, de faire procéder de sa propre initiative à l'exécution de tous travaux nécessaires à la sauvegarde de (l'immeuble).»

Il semble qu'on puisse s'inspirer en ce domaine des procédures qui gouvernent les entreprises et, notamment, de la loi du 1er mars 1984 relative à la prévention et au règlement amiable des difficultés des entreprises, et de celle du 25 janvier 1985 relative au redressement et à la liquidation judiciaire.

Il est recommandable (et, par conséquent, ici recommandé) de prévoir des dispositions permettant, sous le contrôle du juge, en application de critères précis et dans des cas exceptionnels :

– de réunir, en l'absence de volonté des propriétaires, des majorités de substitution permettant au syndic ou à un tiers désigné de réaliser les travaux et l'entretien «normaux»;

– de regarder les droits du propriétaire comme suspendus et de les confier au syndic ou au tiers désigné, dès lors que le premier, «par sa prodigalité, son intempérance ou son oisiveté, s'expose à tomber dans le besoin ou compromet l'exécution de ses obligations...» [16];

– de prévoir les moyens par lesquels les créances peuvent être recouvrées, en échange ou non d'une remise sur le marché du bien immobilier.

Un groupe de travail interministériel pourrait se réunir utilement pour faire des propositions évidemment plus concrètes que celles qui sont ici esquissées, en liaison étroite avec la profession [17].

C - Faut-il encourager le maintien sur place ou la mobilité ?

Les logements sociaux ont été, pour une part non négligeable de leurs occupants, un lieu de passage, précédant pour un temps plus ou moins long l'accession à la propriété. Aujourd'hui ils sont devenus pour beaucoup lieu d'échouage.

Le retour à la mobilité est le complément normal de ce qui a été indiqué ci-dessus sur l'illusion de la diversification. Quartiers populaires : oui, à condition de pouvoir en sortir, si l'on peut écrire ainsi, comme on y entre. Cet objectif difficile doit être constamment recherché, dès lors qu'une demande s'exprime en ce sens [18].

Encore faut-il que cette sortie s'effectue « par le haut », c'est-à-dire dans des logements équivalents ou meilleurs.

Elle implique une action sur la demande et sur l'offre de logements.

L'action sur la demande est celle qui motive l'action sur le quartier. Meilleure insertion sociale des personnes en difficulté, réduction du surpeuplement de certains logements, diminution de squatters, pour les personnes. Réhabilitation des immeubles, rénovation des espaces publics, pour le bâti. Ainsi peut-on à la fois diminuer la distance géographique et sociale séparant l'habitant du quartier des autres habitants (et, par conséquent, « préparer » sa sortie) et, en même temps lui donner davantage envie de rester là où il habite.

Mais l'action sur l'offre est aussi importante. S'agissant des personnes, elle passe notamment par des procédures efficaces tendant à réprimer les discriminations dans l'entrée au logement (application de l'article 416 du code pénal) : la preuve reste, en ce domaine, difficile à établir. S'agissant des logements, elle doit prendre la forme de vacances suffisamment nombreuses, dans le logement social ou non.

Il n'entre pas dans le cadre de ce travail d'aborder ces questions. On se contentera seulement ici de rappeler que les constructions de logements sociaux dans les agglomérations apparaissent insuffisantes (on retrouve ici l'intérêt des dispositions de la loi d'orientation sur la ville). On le constate, dans les quartiers de développement social urbain, par la diminution des vacances de manière générale : les demandes de logement en instance, selon une enquête réalisées par l'Union nationale des fédérations d'organismes HLM, croissent régulièrement et représentent en 1990 près de deux années d'attribution. Cette évolution est naturellement de nature à réduire la mobilité, qu'il faudrait au contraire accroître [19]. Accessoirement, les limites atteintes dans l'occupation du patrimoine peuvent réduire la disponibilité de m² nécessaires aux « changements d'usage » (logements transformés en bureaux) ou aux locaux collectifs.

D - Démolir ou restaurer ?

Si le bâti n'est pas le seul facteur causal des difficultés, il est l'un d'eux, comme on l'a vu. Au surplus, certains immeubles (« barres » ou « tours ») finissent par accumuler tant de détresses et de problèmes, qu'ils deviennent l'expression la plus visible du mal-vivre du quartier. C'est à ce titre qu'ont été prises plusieurs décisions de démolition ; d'autres sont prévues.

De tels choix sont exceptionnels et l'essentiel demeure dans les opérations de réhabilitation. Celles-ci sont elles-mêmes orientées vers l'accroissement du confort des logements (il ressort des données que le coût moyen de la réhabilitation est inférieur dans les quartiers en développement social urbain), la rénovation des espaces communs (fermeture de coursives, aménagement de halls d'entrée), la réfection des façades (peinture, pose de corniches, de balcons...). La «restructuration» de bâtiments (percée au milieu d'une barre à la Courneuve) est peu fréquente, et d'un coût élevé.

Ce qui a été indiqué au chapitre précédent sur la citoyenneté s'applique pleinement à la question du logement : on ne saurait entreprendre des travaux d'importance, réhabilitation ou démolition, sans élaboration préalable de projets avec les habitants.

On ne doit pas attendre de leur part, semble-t-il, contrairement à l'opinion entendue parfois, une modification radicale de comportement parce qu'un immeuble a été détruit. La pauvreté connaît peu d'électro-chocs de guérison. Au contraire. C'est pourquoi il faut bannir les démolitions avec feu d'artifice et musique triomphale comme cela a été malheureusement imaginé quelquefois. Les habitants seront beaucoup plus sensibles aux conditions de leur relogement qu'aux fracas des cuivres. De ce point de vue, les fausses notes n'ont pas été rares. On a tenté de montrer, en outre, l'ambivalence des sentiments à l'égard des lieux (chapitre I). Enfin, l'idée du «désordre» n'étant pas forcément la même au dedans et au dehors du quartier, il faut être sûr que la démolition d'un bâtiment n'entraîne pas chez les locataires des immeubles voisins construits simultanément à la «barre» détruite, quelques réactions sur leur propre bâti. La réhabilitation devrait rester l'essentiel des opérations. Le béotien pourrait la souhaiter parfois plus imaginative (sur ce plan aussi la qualité compte : voir à Hérouville-Saint-Clair, l'installation d'une œuvre d'artiste, composée avec des enfants, dans un hall d'immeuble). Il ne serait pas fâché, par exemple, de voir mettre des toitures à la place des terrasses : question de coût et de goût sans doute.

E - Densifier

La richesse la plus souvent reconnue des quartiers est l'espace. D'autant plus que, longtemps (ou encore) propriété de l'organisme bailleur, il n'est pas grevé de servitudes diverses comme le sol du centre ville. Il est difficile de dire que le pari architectural qui a présidé à la constitution des ZUP (séparation des immeubles avec de larges interstices), celui que peut-être, un profane peut rattacher à la « charte d'Athènes », est définitivement perdu. On ne voit pas poindre d'évidence des solutions différentes pour dire ce que sera, demain, la ville.

Il semble au moins avéré que la disposition du bâti des quartiers ne rend pas service à la vie collective. C'est pourquoi, dans la mesure où les sites seraient concentrés, et aux conditions requises de citoyenneté, des tentatives de reconstituer un tissu urbain plus conforme au tissu des centres ville devraient être menées. En dépit des difficultés : immeubles perpendiculaires aux voies de circulation par exemple… Dans le cadre de l'enquête, aucun programme de construction de logements sociaux dans le cadre d'un quartier n'a été présenté. Or les cités peuvent être à même de résoudre certains problèmes fonciers qui se posent dans toutes les agglomérations. Voir, au surplus, comme le fait remarquer M. Cantal-Dupart, apparaître une grue de chantier dans un quartier est un événement tout à fait salutaire.

Le pari devrait donc pouvoir être tenté :

– à la condition que les logements ainsi construits servent en priorité au relogement d'habitants de la cité (surpeuplements, démolitions), de telle sorte que la nouvelle construction ait un impact sur l'ensemble ; cette priorité ne va pas de soi, compte tenu des besoins ;

– sous réserve que les constructions neuves se traduisent par un effort de qualité (faibles dimensions par exemple, association à des activités économiques en rez-de-chaussée, matériaux…) ; certains aspects extérieurs pourraient toutefois être identiques avec les logements réhabilités ;

– dans le cadre d'une vision d'ensemble de la cité, arrêtée avec les habitants, et traduite dans un document.

Aujourd'hui, les quartiers ne figurent guère dans les plans d'occupation des sols (autre marque d'indignité…). Les zones à urbaniser en priorité relevaient en effet, pour les prescriptions d'urbanisme et d'architecture, de cahiers des charges de concession et de cahiers des charges de cession approuvés. En cas de réduction du périmètre de la zone (ou de suppression, notamment par les faits des dispositions de la loi d'orientation sur la ville), les prescriptions des cahiers des charges sont incorporées purement et simplement au plan d'occupation des sols.

Or, alternative à cette « absorption » sans modification, il serait souhaitable que les communes où s'applique un contrat de ville puissent élaborer un document particulier au secteur. Ce document pourrait comprendre deux parties :

– un volet contenant les prescriptions d'urbanisme applicables au quartier, notamment celles applicables aux futures constructions, à la voirie, aux espaces verts… (cf. chapitre 3 du titre II du livre I du code de l'urbanisme) ;

– un volet indicatif, portant sur les activités à implanter, la rénovation des bâtiments existants, les transports,... autrement dit tout ce qui ne relève pas d'un plan d'occupation des sols.

Le premier aspect serait incorporé au POS communal; le second aurait valeur d'indication pour le développement à moyen terme.

L'incorporation au POS devrait être subordonnée à des conditions rigoureuses de consultation préalable. Sur ce point aussi, l'innovation dans les quartiers pourrait servir de modèle.

F - Faire appel au secteur privé ?

La question de la nécessité du rôle du secteur privé dans le développement social urbain ne se pose guère. Le problème est plutôt de savoir comment l'associer de manière efficace à la procédure. On y reviendra à propos d'économie ci-dessous.

Il en va différemment, toutefois, en matière de logement. La question se pose sous deux aspects :

– dans les cités, les organismes HLM sont, de manière majoritaire, les bailleurs; ils sont par conséquent, les principaux responsables du développement en matière de bâti. Peuvent-ils le demeurer?

– les promoteurs privés ont corollairement, très peu de rôle à jouer. Faut-il leur en donner et dans quel but?

Les organismes HLM dans leurs différentes versions (OPAC, offices publics, sociétés anonymes, coopératives, fondations) sont les interlocuteurs habituels des pouvoirs publics dans les cités, dans le domaine du logement. Il en est d'autres lorsque les quartiers sont des secteurs anciens, ou lorsqu'ils comportent une part de « pavillonnaire », ou de logements en accession. Mais, sur le terrain des anciennes zones à urbaniser en priorité, leur rôle est massif. Dans cette présence, la part la plus importante revient d'ailleurs à des offices; les sociétés anonymes n'ont pas un patrimoine de même dimension. Faut-il admettre que de tels organismes ne sont pas aptes à assurer le développement des cités? La question conduit à se demander quel est leur rôle et s'ils peuvent l'assurer?

Leur rôle résulte des prérogatives qui leur sont données par la législation : construire, aménager, assainir, réparer et gérer des habitations. On ne reviendra pas sur ce dernier point, largement évoqué à propos de la politique d'attribution. Sur les autres, il est difficile de porter un jugement global, tant sont différentes les pratiques. On sait, par exemple, les écarts importants qui séparent les uns et les autres en matière de bilan comptable : il en va de même pour l'aptitude à la construction ou à la réparation.

On doit toutefois observer que si l'organisation nationale du mouvement a fait œuvre de pionnier en matière de développement social urbain, comme on l'a déjà mentionné, tel n'a pas été le cas de tous les organismes, et de loin. Certains d'entre eux sont en flèche à la fois pour les procédures de réparation et d'entretien, la gestion décentralisée, l'effort sur les gardiens, les régies de quartier, l'insertion par l'économique... D'autres sont dans une situation radicalement inverse : les conflits ne sont pas rares entre les professionnels du développement et les bailleurs. Mais, plus fréquemment encore, les premiers regrettent les absences répétées des seconds. Plus significativement peut-être, nulle situation dans laquelle l'organisme (ou les organismes), pourtant intéressé (s) au premier chef par la revalorisation de son (leur) patrimoine, ai (en) t été l'inspirateur d'un projet d'aménagement d'ensemble auprès des collectivités publiques intéressées.

Il convient sans doute de donner à ces organismes, au prix, sans doute encore, d'un peu de gestion supplémentaire il est vrai, les moyens de leur dynamisme. En ce domaine, l'initiative peut revenir aux pouvoirs publics, qui disposent de la réglementation, et à la profession. On ne peut qu'être frappé par l'inégale qualité des gestionnaires d'organismes. J. F. Geindre a émis l'idée de créer une école nationale pour leurs cadres, comme il existe l'école nationale de la santé publique pour l'encadrement hospitalier. La suggestion mérite examen sous une forme peut-être davantage orientée vers la formation continue et, par conséquent, moins considérable dans son volume, ou à tout le moins autour d'un enseignement de type post-universitaire (voir aussi à titre de comparaison, le CNESS de Saint-Etienne) : ce dernier pourrait aussi bénéficier aux administrateurs d'organismes. Il est également possible d'encourager la transformation d'offices publics d'HLM en offices publics d'aménagement et de construction, si cela s'avère nécessaire, en assouplissant la réglementation à cette fin, et sous condition de bonne gestion (article R. 421. 1 du code de la construction et de l'habitation). Le regroupement entre organismes bailleurs d'une même cité, mentionné au chapitre précédent, devrait être l'occasion de donner des chances nouvelles aux éléments les plus dynamiques du secteur.

L'intervention publique en matière d'urbanisme peut prendre des formes et des procédures variées (voir le code de l'urbanisme). L'existence de sociétés d'économie mixte d'aménagement est une voie possible. Il est rappelé que les OPAC (article R. 421-4 du code de la construction et de l'habitation), comme des offices publics d'HLM (articles R. 421-51 et R. 421-53) peuvent assurer la gestion d'immeubles appartenant à des sociétés d'économie mixte et, pour les OPAC, à des organismes à but lucratif. Faut-il aller plus loin et prévoir l'intervention d'organismes purement privés, notamment dans des opérations de densification évoquées ci-dessus ? Une intervention de cette nature ne se décrète pas et suppose que le calcul économique fasse apparaître le profit du constructeur ou de l'aménageur, dès lors qu'il n'est pas un simple cabinet d'études rémunéré sur fonds publics.

Si, la marge de profit étant calculée, l'entreprise privée peut réaliser des logements suffisamment attractifs en termes de location, voire d'accession, pour satisfaire une demande existant dans la cité, l'affaire ne souffre guère de discussion. Mais si les mêmes contraintes, en dépit du coût modeste (ou très modeste) du foncier, font apparaître la nécessité pour le constructeur privé d'édifier des logements au prix de location (ou d'achat) sensiblement plus élevé, le réalisme de la solution n'apparaît pas évident : on se trouve ramené ici au thème de la diversification sociale, déjà abordé, avec les difficultés supplémentaires que représenteraient, dans le quartier, des lieux de tension sociale vraisemblablement vive.

Il a existé dans le passé des exemples de coexistences de constructions très différentes. Y compris dans ces quartiers : à Saint-Denis, le quartier des Francs Moisins a été construit dans son état actuel pour se substituer à un habitat insalubre implanté dans le même lieu. Mais il s'agissait alors d'une promotion dans le logement dont devaient bénéficier beaucoup de résidents sur place.

On pourrait envisager des formules qui imposeraient aux constructeurs privés des obligations de satisfaire partiellement la demande locale, notamment en cas de démolition d'immeubles actuels. La contrepartie inévitable serait la construction d'un grand nombre de logements pour résidents à revenus plus élevés : on se trouve ramené au cas précédent.

Il convient donc d'être très réservé, au moins dans le moyen terme, sur de telles hypothèses. Si de telles opérations étaient envisagées elles ne pourraient se faire que dans le cadre d'un projet d'aménagement largement débattu et élaboré localement.

On doit ajouter qu'une intervention de cette nature pourrait bénéficier à certains quartiers, relativement proches du centre de l'agglomération et desservis en moyens de transport. Il est peu vraisemblable qu'elle bénéficie à la majorité d'entre eux.

Le social

La mise en œuvre dans les quartiers de mesures sociales ne pose pas de questions d'orientation comparables à celles que soulève « l'urbain », à l'exception d'une seule par laquelle il convient de commencer cette partie, avant d'aborder plus rapidement quelques perspectives particulières.

A - *Problèmes de méthode*

Dans la plupart des sites de développement social des quartiers, ceux que l'on appelle communément les «travailleurs sociaux» [20] ne sont pas associés à la tâche des professionnels regroupés autour du projet né de la convention de quartier. On risque ainsi de voir se développer deux politiques sociales, sinon concurrentes, du moins désordonnées. Subsidiairement, on pourrait voir naître une dichotomie entre des travailleurs sociaux cantonnés dans un rôle étroit et traditionnel et des professionnels investis dans un projet dynamique ; on reproduirait ainsi sur le terrain la distinction si fâcheuse, qui a fait florès dans les années de forte croissance, entre administrations de gestion et administrations de mission. Même si, par hypothèse, une administration centrale peut s'offrir le luxe d'une telle distinction, elle n'a pas lieu d'être dans la mise en œuvre locale des politiques.

Cette séparation des rôles a trois motifs.

Le premier est institutionnel. On l'a déjà indiqué (chapitre II) : l'absence du département des conventions de développement ne facilite pas, c'est le moins que l'on puisse écrire, l'insertion dans le dispositif de travailleurs sociaux qui relèvent principalement de lui, depuis la récente décentralisation (article 32 de la loi du 22 juillet 1983). On pourrait, d'ailleurs, faire le même raisonnement pour les travailleurs sociaux dépendants des caisses d'allocations familiales.

Il existe naturellement des liens, heureusement, pour certaines opérations. Le département est associé aux programmes «Prévention/Eté/jeunes», de même qu'aux actions de prévention de la délinquance. Mais, à supposer qu'elles soient intégrées au développement du quartier, ce qui est loin d'être le cas, ces actions n'en constituent pas le cœur.

Le deuxième motif est fonctionnel. Les travailleurs sociaux ont en charge les difficultés survenant dans la gestion du budget familial, dans les situations administratives des personnes, dans l'affectation en stages ou en emploi ; l'insertion au titre du RMI ; la prévention, notamment auprès des jeunes etc. En bref, ils agissent dans l'urgence et sur les situations individuelles, avec toutes les difficultés (le «bricolage» dit-on), les risques (les assistés, piliers du service) et les mérites du métier. Le développement social urbain a une visée collective et de long terme.

Le troisième motif est professionnel. Il tient aux méfiances réciproques avec lesquelles les uns et les autres apprécient leur travail respectif. On doit évidemment tenir compte de ces réactions et même partir d'elles ; elles tiennent à l'histoire, à la formation, à l'insertion dans la vie locale (et aux rémunérations) des différentes professions.

Malgré ces raisons, il est nécessaire de réunir travailleurs sociaux et professionnels de développement dans un même travail, sous des formes naturellement différentes sur lesquelles on reviendra.

Il convient de le faire en premier lieu parce que l'action de la plupart des travailleurs sociaux s'inscrit dans un cadre territorial, depuis 1964 : circonscriptions de service social, devenues ensuite circonscriptions de travail social. Par conséquent, il existe dans ces professions du travail social une expérience de «territorialisation» qui peut être utile aux agents du développement social urbain, dont l'approche, on l'a dit, est nouvelle.

La réunion s'impose plus encore, en second lieu, en raison de la connaissance que les travailleurs sociaux ont acquise du terrain. Certes, cette information peut être fragmentée. Mais il n'est pas toujours difficile de la rendre cohérente (comme des assistantes sociales de Strasbourg en ont fait la démonstration). Au demeurant, la réalité perçue par différents agents du service social est d'autant plus nécessaire à connaître que le recrutement des professionnels des DSQ s'est opéré très largement selon des critères de compétences techniques et non en raison de motifs tenant à la connaissance du quartier. Les compétences des uns et des autres sont donc parfaitement complémentaires. On doit veiller particulièrement, en effet, à la manière dont les chefs de projet sont informés de la vie de la cité : l'apport des travailleurs sociaux est irremplaçable.

Mais la raison la plus décisive, en dernier lieu, qui milite en faveur de l'association des uns et des autres tient au caractère provisoire des opérations de développement social urbain. Dès lors que l'on admet – ce que l'on proposera de faire dans le chapitre VI – que la convention DSQ ne porte que sur un nombre limité d'années, il faut bien assurer la continuité du développement du quartier. Or si les professionnels du développement ne seront plus présents – au moins dans leur rôle assigné par la convention – les travailleurs sociaux seront, eux, sur place «après».

Naturellement un tel rapprochement des missions des uns et des autres s'inscrit dans un contexte difficile. Il tient au statut actuel des différents métiers du travail social, qui connaissaient une crise de recrutement, due à la modestie des rémunérations comme aux écarts de salaires entre travailleurs sociaux : les procédures de développement social devraient être l'occasion d'examiner la question, pour les agents affectés dans les quartiers. Il tient aussi aux pratiques qui existent dans les relations entre travailleurs sociaux et professionnels du développement, qu'il ne sera pas toujours simple d'aménager. «Les services sociaux polyvalents, observe ce chef de projet, n'ayant pas de lieu sur le quartier pour y assurer un accueil, et étant très éloignés, ont progressivement déserté le site, ne recevant les habitants que sur rendez-vous, à l'autre extrémité de la ville.» De son côté une assistante sociale relève la lutte d'influences sur le quartier entre un cabinet d'études, l'équipe de développement social et celle de la zone d'éducation prioritaire. «Ici, maintenant, la question est de savoir qui est le petit "porteur" (des actions) et qui est le gros "porteur".» L'administration revue par Jonathan Swift... Enfin dans tel autre site très voisin d'une école de travail social, on fait observer que sur une trentaine d'élèves par promotion, un seul au plus demande à effectuer le stage prévu par la scolarité dans le centre d'accueil du quartier DSQ.

L'utilisation des compétences en commun suppose donc que soient modifiées un certain nombre d'habitudes et de routines. On verra plus loin comment le département peut être associé à la convention et comment le rapprochement peut s'effectuer sur le terrain, dans le respect des spécificités et des statuts. D'ores et déjà, il convient de mettre l'accent, dans la formation des travailleurs sociaux, sur l'importance du projet de long terme et sur l'aptitude à saisir des demandes collectives. En raison du dispositif de négociations collectives propre au travail social, peu propice à l'émergence des innovations, et pour éviter de renforcer cette propension qu'ont déjà les travailleurs sociaux à multiplier les formations, il revient à l'Etat de prendre les initiatives nécessaires pour que, dans les écoles de travail social, soient dispensées les informations nécessaires au développement social urbain, et que l'encouragement aux stages dans les sites DSQ soit développé. Le reste est affaire de «terrain» : on y reviendra au chapitre VI.

Ce qui doit s'appliquer aux rapports entre travailleurs sociaux et professionnels du développement doit s'appliquer *a fortiori* aux relations entre les différentes instances horizontales conçues depuis une dizaine d'années (ce qu'on a appelé le mille-feuilles, au chapitre II). Il faut nécessairement, en d'autres termes, «socialiser le social», c'est-à-dire le prendre dans toute sa dimension, et non le tronçonner en une série de publics pour la plus grande confusion des personnes.

Ici, il convient d'être ambitieux pour mettre fin aux errements que l'on a décrit. Il ne convient pas de savoir comment les représentants de l'administration de l'insertion des jeunes, de la prévention de la délinquance, des femmes, de la prévention et de la lutte contre la toxicomanie, du revenu minimum d'insertion... vont pouvoir correspondre. Il faut rechercher la manière dont, dans ces quartiers, leur action pourra être une, c'est-à-dire beaucoup plus efficace.

On ne prendra qu'un exemple : la circulaire du 17 août 1990 du Premier ministre définit les orientations de nature à permettre une «nouvelle étape» dans la prévention de la délinquance. S'agissant de la prévention de la récidive, elle précise trois priorités dont une «meilleure prise en compte par les conseils (de prévention de la délinquance) des actions menées en direction des personnes incarcérées qu'elles soient à connection *(sic)* sportive, culturelle ou sociale ou qu'il s'agisse de programme de formation». Pour les actions de formation professionnelle, la délégation à la formation professionnelle met à disposition de l'administation pénitentiaire des crédits dont l'emploi fait l'objet d'une consultation des comités régionaux de la formation professionnelle, de la promotion sociale et de l'emploi, présidée par les préfets de région (110 millions de francs en 1991). Une circulaire commune des ministères de la Justice et de la Formation professionnelle organise les conditions d'accès au crédit formation individualisé des publics «justice» désignés comme prioritaires. Est-il alors nécessaire que sous la conduite du conseil de prévention de la délinquance un dispositif particulier finance d'autres actions similaires? Ne vaudrait-il pas mieux infléchir des programmes conçus dans les établissements pénitentiaires et approuvés par le préfet? Ou bien simplement mieux articuler ces programmes avec le crédit formation individualisé «jeunes» et «adultes». L'exemple qu'on vient de donner étant tiré d'une expérience lilloise, le dispositif lillois d'insertion ne pourrait-il s'intéresser à cette question, puisqu'il est très en avance par rapport à d'autres procédures dans d'autres villes, dans le rapprochement des différents partenaires?

Ce qui est fondamental dans un conseil de prévention est l'association des élus locaux, des forces de police ou de gendarmerie, des associations locales et des représentants de la chancellerie (ou d'autres services de l'Etat) dans le but d'élaborer des diagnostics et des méthodes d'action. Cet ensemble est indispensable au repérage des besoins parce que les principaux témoins directs de la délinquance y sont conviés.

Dès lors qu'une mission locale à l'insertion des jeunes intervient sur le même «territoire», que convient-il de faire? Elle a en charge une grande partie de la population potentiellement ou pratiquement délinquante. Présidée par un maire elle réunit de la même manière les responsables de l'Etat et du monde associatif. Ne convient-il pas, dans les quartiers, de préconiser une unification des deux structures en ayant soin d'assurer la présence de la police et de la justice, si ce n'est déjà fait? Le cumul d'instances partenariales composées des mêmes personnes, risque fort d'introduire des superpositions de dispositifs dont la vocation diffère peu.

Le même raisonnement peut être fait avec le «groupe opérationnel de zone» défini pour le crédit formation individualisé (par la circulaire du 29 mai 1989, *Journal officiel* du 11 juillet 1989 : toutes ces instances ou presque sont définies par voie de circulaires...)

La maîtrise en un seul lieu de l'ensemble du dispositif est nécessaire à l'élaboration d'un plan d'ensemble dont la diversité répond à la multiplicité des actions. Par conséquent les réunions des différentes instances concourant au développement du quartier devront être suspendues, au profit d'un regroupement unique. Il ne s'agit pas ici de fusionner les organismes, dont le rôle et les moyens d'action subsisteront mais de concentrer leurs conseils d'administration (ou équivalents) et de réunir les diverses commissions consultatives.

On a conscience de s'en prendre ici à ce qui fait la fierté à la fois des directeurs d'administration centrale et, parfois, des élus nationaux.

Mais le gouvernement doit mesurer l'extrême lassitude des élus (locaux) et des agents du développement à courir dans des réunions identiques, dont la répétition use l'efficacité des politiques décidées. Sans compter l'effet fâcheux qu'a la multiplicité des organismes sur les habitants des quartiers.

B - Problèmes de contenu

Les orientations de la politique sociale dans les quartiers ne font guère de doute. On les citera seulement brièvement.

a) Il n'est pas nécessaire de revenir ici sur «la question adolescente» [21]. Chacun en pressent l'urgence. Sauf à rappeler qu'elle suppose en particulier :

– une écoute attentive des jeunes par des adultes : ils ont beaucoup à dire ; et l'on doit prohiber les solutions qui, sorties tout armées de la cuisse de Jupiter, feraient l'économie de cette expression ;

– une vigilance particulière à l'égard des exclus des dispositifs successifs d'insertion, d'emploi ou de formation qui, s'ils ont pour vertu de mettre fin pour certains à de multiples formes d'exclusion, ont pour défaut de reléguer davantage encore certains autres aux marges sociales ;

– l'invention locale de modalités qui permettent de compenser la dévalorisation d'autres formes d'intervention. Soyons clairs : des animateurs de régies de quartier disposent aujourd'hui de la confiance des jeunes ; des éducateurs ne peuvent en dire autant ; des remarques identiques peuvent être faites sur des enseignants, des policiers etc. Mettre les bonnes personnes aux bons endroits est un impératif simple, nécessaire et exigeant.

b) Dans beaucoup de quartiers a été mise en œuvre une politique de la petite enfance. Une telle perspective paraît éminemment souhaitable.

Les difficultés familiales ou culturelles font que l'enfant est très jeune «désorienté». Il convient de compenser autant que possible ces inconvénients.

La politique de la petite enfance est un élément de la politique en faveur des jeunes : il faut pouvoir montrer à ces derniers qu'on les aide à donner à leurs jeunes frères ou sœurs une meilleure «espérance de vie sociale». Il y a, à l'évidence, une réalité démographique : les jeunes enfants sont nombreux. Les équipements ne suffisent plus à les accueillir notamment après l'école ou durant les congés scolaires ; et même s'ils suffisaient les budgets familiaux ne pourraient assurer le financement nécessaire. Vingt-huit francs par jour dans tel centre social de l'Est. Il n'est pas souhaitable que des jeunes enfants d'une dizaine d'années, voire moins, soient livrés à eux-mêmes dans la rue.

L'attention portée aux jeunes enfants est naturellement une manière aisée d'entrer en relations avec les familles et, notamment, d'avoir quelques liens avec les mères. S'agissant d'immigrés, c'est une opportunité de commencer, au delà, l'apprentissage du français, en particulier pour les femmes originaires d'Afrique noire, dont la situation est difficile.

c) La santé est un aspect très important de certaines politiques de quartier, qui paraît cependant bien omis par d'autres. Les travaux du Xᵉ Plan ont rappelé, après le rapport de M. Revol et de Mme Strohl sur l'accès aux soins des personnes en situation de précarité (novembre 1987), que le phénomène de la pauvreté avait, sans qu'on y prenne garde pendant longtemps, multiplié les exclus du système de soins, en raison de :

— l'absence des droits ou la difficulté de les faire valoir ;

— la faiblesse des ressources qui rend impossible l'avance des frais de la consultation médicale et le paiement du ticket modérateur ;

— la difficulté des institutions à s'occuper des cas difficiles (22) ;

— les réticences que peut susciter, pour certaines personnes, le recours à l'aide médicale des articles 179 à 181-4 du code de la famille et de l'aide sociale.

Au surplus, parmi les personnes qui ont normalement accès aux soins existent des difficultés dues à l'absence d'éducation sanitaire. A Marseille, un «collectif santé quartiers» a été créé qui a, notamment, fait entrer dans une mutuelle trois cent jeunes, soumis ensuite à un examen médical : un seul était dans un état sanitaire satisfaisant [23].

La santé est un domaine dans lequel il est possible de mener une action concertée, avec les professionnels de santé et les services publics, dont les résultats peuvent être aisément perceptibles en termes de bien-être (selon les principes rappelés au chapitre III : unité, qualité…), corrélativement avec un examen précis des droits à la protection sociale (notamment des jeunes) et une lutte appropriée contre des fléaux graves (cf. toxicomanie et Sida).

Une meilleure appréciation de l'état de santé de la population est nécessaire. L'enquête comme celle qui a été menée dans le quartier des Francs-Moisins apparaît encore trop isolée.

La délégation interministérielle à la ville a passé convention avec la fédération nationale des observatoires régionaux de la santé afin de développer les actions de ceux-ci. Des enquêtes réalisées avec la participation des habitants devraient être rapidement menées. Il conviendra également de tirer parti d'autres enquêtes, comme celle que l'INSERM a lancée auprès des jeunes, sur leur état de santé, en mars 1991. Des études seraient bénéfiques également sur la population accueillie dans les services des urgences des établissements hospitaliers voisins des cités (des personnes viennent après la fermeture des bureaux administratifs pour être soignés sans carte d'assuré social). Des actions de santé peuvent être lancées, en faveur de la réalisation d'objectifs précis, dans les centres de protection maternelle et infantile, dont le cadre a été renouvelé par la loi du 18 décembre 1989. Le rôle des centres de santé apparaît bien perçu, et peut être innovateur (cf. thème de la qualité).

Enfin, comme l'indiquait la circulaire du 7 septembre 1989 relative à l'action sanitaire et sociale dans les quartiers, les caisses d'assurance maladie disposent de fonds pour une telle action (voir le titre VI du livre II du code de la Sécurité sociale). Les conseils d'administration sont très attentifs à la manière dont ces fonds sont répartis. Il convient de les amener à imaginer des actions spécifiques en faveur des quartiers (il n'a pas été possible d'obtenir d'information sur l'effet de la circulaire de 1989). C'est une manière non négligeable, semble-t-il, d'associer les représentants des assurés sociaux (par conséquent, les organisations syndicales et patronales) à participer, à leur manière, au développement social urbain.

d) Les impayés de loyers constituent un autre terrain d'action. Selon l'enquête de l'union HLM déjà évoquée, ils représentaient en cumulé – et non sur un seul exercice – 9, 5 % des loyers et charges dans les sociétés anonymes d'HLM, et 14 % dans les offices, en 1988. On a signalé la raison d'être de cet écart. La loi Neiertz sur le surendettement (n° 89-1010 du 31 décembre 1989) ou, dans son champ d'application, la loi du droit d'Alsace et Moselle sur la faillite civile, peuvent apporter des solutions à un certain nombre de situations, même si les premiers constats faits sur la loi de 1989 laissent prévoir que le réaménagement des dettes de certaines familles ne règlera pas durablement certaines difficultés. En matière d'impayés, il importe à la fois de percevoir très précocement la difficulté, pour y remédier avant qu'elle n'ait pris de l'importance, et de remédier à certaines baisses de revenus soudaines que représentent un licenciement, un veuvage, ou un accident.

Il avait été proposé naguère d'instaurer un système d'assurance, comparable à celui existant pour d'autres «risques» en matière de protection sociale, qui pourrait garantir aux locataires 12 ou 18 mois de paiement de loyers en cas d'interruption brutale de revenus, moyennant cotisation acquittée au préalable par l'ensemble des populations résidant en logement locatif. Selon les premiers calculs, il apparaissait que la cotisation, compte tenu de l'ampleur du risque, devrait être faible (quelque dizaines de francs).

Une telle solution paraît être de nature à sauvegarder l'équité, mais aussi la précocité (l'assuré qui a cotisé demande lui-même la mise en œuvre de l'assurance), sous réserve des contrôles nécessaires. Elle peut contribuer à diminuer le problème des impayés – et, donc, la tension entre ceux qui payent et ceux qui ne payent pas –, à mieux isoler les cas de mauvaise foi et à remédier au difficile problème des squatters.

C - *Problème de ressources*

On mentionne ici cette difficulté seulement pour mémoire. Il a déjà été indiqué le fort déséquilibre existant dans beaucoup de conventions entre les dépenses portant sur la réhabilitation du bâti et celles relatives à l'accompagnement social. Il a été également rappelé qu'une telle dissymétrie était inévitable, compte tenu des coûts respectifs des opérations urbaines et sociales.

Il convient néanmoins de rechercher à réduire l'écart. Les négociateurs de l'Etat devraient y être particulièrement attentifs lors de la préparation des conventions à venir. Mais il ne saurait ici être question d'indiquer une proportion convenable, même approximative. Elle doit rester particulière à chaque situation.

L'économique

Autant l'action économique paraît nécessaire à ceux qui ont été approchés pour l'établissement de ce document, autant les solutions décrites sont brèves et fragmentaires. On l'a dit, le sujet incline à la modestie : le salut ne viendra pas des impulsions données dans un quartier ou même dans une ville. Mais l'amélioration se fera sentir avec le poids des données macro-économiques et aussi avec le type de croissance que la politique économique s'efforcera de faire prévaloir.

A - *Le principe de réalité*

Il ne faut pas rêver le quartier; il faut le connaître. Force est de reconnaître que les études dont on dispose sur les cités sont fragmentaires et hétérogènes. Cet état de choses est inévitable, puisque leurs limites ne correspondaient guère à des circonscriptions d'enquêtes.

Certes, chaque convention passée a été l'occasion, pour beaucoup de collectivités intéressées, de faire réaliser des analyses, de qualité inégale et d'un coût toujours élevé [24]. Il convient d'aller au delà, en vue d'établir une prévision des évolutions à moyen terme des principales grandeurs. Cette prévision facilitera elle-même l'établissement de programmation d'actions précises, qui pourront être évaluées.

Pour être utile, cette prévision doit se faire dans des termes communicables et compréhensibles aux responsables des services de l'Etat ou des collectivités territoriales ou de tiers qui ont la charge de réaliser les diverses actions.

Aux services de l'emploi, il est nécessaire de pouvoir dire la durée du chômage et l'appartenance professionnelle des habitants ; à ceux de la formation professionnelle, le niveau de qualification (VI, V bis, V,...) ; à l'école, les personnes dont la langue française n'est pas d'usage courant ; aux services d'action sociale, la nature des budgets familiaux... Bref, il faut pouvoir gérer la complexité sans complication inutile. Là aussi, le devoir d'unité entre les différents « producteurs » de chiffres d'une part, les utilisateurs d'autre part, s'impose. Aux collectivités publiques intéressées, le devoir d'arbitrer les querelles d'école et de pouvoir.

Il est donc souhaitable que soient mobilisés dans la politique de la ville au moins les services de l'Etat qui sont partie prenante de l'établissement de la connaissance et, en premier lieu, les directions régionales de l'INSEE. De même, est-il nécessaire de mettre en harmonie certains besoins de connaissance pour la mise en œuvre du développement social urbain et des enquêtes infra-communales ou communales réalisées par cet institut : on a à l'esprit une enquête relative aux commerces et aux équipements (l'Inventaire communal de 1988) et le recensement général de la population de 1990.

De même par le biais des observatoires de loyers, ou par le canal d'autres organismes (observatoire foncier et immobilier auprès du Crédit foncier, par exemple), devrait être constitué un panel de résidents de logements sociaux, de telle sorte que soient mieux appréhender les évolutions et les demandes de ces populations. Les enquêtes prévues par le groupe « statistique » que le Haut Conseil à l'intégration a placé auprès de lui [25] devraient prévoir l'étude d'une cohorte de résidents d'un ou deux quartiers, à titre illustratif, etc. Ces décisions doivent naturellement être prises avec l'accord des administrations et des organismes intéressés.

Parallèlement, il est utile, non de mobiliser la recherche car elle paraît l'être suffisamment, mais de valoriser ses résultats en les portant à la connaissance des responsables des actions entreprises, de manière synthétique. Beaucoup de savoirs sont accumulés par différents organismes commanditaires (la MIRE au ministère des Affaires sociales, le commissariat général du Plan, le ministère de la Recherche, le Plan urbain...). Peu se transforment en savoir-faire. Les financeurs doivent donc se transformer en instruments de connaissance, en particulier à l'égard des maires et des conseils généraux (mais aussi des administrations centrales), non seulement sous forme de colloques (où ne viennent pas, sauf pour les ouvrir, ceux qui décident), mais sous forme d'éléments très brefs, à la manière de la lettre du centre de prospective et d'évaluation du ministère de la Recherche et de la Technologie.

Ce que l'on appelle ici le principe de réalité, et la possibilité d'établir des prévisions, est de nature à faire obstacle à la recherche de subventionnement, «chaque ville, écrit un chef de projet, allant à la pêche aux subventions en fonction non pas des besoins du terrain mais des opportunités offertes... L'obligation faite aux villes de réaliser un diagnostic et d'élaborer un argumentaire avant d'entrer en phase active de conduite de projet et de programmes a permis d'éviter cet écueil.» La vigilance s'impose en ce domaine.

Le principe de réalité a aussi une autre dimension.

Il est nécessaire de connaître, tout autant que les grandeurs habituellement observées, les données de l'économie «souterraine». Sans ignorer, naturellement, les jugements de valeurs qu'on doit porter sur les ateliers clandestins, les trafics illicites,... il convient d'en approcher, autant que possible, la réalité pour mesurer à quelles conditions pourront être efficaces les mesures qu'on entend prendre.

C'est à ce titre qu'on entend mentionner la drogue. Elle a été peu évoquée jusqu'alors, non pour en sous-estimer les effets, mais parce que le temps a manqué pour disposer d'éléments suffisamment établis à cet égard.

«La drogue, écrit un correspondant, implique l'économie locale (...). (Ici), comme dans bien des cités de la banlieue Nord, elle fonctionne comme source de revenus pour des familles, école de commerce pour ceux qui en vivent et qui apprennent les lois du marché... Comment et pourquoi persister à fréquenter l'école quand la seule activité de surveillance d'une planque rapporte bien plus que le SMIC ?»

Sans abandonner les mesures de prévention et de répression qu'implique cette «activité» apparemment en fort développement, il faut aussi apprécier ses conséquences proprement économiques.

De même doit-on approcher, avec les limites qu'implique l'exercice, l'importance du travail clandestin, des recels... Divers indices quantitatifs devraient pouvoir y contribuer.

Enfin, le principe de réalité a une dernière dimension. Le sentiment des jeunes à l'égard du travail doit aussi faire l'objet d'investigations. Ils ont vécu, si l'on peut s'exprimer ainsi, l'expérience de leurs pères : comment souhaiter travailler dans le secteur du bâtiment et des travaux publics si dix ans ou vingt ans de pratique ont conduit la génération précédente à finir ses jours dans la cité, avec la même qualification professionnelle qu'à la première embauche ? Comment vouloir devenir apprenti-boulanger avec un horaire qui apparaît insupportable ?

Ils vivent, simultanément, leur expérience propre. Vrai ou faux, les enfants d'immigrés ont le sentiment très vif que les entreprises ferment devant eux volontairement leurs portes.

Enfin, en raison de l'ignorance, qui est la leur, du monde du travail (on ne saurait le leur reprocher...), leurs prétentions en matière de rémunération sont si fortes que les offres qui peuvent leur être faites sont, comme on l'a déjà indiqué, sources de nouvelles déceptions.

B - Les entreprises de quartier

Sous ce terme générique, on entend grouper différentes formules qui sont aujourd'hui très vivantes. Associations intermédiaires gouvernées par l'article L. 128 du code du travail (mise à disposition à titre onéreux de chômeurs pour des activités économiques non assurées par le marché) ; entreprises d'insertion (emploi de chômeurs pour un travail d'entreprise – en particulier dans le bâtiment –, visant à leur donner une pré-qualification pour rechercher un emploi plus stable) ; régies de quartier (emploi d'habitants à temps partiel ou non pour des activités de service dans la cité). Entreprises d'insertion et régies de quartier se regroupent en une association au plan national.

On s'intéressera ici aux entreprises d'insertion et aux régies de quartier.

a - Les entreprises d'insertion.

Elles vivent en permanence un pari difficile – réaliser une production économique et, simultanément, accomplir une mission sociale. Ainsi, lorqu'un salarié de l'entreprise d'insertion parvient à un niveau de compétence satisfaisant, l'entreprise doit logiquement s'en séparer pour faire la place à un autre, au contraire de ce que doit faire une entreprise normale. Au surplus, courageusement, bien des responsables des entreprises d'insertion embauchent, non des personnes aux portes de la réinsertion, mais des jeunes (ou des moins jeunes) très marginalisés. En quelque sorte, l'entreprise d'insertion produit simultanément des biens et des personnes, au sens fort de ce terme. Ou encore, elle remplit en même temps les fonctions de l'école et de l'entreprise. Elle satisfait donc doublement l'intérêt collectif.

Rapidement elle se trouve confrontée à un choix difficile. Ou bien continuer à pratiquer à la fois la logique économique et la logique sociale. Dans ce cas, elle fera « tourner » ses salariés. Dans ces conditions, elle ne peut se satisfaire d'une logique libérale. Elle doit continuer à être subventionnée par poste d'insertion, comme le prévoit son texte fondateur (décret n° 85-581 du 7 juin 1985).

Ou bien choisir la logique économique et, dans cette hypothèse, abandonner son caractère d'entreprise d'insertion au bout de deux ans (ou plus), en gardant ses salariés, et devenir une entreprise de droit commun. Cette stratégie vaut essentiellement lorsque l'entreprise a pu trouver un marché qui est favorable à son développement autonome.

Il va de soi que l'une ou l'autre des formules dépend des circonstances locales. Des expériences qui ont été présentées dans le cadre de la préparation de ce document les leçons suivantes paraissent devoir être retenues.

D'abord, l'entreprise d'insertion doit être reliée à quatre pôles autant que possible :

– le développement urbain prévu dans la cité, de telle sorte qu'elle ne contrarie pas par sa production d'autres projets de développement ;

– les filières d'insertion existantes (scolaires ou non), de telle sorte qu'à l'issue de sa présence dans l'entreprise, le salarié puisse, s'il le souhaite, acquérir une vraie qualification ;

– le profit économique, de telle sorte que l'on soit aussi près que possible du marché et que l'on puisse inscrire une action dans la durée ;

– un réseau d'entreprises « marraines » de droit commun, comme le club « Vitamine » à Lille, pour que des échanges informels soient noués, non en termes financiers ou même d'embauchages, mais d'éclaircissements mutuels.

Ensuite, il importe que l'entreprise puisse faire rapidement les preuves de sa capacité (dans les domaines des délais, des prix, de la qualité du service rendu...), si elle entend sortir de marchés, trop protégés, à la limite d'ailleurs de la légalité. Une entreprise d'insertion du second œuvre du bâtiment a été retenue pour un marché durable et important, parce qu'elle l'avait emporté dans un appel d'offres précédent et que les prestations avaient donné satisfaction. On n'évitera pas le « baptême du feu » de la concurrence sur un marché : faute de l'avoir subi, l'entreprise ne sera guère reconnue.

Il lui faut également s'efforcer de développer les passerelles en vue de faciliter les recrutements de ses salariés par des entreprises de droit commun. De plus, ses responsables doivent être attentifs aux opportunités qui peuvent se présenter, notamment à celles que peut recéler l'externalisation de fonctions réalisées jusqu'alors au sein des entreprises de droit commun et des collectivités publiques. A Lille, la mairie requalifie son personnel municipal, en le concentrant sur des tâches plus élaborées. Il libère ainsi un certain nombre de tâches que l'emploi d'insertion peut occuper.

Enfin la diversité des champs d'activité doit être aussi développée que possible. Il est vrai que les entreprises de bâtiment sont vraisemblablement les plus nombreuses. Elles peuvent opérer, au moins pour partie, dans le quartier. Or, certains salariés requièrent en quelque sorte une propédeutique pour travailler : ils ne peuvent sortir tout de suite de la cité, parce qu'ils ont besoin de vivre dans un cadre qu'ils connaissent ; ce n'est qu'après un délai de quelques semaines ou quelques mois qu'ils peuvent être envoyés sur d'autres chantiers. Néanmoins, il doit être réaliste de rechercher d'autres domaines : celui des services, par exemple, ou celui de la mécanique pour les «deux roues».

Mais ici se pose le problème de la concurrence avec les autres entreprises.

Les entreprises d'insertion font-elles concurrence aux entreprises de droit commun ? La réponse donnée en général est que la part qu'elles occupent sur le marché est trop faible pour inquiéter les professionnels. Surtout, elles ont plus révélé des marchés nouveaux qu'elle ne se sont portées sur des produits courants. Il y a donc là, encore, une marge substantielle de développement. Mais, en tout état de cause, on sait que l'entreprise de droit commun peut, si elle le souhaite, créer des postes de travail d'insertion. Il ne peut donc y avoir atteinte à la concurrence.

Réciproquement, les entreprises «classiques» gênent-elles les entreprises d'insertion. Il existe des barèmes de prix officiels sur lesquels les organismes HLM pratiquent un abattement dans leurs appels d'offres, pour être certains de conclure à bas prix. Ces pratiques ne peuvent être supportées que par des grandes entreprises, dont les autres marchés (à prix élevé) sont suffisamment consistants pour pouvoir faire une offre, même dans ce cas de figure ; tel n'est pas le cas des entreprises d'insertion. Cependant il n'a pas paru possible de proposer une modification de ce dispositif, dont le gain serait disproportionné aux inconvénients qui en résulteraient.

Quel peut être alors le rôle de l'Etat et des autres collectivités ?

Dans le cadre des opérations de développement social des quartiers, une aide spécifique apportée aux entreprises d'insertion pourrait prendre trois formes.

– Les services ou établissements de l'Etat, de la ville ou d'autres collectivités, (on pense aux fonds régionaux d'aide au conseil) devraient pouvoir conseiller l'entreprise, ou bien sous forme gracieuse, ou bien sous forme de rémunération sur crédits DSQ ; à tout le moins devraient-ils s'abstenir d'en entraver le développement, comme on l'a vu au chapitre II...

– Outre un calendrier plus étudié pour faire coïncider la subvention par poste d'insertion avec le démarrage effectif de l'entreprise, une aide spéciale à l'investissement pourrait être créée au terme d'une période de quelques mois (18 mois ? 24 mois ?), lorsque l'entreprise a montré qu'elle assurait sa croissance, pour faciliter son développement, ou bien lorsqu'elle choisit d'abandonner son statut particulier.

– Enfin le problème de l'accès aux prêts bancaires reste posé… et devrait être résolu, au besoin par la constitution d'un fonds de garantie (partiel) dans le cadre d'une convention. Il doit être possible de faire pour les entreprises d'insertion, en dimensions incomparablement plus modestes, ce qui est fait pour certains clubs sportifs…

Le développement des entreprises d'insertion doit être facilité. Il ne s'agit pas d'en recommander la création partout, à n'importe quel prix. L'examen des possibilités locales prime avant tout. Mais la formule justifie qu'elle soit encouragée.

b - Les régies de quartier

Elles obéissent à une autre logique, beaucoup plus simple : faire participer les habitants du quartier, en les rémunérant selon le travail fait, aux travaux d'entretien nécessaires.

Dans cette ville de l'Est, dans laquelle une part des bâtiments de la cité a été réhabilitée, un «collectif» de locataires s'est constitué autour de l'idée du maintien de la propreté de l'endroit, dans les bâtiments comme dans les équipements installés par la ville. De là est née l'idée d'une régie. Des négociations ont commencé avec la société anonyme et l'office HLM, bailleurs dans la cité. En dépit de l'opposition très marquée de l'office, une régie a été constituée : sept personnes ont été recrutées pour nettoyer les entrées, et une pour prendre en charge le maniement des poubelles, à la société anonyme ; un peu moins à l'office. La direction départementale du travail et de la main-d'œuvre assure le financement de 15 heures par semaine pour l'aide technique nécessaire.

La sélection des personnes a été opérée par les travailleurs sociaux du quartier, sur critère de revenus insuffisants. Seul le manutentionnaire des poubelles est recruté sur contrat de travail à temps partiel, à raison de 25 heures par semaine (rémunération au SMIC).

La société anonyme, qui a collaboré activement à l'opération, disposait pour l'activité de trois personnes : l'une a démissionné (sans lien avec l'opération) ; l'autre a été affectée dans un autre ensemble de logements ; la dernière a été désormais chargée exclusivement des espaces verts, du même coup mieux entretenus.

On ne peut qu'être frappé par le paradoxe des quartiers, où coexistent une forte demande d'emploi de personnes non qualifiées et des tâches étendues d'entretien, non remplies, ou des services variés qui réclament des travailleurs peu ou pas qualifiés.

Sans rendre systématique la généralisation des régies, bien au contraire (les quartiers et l'esprit de système ne vont guère ensemble), il faut admettre que le hiatus demandes d'emploi – tâches à réaliser n'existe qu'en raison de la faiblesse des moyens financiers disponibles et, en définitive, des choix opérés.

Il suffirait d'établir la comparaison dans chaque commune, par exemple, entre les ratios employés municipaux chargé des espaces verts/population communale, d'une part, employés des bailleurs (ou de la commune) chargés des espaces publics/population de la cité, pour avoir une idée plus précise des efforts consentis.

Si la mesure qui consisterait à rapprocher les taux du «centre ville» et de la «cité» paraît sans doute insurmontable, en raison des coûts de mains-d'œuvre qu'elle implique, il convient, en s'aidant des diverses formules d'insertion, de rendre solvable la satisfaction de larges besoins qui ne le sont pas. Il importe en effet que cette solvabilisation ne s'opère pas sur crédits DSQ de nature temporaire. Mais, à cet égard, le recrutement d'agents d'insertion économique par quarante organismes d'HLM, actuellement en cours, paraît aller dans le bon sens, si du moins un point périodique est fait de leur efficacité.

Les «régies de quartier» ou toute autre formule équivalente dans ses effets, pourraient sans doute être largement développées à deux conditions :

– si, dans le cadre des préoccupations des habitants (ainsi que dans l'exemple ci-dessus), des études sont faites sur le type de besoins qui pourraient donner lieu à de nouveaux services ;

– et, surtout, si des passerelles existent entre ces activités et l'emploi : ainsi dans le cas de gardiens intérimaires d'immeubles, auxquels un office HLM donne la priorité lorsque des emplois sont vacants au sein de son personnel permanent. Il faut éviter à tout prix de faire de cette nouvelle filière une nouvelle impasse.

C - Les actions d'insertion

Il existe désormais une désaffection inquiétante, mais parfaitement explicable, d'une fraction des jeunes concernés (et sans doute aussi d'adultes) à l'égard des dispositifs d'insertion.

Elle a déjà été mentionnée. L'impossibilité où se sont trouvé leurs bénéficiaires, à l'issue du déroulement de la formation ou de l'activité, de trouver un emploi stable, n'est pas pour rien dans le sentiment que «rien n'a été fait» pour eux, et pour les cités.

Tout ce qui renforce le lien entre le processus d'insertion et l'emploi doit donc être encouragé. Mais ce lien n'a de sens que si tout ce qui rapproche l'insertion des habitudes et du genre de vie du bénéficiaire est également développé. Double rapprochement difficile à concilier ? Sans doute. A Strasbourg, ont été mis en place des stages longs de formation qualifiante pour des jeunes délinquants d'une origine déterminée, dans les métiers traditionnels de leur milieu d'origine : le taux de réussite au CAP est, semble-t-il élevé.

A cet égard, on peut se demander si les organismes de formation professionnelle et, de manière générale, les «offreurs» de dispositifs d'insertion sont suffisamment proches des préoccupations des entreprises d'une part, des sentiments des jeunes d'autre part. Telle était, sans doute l'effet recherché du «coordonnateur de zone» et des «correspondants de jeunes» institués dans la procédure du crédit formation individualisé. Dans le cadre de la ville qui sera désormais le champ d'application géographique du développement social urbain, il peut être utile de constituer, comme en matière d'entreprises d'insertion, des réseaux d'entreprises locales. L'intention ici n'est pas de «contraindre» les entreprises à embaucher tel ou tel public (ce qu'elles ne font pas, sauf diminution sensible des coûts) mais de créer des échanges informels entre milieu professionnel, acteurs de l'insertion et publics en difficultés, de manière très progressive et spontanée. Les entreprises, comme beaucoup, connaissent mal les quartiers ; les jeunes qui «galèrent» connaissent mal, et pour cause, les entreprises.

Du côté des jeunes, les personnes responsables des actions d'insertion seront naturellement associées à ceux qui travaillent au développement du quartier. Les missions locales jouent ce rôle lorsqu'elles existent de manière conséquente sur la cité. Dans le cadre du rapprochement des organismes sociaux évoqué dans ce chapitre, les choses devraient être encore plus aisées.

On l'a dit, les quartiers doivent être le lieu d'actions innovatrices de qualité. Au prix, sans doute, d'un coût plus élevé, il faut consentir dans le cadre des contrats de développement social urbain les souplesses nécessaires à la réussite des opérations d'insertion. Autrement dit, on doit chercher à accorder des dérogations non parce qu'elles méconnaissent quelque circulaire, mais parce qu'elles sont la garantie d'un succès sur lequel s'engage l'opérateur, évalué au terme de l'action. On prendra, pour éclairer cette langue abstraite, deux exemples.

Dans une ville de l'Ouest, un stage de «prévention spécialisée» est organisé pour des jeunes «difficiles», ce qui contraint, pour avoir une bonne chance de réussite, d'accroître le nombre de formateurs : deux pour dix jeunes. Le stage excède, pour cette raison, les coûts maximum que peut financer la délégation régionale de la formation professionnelle (Etat) : 22 F par heure et par stagiaire en moyenne, pouvant aller jusqu'à 24,50 F. Ce que peut financer le fonds social pour l'emploi (Etat) est équivalent. C'est pourquoi, en dépit du crédit exceptionnel que la ville a pu accorder à l'opération, les sommes atteintes sont encore insuffisantes. Et le stage n'aura pas lieu.

Dans la région lyonnaise, une association a voulu aider soixante-quinze bénéficiaires du RMI pour un «parcours» d'insertion de trois ans, utilisant diverses procédures (contrats emploi- solidarité, contrats de retour à l'emploi…) et mobilisant des entreprises favorables à l'idée d'offrir autre chose qu'un emploi non qualifié ou un stage court. L'opération se heurte à une série de difficultés pratiques.

Face aux difficultés de certains publics et à la variété des dispositifs dont on a dit qu'il conduisait les associations à sélectionner les jeunes pour y entrer, il faut éviter de créer un nouveau dispositif réputé «taillé sur mesures» pour les personnes qui n'auraient pu rentrer dans aucun autre. On doit, au contraire, laisser aux acteurs locaux, y compris au public potentiel, le soin de définir ce qui leur paraît préférable en matière d'insertion ; il reviendra, ensuite, aux fonctionnaires des services déconcentrés, d'accorder les dérogations nécessaires.

On dira que la méthode est dispendieuse. Elle entraînera du gaspillage, moins sans doute que ce qui est versé en pure perte à des organismes de formation. Elle contraindra surtout à évaluer les résultats obtenus et à apprécier l'octroi ultérieur de crédits selon les résultats.

Le choix alternatif est de continuer à imposer dans les quartiers des formules «venues d'ailleurs» et à dissuader les jeunes et les autres demandeurs d'emploi de commencer à concevoir leur propre insertion.

Cette variété et cette souplesse locales (et non pas définies par avance) doivent aussi s'employer dans le domaine de la création d'entreprises. Le changement d'usage de locaux, la facilité donnée à des commerces de s'implanter dans la cité ne serviraient à rien si, en même temps, la possibilité pour les habitants de créer une entreprise n'était pas, elle aussi, élargie. On doit éviter de donner aux résidents le sentiment que tout ce qui est pour le quartier sert à ceux du dehors : cela valait pour le logement ; cela vaut aussi pour l'économie.

En matière de création d'entreprises, on prêtera une attention supplémentaire à l'effet de «levier» que peut constituer l'aide aux associations ou aux entreprises «pépinières» de nouvelles entreprises. En liaison avec les chambres consulaires et, bien entendu, avec l'agence nationale pour la création d'entreprises, et sans que cela (une nouvelle fois !) puisse avoir un caractère systématique, il est souhaitable que beaucoup de contrats puissent aboutir à l'installation d'une «antenne» d'une pépinière d'entreprises déjà existante, ou d'une création d'une association – aussi «locale» que possible – tendant à ce but.

Sans qu'il soit possible ici de passer en revue toutes les formules d'insertion aujourd'hui mises en œuvre, on mentionnera à nouveau, comme on l'a fait à propos des gardiens d'immeubles, l'intérêt pour ces personnes peu qualifiées des opérations «nouvelles qualifications». Il est impossible, pour les entreprises, de laisser en friche un potentiel humain comme celui qui existe dans les cités. Si le diplôme doit demeurer la voie normale d'accès à l'emploi, les chances nécessaires doivent être données pour que dans certains cas, l'embauche conduise au diplôme et non pas le diplôme à l'embauche. Les «nouvelles qualifications» sont une des expressions possibles de cheminement.

D - L'aménagement du territoire communal

On ne peut cependant en rester, dans le cadre du développement économique des cités, aux instruments que sont les entreprises de quartiers et les actions d'insertion.

Le contrat de ville doit être l'occasion d'une réflexion sur l'économie de la commune ou de l'agglomération, non en termes de croissance de ce qui existe, mais sous forme de meilleure allocation possible des richesses. En somme, il convient de penser le territoire local comme la DATAR a pu penser l'Hexagone au temps du premier aménagement du territoire.

Le gouvernement a déjà montré la voie en proposant une exonération de taxe pour des entreprises s'installant dans les cités. Le rapport Dubedout, de son côté, avait marqué la nécessité de remettre de l'ordre dans le calcul de la valeur locative servant de base à la taxe d'habitation dans les HLM [26].

On peut aller, semble-t-il, plus loin.

L'implantation d'activités nouvelles est souhaitable dans les quartiers. A plusieurs conditions.

– Elle doit permettre, au moins en partie, le développement de l'emploi pour les habitants du quartier; cela pourrait se faire par le biais de l'apprentissage, au moins pour les entreprises artisanales. Leurs responsables pourraient être formés à cette fin, ainsi qu'il a été proposé.

– Elle doit être compatible avec la fonction résidentielle de la cité. Habitat populaire ne signifie pas plus de bruit et de pollution qu'ailleurs; d'autant plus qu'en la matière, les «pénétrantes» de transports jouent déjà leur rôle…

– Elle ne doit pas conduire à la constitution de «bunkers» gardés par des vigiles (l'effet «hypermarché») ou toute autre construction étrangère au milieu du bâti; elle fait partie du «projet urbain» et l'urgence de l'emploi ne doit pas conduire à la fin de l'architecture… Enfin elle doit comprendre aussi des activité ambulantes, dont on a déjà mentionné l'intérêt (marchés, marchands des quatre saisons…) : la réglementation en la matière doit être utilisée au mieux des intérêts du quartier.

«L'aménagement du territoire» communal devrait être facilité par le jeu de la fiscalité locale. A produit fiscal constant, on devrait pouvoir autoriser la commune à alléger la taxe professionnelle, non pour les entreprises en voie d'implantation mais pour les entreprises implantées dans le quartier. Ce qui signifie bien évidemment accroître la charge des entreprises installées ailleurs dans la commune : dans la très grande majorité des cas, cet effort sera minime, en raison de la disproportion du nombre. On ne doit pas craindre une rupture d'égalité devant les charges publiques, dès lors les dispositions juridiques seront prises pour ériger la cité en secteur particulier (cf. chapitre VI). Enfin, une telle mesure paraît préférable à celles qui pourraient favoriser les seules entreprises qui s'installent, ce qui ne manque pas de provoquer quelque aigreur chez ceux qui sont déjà implantés localement.

D'une manière similaire – à produit fiscal constant – les entreprises qui réinvestissent dans le quartier (qu'elles soient implantées ou non), soit dans les activités similaires, soit dans des activités distinctes (financement d'un petit commerce par exemple), soit enfin dans un fonds indifférencié d'investissement des entreprises de la cité (géré par une personne publique, ou bien la personne morale en charge du contrat ville), redistribué à des projets de développement examinés préalablement, devraient également bénéficier de réduction de charges, dont l'ampleur devrait être déterminée – puisque neutre pour la collectivité publique par construction – aussi localement que possible et, notamment, avec les professionnels.

Il appartiendra aux collectivités publiques d'assurer aux entreprises des cités des services de qualité au moins équivalente et, si possible, meilleurs, que ceux dont elles bénéficiaient avant l'implantation (cela va du courrier aux ordures ménagères, en passant par la sécurité, l'éclairage,... la question la plus délicate étant vraisemblablement celle du transport).

Enfin toutes les entreprises de la ville peuvent être présentes, à une occasion ou à une autre, dans la vie de la cité. A titre d'exemple, on mentionnera les «Journées» d'un quartier de Strasbourg, destinées à rapprocher, dans une sorte de forum, les représentants des entreprises et les habitants. Des formules de «tutorat», de «parrainage,» de «mécénat de carrière individuelle» peuvent être également envisagées.

Pour l'ensemble de ces raisons, les entreprises doivent ressentir le contrat de ville comme une nouvelle chance de développement. A ce titre, elles devront être associées, d'une manière ou d'une autre, à sa préparation et son évaluation. Faire des entreprises, dit le ministre de la Ville, «des acteurs du développement social aussi bien qu'économique, en les faisant participer aussi à la réflexion sur l'avenir de la ville. »

Notes

[1]	Sur ce point voir les travaux de HERVÉ VIEILLARD-BARON et son article « Du vague des périphéries aux "ghettos" institutionnalisés ? » dans la revue *Esprit*, de février 1991.

[2]	Cf. le rapport « Protection sociale » établi pour le Xe Plan par la commission présidée par M. TEULADE, La Documentation française, Paris, 1989, page 83.

[3]	La carte des trajets des cars servant au transport domicile-travail des ouvriers des grandes entreprises (automobile, sidérurgie, mines) montrerait vraisemblablement plus d'un point commun avec celle des quartiers DSQ.

[4]	Ce que MICHEL ANSELME figure par le syllogisme suivant : « Les couches moyennes sont parties, leur départ est synonyme, coïncide avec la dévalorisation de ces quartiers, leur retour sera la preuve d'une amélioration de la situation, mieux, il en est la condition *sine qua non*, » *Peuples méditerranéens, op. cit.*, page 125).

[5]	Comme l'avait déjà relevé F. DUBET ; *La galère, jeunes en survie*, Paris 1987.

[6]	Par exemple le rapport du comité économique et social de la région Ile-de-France « Rapport sur la situation du logement des immigrés en Ile-de-France », 1984 et, surtout, celui de FRANÇOIS GEINDRE.

[7]	Voir P. VIDAL-NAQUET et C. DOURLENS, « L'attribution des logements sociaux dans le champ de l'expérimentation », commissariat général au Plan et ministère de l'Equipement, du Logement, de l'Aménagement du territoire et des Transports, 1986.

[8]	Concrètement, la mairie a ouvert deux listes : celle des personnes qu'elle défendra au sein de la commission d'attribution ; la liste des autres, qu'elle envoie à la préfecture, le cas échéant.

[9]   De même qu'on a évoqué les quartiers en termes de « délaissés économiques » (chapitre I).

[10] Selon les données communiquées par l'Union nationale des fédérations d'organismes HLM le niveau de mobilité (nombre d'emménagements/parc initial) est de 13, 5 % en 1990. Cette mobilité se réduit régulièrement entre 1985 et 1989 (— 0, 7 %) ; la baisse s'accélère en 1990, la mobilité étant la plus faible en Ile-de-France.

[11] Sur ce thème des liens sociaux, voir la note de C. FORET, « Convergences sur le thème Peuplement et composition sociale ». Pourquoi ne pas associer résolument les locataires, habitués du quartier, à une telle politique ?

[12] Il existe cependant dans le quartier des Minguettes une installation de « logement autogéré ».

[13] 2 837 F, chiffre tiré d'une étude sur cette cité actuellement en cours.

[14] A la cité des Bosquets de Montfermeil, un particulier, propriétaire de plusieurs logements, dont la situation financière est apparemment tout sauf préoccupante, a une dette dépassant le million de francs à l'égard de la copropriété...

[15] L'opération mise en œuvre à Montfermeil qui a consisté à faire racheter des appartements par l'office HLM a conduit l'office départemental à devenir propriétaire d'un peu plus de 600 logements, sans aucune modification de la situation locale.

[16] L'article 488 du code civil, ici cité, évoque les seules obligations familiales. Le code napoléonien a créé la tutelle pour les personnes qui n'accomplissaient pas ces obligations. Il est dommage que le législateur n'ait pas songé à protéger de la même manière la sauvegarde du droit au logement.

[17] On peut songer aussi à un régime d'incitations fiscales pour travaux de réparation ou de gros entretien, dont l'intérêt serait supérieur, pour les propriétaires, au gain résultant du non-paiement des charges. En raison de la difficulté qu'il y aurait à maintenir un caractère exceptionnel à cette mesure, elle n'a pas été retenue.

[18] Bien que la demande de sortie des quartiers ait été mentionnée à plusieurs reprises, comme on l'a indiqué, le temps a manqué à la mission pour la chiffrer et en préciser les contours.

[19] A titre d'exemples, on cite dans le département du Calvados un déficit annuel de 500 logements, alors que 800 sont construits ; à Marseille, 12 000 demandes de logements sociaux sont en instance et on construit 700 logements par an ; etc.

[20] C'est-à-dire les assistants de service social et les éducateurs spécialisés dont le champ d'action coïncide avec le quartier. Pour une définition plus précise des professions concernées, voir par exemple le tableau figurant dans JACQUES YON et JEAN-PAUL TRICART, *Les travailleurs sociaux*, Paris, La Découverte, 1987, pages 30-31.

[21] Au sens où JEAN-PAUL SARTRE a pu évoquer des «réflexions sur la question juive».

[22] On reprend ici les facteurs mis en lumière par le rapport cité et la commission présidée par J. DE KERVASDOUE (Xe Plan, rapport «Protection sociale», *op. cit.,* page 236). Le rapport Revol a été commenté par J. BORDELOUP, «Réflexions sur les conditions d'accès aux soins des personnes en situation de précarité», *Droit social,* avril 1988, pages 340 et suivantes.

[23] Sur l'état sanitaire et, surtout, l'usage des structures de soins dans un quartier, voir *Quartier-santé, op. cit,* notamment pages 14 et suivantes.

[24] Pour fixer les ordres de grandeur, un examen qui paraît sérieux, fait dans une ville de l'Est de la France, est chiffré à 230 000 F hors taxes pour 122 jours d'intervention en 1990-1991 et à 340 000 F pour 175 jours l'année suivante.

[25] Premier rapport, *op. cit.,* page 2 et page 111.

[26] *Op. cit.* page 49.

Cinquième chapitre

Cultiver la ressemblance, cultiver la différence

Outre ce qui doit être mené dans l'urbain, le social et l'économique, d'autres actions essentielles doivent être conduites en matière de transports, d'école et de culture. Leur point commun, qui fait écho à l'ambivalence décrite au premier chapitre, est de vouloir, s'agissant des rapports entre la ville et le quartier, à la fois relier et distinguer.

Les transports

A - *Les infrastructures : jeter des passerelles*

Comme en matière économique, les indications recueillies, auprès des personnes rencontrées, sont dans le domaine des transports minces ou inexistantes. On constate bien l'éloignement et l'enclavement de la ville. Mais les conséquences n'en sont guère tirées.

On peut soutenir que le phénomène, variable comme le reste, selon les quartiers, est relatif. On l'a mentionné : les jeunes se déplacent plus aisément jusqu'à la ville. Quelles que soient les nuances qu'on peut apporter à ce constat, on doit regarder comme primordial de briser les ruptures, autrement dit de jeter des passerelles entre la ville et la cité.

Au moins faut-il, en premier lieu, ne pas aggraver la situation existante et ne pas renforcer la relégation. Or, aujourd'hui, les infrastructures de transports, autoroutières et ferroviaires, sont en développement. On doit prévoir d'éviter de construire de nouvelles barrières infranchissables entre ville et quartier.

Eviter signifie ici :

– ou bien l'enterrement des ouvrages nécessaires ;

– ou bien, dans l'établissement du projet de voie, la conception d'un plus grand nombre d'ouvrages de franchissement pour la circulation locale ;

– ou bien, si aucune des solutions précédentes n'est possible, l'installation en viaduc, lequel laisse passer la circulation au niveau du sol.

La tranchée ouverte ou le socle continu de béton sont, en toute hypothèse, à proscrire.

On va plaider sans doute que ces demandes sont irréalistes, en raison du coût déjà prohibitif des infrastructures en milieu urbain : toute amélioration supplémentaire a des conséquences non négligeables sur les dépenses et, par conséquent, sur le délai de réalisation du programme d'autoroutes ou de voies TGV, dont les mérites sont importants.

Mais, d'une part, les ruptures doivent être évitées lorsqu'il y a continuité dans la ville, ce qui n'est pas le cas de toutes les banlieues autour du centre ; d'autre part, le coût d'ouvrages de franchissement ne représente qu'une dépense modeste par rapport à celui de l'ouvrage principal.

De manière plus générale, on doit chercher, dans les études préliminaires désormais fort élaborées qui précèdent la construction d'une grande infrastructure, à mettre systématiquement en relief les conséquences qu'entraîne une telle implantation pour les environnements existants. En zone rurale, la loi oblige, pour ne pas obérer la bonne marche des exploitations agricoles, le constructeur d'infrastructures à financer le remembrement pour qu'une économie agricole viable puisse reprendre (article 10 de la loi du 8 août 1962). Il n'en va pas de même dans le domaine urbain. Le remembrement des parcelles existe certes en ville mais nullement dans cette hypothèse. Il ne saurait d'ailleurs avoir ni le même objet, ni le même effet.

C'est pourquoi l'obligation faite au maître d'ouvrage d'assurer la continuité de la vie urbaine, au moins sur les axes essentiels, qui pourrait figurer dans une disposition législative, ne constitue pas une innovation majeure mais ne fait qu'appliquer à la ville ce que la campagne a obtenu en 1962 [1].

La même prise en considération de la continuité entre la ville et la cité doit présider à l'élaboration des schémas directeurs prévus par la législation de l'urbanisme, à commencer par le schéma directeur de la région Ile-de-France en voie d'élaboration.

Il faut aussi, en second lieu, améliorer autant que possible la situation présente.

Le contrat de ville devrait être l'occasion de prévoir une première programmation d'ouvrages comportant :

– le franchissement de voies à grande circulation (par ouvrages souterrains ou extérieurs ; installation de feux tricolores là où cela est possible…) ;

– l'aménagement de voies piétonnières ou cyclables vers le centre-ville ;

– la pose d'une signalétique appropriée et homogène avec la signalisation de centre-ville (y compris nom des rues, plans…) pour remédier à la situation actuelle, en général désastreuse ;

– l'aménagement de voies dans la cité, s'il s'avère nécessaire (là aussi, la continuité du mobilier urbain entre centre et cité doit être absolument préservée).

La durée du contrat devrait être mise à profit pour réaliser plusieurs opérations, choisies par les habitants. Elles peuvent d'ailleurs être multiformes : l'aménagement d'un passage piétonnier sous une voie rapide (expliqué aux résidents voisins) peut lier une opération d'investissement, d'insertion dans l'emploi et de culture (pause d'un «signal»); une telle installation pose aussi des problèmes de sécurité pour laquelle une éducation est souhaitable.

B - Les transports collectifs

Avant d'examiner le cas des transports collectifs, il faut dire un mot de la mobilité individuelle qui résulte de la possession du permis de conduire. Un effort est fait par la délégation interministérielle à la sécurité routière pour l'expérimentation, dans onze quartiers, de l'apprentissage anticipé de la conduite (à partir de seize ans). Le permis de conduire, source de contrôle de soi, de respect d'autrui, éventuellement d'emploi, est un élément du désenclavement. Mais la formation nécessaire a un coût élevé. L'aide sociale devrait pouvoir prendre en charge les frais nécessaires dans le cas de personnes entrant dans son champ d'application, au moins pour les permis de catégories C, D ou E ; ou, mieux encore, un dispositif de bourses pourrait être mis en place par la délégation à la sécurité routière (graduellement remboursable en cas d'infractions ?).

En matière de transports collectifs, on se trouve, comme en matière de logement, dans le long terme et la dépense est d'un coût élevé. Aucune décision ne doit donc être prise sans discussion préalable avec les habitants et sans investigation approfondie. Là aussi, on ne doit rien céder sur la qualité et l'innovation. Toutefois, on doit s'efforcer, au cours du contrat de ville, de réaliser au moins quelques progrès sensibles et d'engager une programmation de moyen ou long terme.

Lorsque les transports collectifs sont régis par la commune, des améliorations incontestables peuvent être réalisées. A la condition qu'un constat préalable soit dressé. La loi d'orientation des transports intérieurs a prévu l'établissement de plans de déplacements urbains. Cette formule, en raison de difficultés d'ordre réglementaire et technique, n'a guère connu d'application jusqu'à une période récente. Elle pourrait être prévue par les contrats de ville. En tout état de cause, la réalité doit être décrite aussi précisément que possible selon l'état des équipements, les lieux de travail, l'implantation des commerces, les horaires... Il doit en résulter des mesures de cours et de long terme qui peuvent être extrêmement diverses (taxis collectifs, minibus municipal...) incluant autant que possible la participation des habitants (réseaux d'entraide au déplacement) et l'innovation technique. Là encore, le quartier peut être le début de pratiques étendues ensuite à toute la ville.

Il en va différemment lorsque le réseau de transports intéressant le quartier fait partie intégrante du réseau de l'agglomération. La modification de cette structure (sous forme d'enrichissement ou de transfert de moyens) pose évidemment des problèmes redoutables qui n'ont pu être étudiés dans le cadre de cette étude, où l'on s'est limité à des informations relatives à la région Ile-de-France fournies très spontanément par la SNCF.

Sous cette réserve de taille, il convient d'évoquer brièvement trois difficultés : la desserte, les installations de voyageurs et la sécurité.

L'ampleur des investissements nécessaires pour réaliser un nouvel équipement en zone urbaine exige des études préliminaires très minutieuses et importantes. En revanche, les décisions relatives aux dessertes (fréquence des trains, volume de matériel) sont prises de manière à la fois centralisée (dans le cadre du syndicat des transports parisiens) et empirique : seuls, comptent le bruit et la fureur (entendez : les souhaits et la récrimination) du conseil d'administration du syndicat, d'un maire plus vindicatif que d'autres, et de l'usager (qui écrit...).

Sous réserve des travaux qui ont sans doute déjà été réalisés dans le cadre de la mise à l'étude du schéma directeur de la région Ile-de-France, il est souhaitable que soit établi un schéma d'agglomération de dessertes, ou plutôt des zones mal desservies, en prenant comme critère l'éloignement des gares et une fréquence de trains inférieure à une quantité donnée. Il doit faire apparaître aussi les différents bassins d'emploi (les domiciles et les lieux de travail) et les moyens de les relier.

Si l'établissement d'un tel schéma (quelles qu'en soient les difficultés techniques, bien réelles) est nécessaire, c'est qu'en ce domaine l'idée qu'on se fait de la réalité compte bien plus que la réalité elle-même. L'usager a conscience d'être plus maltraité que son voisin. Au moins faudrait-il apporter quelque clarté dans ces sentiments et éclairer les choix à faire. Certes des outils existent déjà : la SNCF a superposé les lignes qu'elle dessert et les densités par hectare et par commune. Mais une densité moyenne néglige les concentrations de peuplement comme celles des zones à urbaniser en priorité. On peut supposer que celles-ci, installées dans les secteurs où le coût foncier était peu élevé, se sont implantées pour beaucoup dans les interstices du maillage des lignes de transports : celles-ci ont en effet structuré l'habitat (cf. note 1 de ce chapitre) mais dans la période qui a précédé la création des cités. En tout état de cause, il convient de trouver les moyens d'une réflexion collective qui, à l'instar des plans d'occupation des sols d'une commune, permet d'associer techniciens, élus, usagers et habitants.

Une telle réflexion se heurte naturellement à l'absence de représentation des usagers, en dehors d'organisations tout à fait méritoires mais dont la représentativité est invérifiable. Il appartiendra aux instances consultatives dont la création a été proposée au chapitre III de se saisir de la question des transports. Le fonctionnement du syndicat des transports parisiens pourrait, en outre, être amélioré, de telle sorte que les élus qui y siègent puissent être les animateurs du réseau des communes d'un département ou d'un arrondissement.

S'agissant des installations de voyageurs, l'impression dominante est celle d'équipements dont la pauvreté va croissante à mesure que l'on s'éloigne du centre de l'agglomération. Entre les gares ferroviaires» autonettoyantes» pour reprendre le mot de M. Cantal-Dupart (c'est-à-dire ouvertes à tous les vents) et les gares routières en caves de béton odorant, la «convivialité» du transport laisse à désirer, et surtout le sentiment, fondé ou non, d'une inégalité de traitement apparaît. On dénonce aussi, au moins du côté des élus, de manière récurrente, la politique d'effectifs des entreprises qui conduit à vider les installations de toute présence humaine. Ce dernier point ne peut facilement être remis en cause, compte tenu des contraintes financières pesant sur les entreprises de transport public de voyageurs. Sauf à imaginer des fonds de concours par lesquels les collectivités intéressées prendraient à leur charge les coûts résultant d'une présence permanente.

La SNCF (la RATP et l'APTR en font-elles autant pour les installations routières?) lance timidement une politique de meilleure intégration de la gare dans le secteur où elle est implantée et, surtout, d'installation d'activités extérieures au transport ferroviaire dans l'enceinte de la gare. Cette politique doit être amplifiée, aidée, couplée avec les mesures d'aide à la création d'entreprises déjà évoquée (chapitre IV) et avec les mesures fiscales également mentionnées : l'épicier ouvert dans une gare jusqu'à 24 h remplit une tâche d'intérêt collectif. Il doit en être rétribué.

La rupture entre l'usager et le technicien, pour l'organisation des transports dans les grandes agglomérations, explique pour partie les difficultés liées à la malveillance concentrée principalement en région Ile-de-France (il en va, apparemment, tout autrement des métros de Marseille et de Lille). Encore faut-il en prendre une juste mesure : la malveillance est moins importante par sa fréquence – plus d'un acte par jour et par département de la région, en moyenne – que par les dangers que font courir à la circulation des trains certaines dégradations et par le sentiment d'impuissance que peuvent avoir les cheminots (ou conducteurs de métros et de bus...) devant des agissements de personnes souvent bien connues. On sait qu'en la matière, des mesures ont été prises.

Ces trois problèmes – dessertes, installations, malveillance –, liés entre eux, ne trouveront une solution que par un rapprochement des uns et des autres. La signature d'un contrat de ville ou d'agglomération doit être le catalyseur d'échanges nouveaux. D'une part, entre les transporteurs et les élus : encore faut-il que les premiers soient organisés à cette fin (pouvoir de décision décentralisé) et que les seconds trouvent moins intempestives les propositions de dialogue (voir les réactions à un questionnaire de la SNCF adressé aux élus, inspirées du thème : «Mêlez-vous de vos affaires...»). D'autre part, entre les transporteurs et les usagers, en toutes les occasions : la SNCF, par exemple, ouvre ses installations à des visites scolaires ; un tel programme peut être amplifié dans le cadre d'un axe «petite enfance» d'une politique de quartier. Quelle que soit sa dénomination, le transporteur, comme la caisse d'allocations familiales ou la poste doit être partie prenante du développement social des quartiers et sa mission est de désenclaver ce dernier.

L'école

Il n'est guère possible, en France, d'avoir des débats sur l'école qui ne soient pas passionnés. C'est un signe positif et rassurant. On ne s'étonnera pas que la discussion sur l'école et le quartier n'échappe pas à cette règle.

A juste titre. D'abord parce que son rôle est fondamental. Ensuite, parce que le «questionnement» de l'école est, lui aussi, important. Comment se fait-il, demande à peu près cette psychologue, que les principes de la politique de la ville soient «les plus difficilement applicables par les institutions qui représentent la République, l'école en premier lieu» ?

A - Une école critiquée

Le constat dressé par les personnes approchées à l'occasion de ce travail est presque unanimement d'une grande sévérité. On n'en relèvera que quelques exemples.

«Le rôle joué par le CES pourrait être amélioré. Ceci n'est pas propre à C., l'éducation n'ouvre que timidement ses portes.» «Peut-on parler de ZEP quand des enseignants sans formation enseignent pour la première fois dans des classes de trente élèves où se côtoient des enfants de familles dont les parents français n'ont connu que l'échec scolaire, n'ont que des emplois non qualifiés, non valorisants et mal payés, quand ils ne sont pas chômeurs, à côté d'enfants de familles d'immigrés dont les parents (…) maîtrisent mal le français?»

«Les difficultés… : la non-automaticité du classement en ZEP des établissements scolaires du secteur DSQ (deux collèges sur trois ne sont pas concernés, le troisième ne verra abonder sa dotation horaire qu'à la rentrée 1991) et l'absence d'une politique volontariste de création des comités d'environnement social.»

«La ZEP a déjà échoué une première fois, nous assistons à son cheminement vers un second échec. Les directives de Monsieur Jospin vont dans le sens d'une collaboration, d'un partenariat, d'une transversalité… avec les DSQ. Ceci est impossible à appliquer avec la ZEP.»

«Les équipes pédagogiques qui ont tiré leur énergie de l'espoir de rénovation réveillé par la démarche ZEP au début des années quatre-vingt étaient désabusées et amères de constater que leurs efforts n'étaient que fort peu encouragés en fait par les institutions compétentes. Comment agir sur l'école sans remobiliser les enseignants? Par ailleurs, à quoi peut bien servir toute l'action post et périscolaire si le noyau dur de l'action en direction de l'enfant est caractérisé par la logique de l'échec? (…). Il aura fallu attendre le mois d'avril 1991 pour que le conseil de zone de la ZEP s'ouvre aux partenaires extérieurs à l'Education nationale.»

«Les noms des maîtres et maîtresses d'école sont inconnus des parents d'élèves.»

La critique, évidemment différente chez les uns et les autres, fait, en quelque sorte, feu de tout bois, dans différents sens d'ailleurs pas forcément contradictoires. Les habitants – pour autant qu'on ait pu en juger – reprochent à l'école son insuccès : nul doute que, dans leur esprit, l'Alma Mater soit devenue la mère des exclusions. On pourrait sans doute caricaturer la situation en écrivant que si, de manière générale, 80% des élèves sont destinés à devenir bacheliers et les 20% restant «autre chose» en deçà, dans les quartiers ce serait plutôt 20% de bacheliers et 80% «d'autre chose». A cet échec important, explication massive : de même que le quartier a hérité des logements les plus médiocres, il a récupéré les écoles (bâtiments…) et les enseignants les plus médiocres. Non que ces derniers soient intrinsèquement mauvais; mais ils sont jeunes, peu formés et ils «tournent» alors que la situation locale exigerait des maîtres plus qualifiés aux épaules solides.

Du côté des chefs de projet et des élus, le constat d'échec est le même, mais l'école en porte moins la responsabilité. En revanche, la fermeture de l'école sur elle-même, sa faible disponibilité pour les opérations de développement social urbain, les incohérences administratives et le manque de moyens sont fermement dénoncés.

En regard de ces critiques, il est bien vrai qu'il y a relativement peu d'exemples de rapprochement réussis, sur lesquels on reviendra. Mais la fermeture sur soi de l'école peut doublement jouer à son détriment : non seulement en ne l'entraînant pas dans le dynamisme créé par le développement social urbain, mais aussi en l'empêchant de faire connaître ce qu'elle a pu réaliser de positif.

Comment se fait-il, en définitive, qu'il y ait des enseignants admirables et une école détestable ?

B - Quelques rappels nécessaires

On n'ajoutera pas ici à l'abondante littérature, rédigée par des plumes beaucoup plus expertes, sur l'école. Il s'agit seulement d'esquisser quelques explications qui rendent compte de la situation ainsi décrite. Il est vain, en effet, d'espérer changer l'école, si la réalité perçue par les enseignants n'est pas prise en compte.

Aucun autre service public n'est évoqué aussi souvent que l'école. Cette circonstance a, semble-t-il, deux motifs.

De même que l'on a relevé l'importance des enfants dans le quartier, de même logiquement, le service public qui les occupe au moins six heures par jour, prend une grande place dans la vie du quartier. D'autant plus que l'école se voit : elle est proche (au moins pour l'école primaire) ; sur ce point, on doit rappeler que l'Education nationale a suivi beaucoup mieux que d'autres services publics, l'évolution de la construction des logements sociaux. D'autant plus aussi que le rôle de l'école n'est pas remis en cause dans les familles : on l'a indiqué, hormis quelques crises graves au collège, dues à la toxicomanie, l'obligation scolaire est massivement respectée, ce qui représente un atout décisif pour les quartiers [3]. Au surplus, il n'y a guère d'école «alternative» pour les différentes «communautés». L'école française, qu'elle soit publique ou, parfois, privée, impose son modèle et sa présence.

Le second motif tient à l'attente considérable qui existe : on espère de l'école qu'elle va «caser» les enfants dans la vie. Ce sentiment, évidemment à l'origine de la régularité de la fréquentation, est également bénéfique. On ne doit pas perdre de vue qu'il est contingent. Il existe sans doute une conviction ancienne, inscrite dans l'histoire de la France républicaine, que l'école est une machine à ascension sociale [4]; elle est confirmée en quelque sorte empiriquement, par le constat que seuls les diplômés – dans une large mesure – échappent au chômage. Elle est confirmée surtout par la flambée des associations et des pratiques d'«aide aux devoirs» qui existent dans la totalité des quartiers, en liaison ou non avec les enseignants. La seule idée, peut-être, que peuvent se faire les parents peu ou pas scolarisés pendant leur propre jeunesse, d'un changement d'état de vie, réside sans doute dans le fait que leurs enfants aient accès à l'école autrement qu'eux. Il n'est pas dit que ce sentiment soit pérenne : selon les interlocuteurs des quartiers, le discours que les frères aînés tiennent à leurs jeunes cadets est plutôt fait de conseils de modération et jouerait donc en faveur de l'école. Mais, à le supposer établi (et il n'est en rien démontré), le discours tiendra-t-il devant la réalité ? Si, demain, l'école conduit toujours au chômage, sera-t-elle toujours fréquentée ?

Cette «foi» en l'école ne conduit pas pour autant les parents à s'intéresser à la scolarité de leurs enfants et à entrer dans les locaux scolaires. L'observation que l'on a fait sur la vie politique (Chapitre I) vaut aussi pour l'école : on ne parle que de ce que dont on a compétence pour parler. La condition sociale de beaucoup de parents fait que non seulement ils refusent de reconnaître comme leurs les locaux scolaires [5] mais qu'ils s'interdisent d'avoir autre chose qu'une confiance aveugle dans les enseignants, chargés de réaliser ce qu'ils ne se sentent pas le droit de faire (y compris sur le plan disciplinaire, par exemple). Ainsi s'ouvre pour les enfants un espace de liberté et de contradiction très vaste dans lequel la famille contredit en permanence l'image de la famille que véhicule l'école (parents éducatifs, intéressés...) et l'enseignant contredit passablement, lui aussi, l'idée de l'école vécue en famille. On a déjà évoqué la faiblesse des associations de parents d'élèves.

C'est que l'école en France s'intéresse peu au milieu extérieur. Elle ne le peut guère, elle ne le doit pas. Toute sa pédagogie est fondée sur un dispositif de *tabula rasa* : l'élève lui arrive complètement indifférencié; c'est selon ses purs mérites qu'elle le mènera – ou non – aux succès les plus méritoires. Mettre le nez à la fenêtre serait percevoir que tel n'est pas le cas et que le programme national, le collège unique, la formation commune des maîtres... sont des moyens inadaptés aux fins poursuivies. L'école ne peut fonctionner qu'en autarcie sociale, pour ainsi dire. Et l'échec scolaire ne pouvait être que «psychologisé» ou «médicalisé» au sein de l'école.

En dehors des «sorties pédagogiques» sous la conduite du maître, l'école sort peu de ses murs (autrefois élevés, mais guère dans les ZUP). La formation des enseignants ne les prédispose guère non seulement à sortir, mais à prendre en compte la dimension extra-scolaire du comportement d'un élève. Si cela se fait, c'est par le truchement de personnels spécialisés (assistantes sociales de milieu scolaire ou conseillers d'éducation), rarement par l'enseignant.

Simultanément, d'une certaine manière, si l'école ne va pas au monde, le monde vient à l'école sous la forme de multiples demandes d'enseignements divers et variés. Devant les errements de la société adulte, l'école devient un gigantesque creuset de la prévention où se concentrent les demandes relatives à la toxicomanie, la sécurité routière, le sida, le tabac, l'alcoolisme... Tout se passe, comme si, la vie des personnes échappant de plus en plus aux pouvoirs publics (voir la délinquance de masse que constituent les infractions à la police de la route), ceux-ci concentraient sur l'école, désormais seul lieu d'injonctions, les demandes d'apprentissage. Mais, au même moment, on n'a touché ni au caractère national des diplômes les plus importants, ce que l'on peut admettre, ni à la rigidité des programmes et des pédagogies qui sont censés y conduire. De telle sorte que l'enseignant se trouve confronté entre une demande sociale qui conteste parfois radicalement ses manières de faire et d'agir (voir les difficultés – dont on n'a effectué, dans le cadre de cette étude, aucun décompte précis – de certains collèges de la région parisienne), de multiples demandes pour parler de la «vie» pendant le cours et un programme national qu'il est tenu d'exécuter rigoureusement. En somme, il est écartelé entre l'élève, le directeur d'établissement et l'inspecteur. Autant dire que le développement social urbain a toute chance d'être perçu davantage comme une complication supplémentaire que comme un dynamisme opportun.

La contestation radicale des élèves dans certains établissements (en particulier de ceux proches de l'âge de la fin d'obligation scolaire) n'amène pas les enseignants qui en sont les victimes à s'ouvrir davantage. Ou bien ils ont essayé d'affronter courageusement la difficulté et d'y trouver des remèdes, ou bien ils s'en sont tenu à la pédagogie traditionnelle. Mais, dans tous les cas, l'administration de l'Education nationale n'a pas donné l'impression de vouloir prendre, elle aussi, le problème à bras-le-corps. Tel est l'héritage malheureux des hésitations qui ont marqué la politique des zones d'éducation prioritaire : lancées intelligemment par Alain Savary dès 1981 (circulaire du 1er juillet), elles n'ont guère été encouragées par son successeur et complètement oubliées par le successeur de son successeur, avant d'être «relancées» par Lionel Jospin en 1988. A supposer même que les ZEP soient une erreur de fond, ce qui n'est pas l'opinion de beaucoup, la tactique suivie ressemble à celle de ces généraux qui, de leur abri, lancent leurs troupes à l'assaut, et les laissent ensuite sans commandement, désemparées, sur le champ de bataille.

On a évoqué le découragement des professionnels, au début de ce livre. Dans deux des sites visités, les enseignants des zones d'éducation prioritaire avaient «tenu» jusqu'à lors, prenant de nombreuses initiatives. Dans le nord-est de la banlieue parisienne, une ZEP comprend quinze établissements, dont deux collèges et un lycée professionnel. Beaucoup d'enseignants sont logés sur place. Des instituteurs ont été maires de la commune. Des projets pédagogiques ont été élaborés. La rotation des effectifs est plus faible que dans l'ensemble du département et des enseignants, mutés ailleurs, demandent à revenir. Mais les choses changent dans le sens d'une aggravation : de moins en moins d'instituteurs habitent sur place [6], de moins en moins de directeurs d'école ont des «décharges d'enseignement» (peuvent faire autre chose que leur classe) ou bien, comme celles-ci sont à peu près maintenues dans les ZEP, demandent à venir dans ces zones uniquement pour bénéficier de cet avantage… Au total, on incrimine le manque de moyens qui fait obstacle à la réalisation des projets. C'est pourquoi, dans le collège local, sur trente enseignants, plus de vingt ont déposé une demande de mutation; beaucoup plus, paraît-il que les autres années.

Ce changement d'attitude justifie-t-il le discours alarmiste sur la qualité des enseignants?

D'abord, on doit prendre la mesure exacte des «taux de rotation» des enseignants (mutations annuelles rapportées au nombre d'enseignants de l'établissement). Dans la zone d'éducation prioritaire évoquée ci-dessus, il est de 11%; dans le département de la Seine-Saint-Denis, il est de 14%. Pour l'ensemble des ZEP, il n'apparaît pas que les mutations des enseignants de collèges soient plus importantes qu'ailleurs. En revanche, dans 10% de ces collèges le taux de rotation dépasse 40% [7].

Autrement dit, les difficultés se concentrent à l'évidence sur certains établissements. En raison du climat régnant dans le quartier environnant sans nul doute, mais aussi de la capacité de l'équipe pédagogique à y faire face : F. Dubet a déjà relevé, à propos de plusieurs collèges du Sud de la France le rôle décisif qu'y joue le chef d'établissement.

On doit rappeler tout de même que les mouvements de main-d'œuvre dans les entreprises ou établissement de plus de cinquante salariés sont de l'ordre de 27% de sorties chaque année [8]. On fera valoir à juste titre que les conditions ne sont pas les mêmes puisque, par nature, le contrat de travail du salarié a une fin et que la rotation dans les entreprises privées englobe surtout des licenciements, la fin de contrats précaires et les démissions. Mais ici, on ne s'intéresse pas aux causes de départ; seulement à leurs effets. Et l'on entend peu que le changement du quart des salariés en un an mette en cause la qualité du service rendu par l'entreprise. Il faut en revanche sûrement admettre que dans une minorité d'établissements, peu nombreux (ce qui justifie une nouvelle fois la concentration de moyens sur des quartiers mieux sélectionnés), la vie d'enseignant est difficile.

Quant à l'âge et à la formation des enseignants, en l'absence de comparaisons recueillies sur les caractéristiques des professeurs et des instituteurs en zones d'éducation prioritaire et celles de leurs collègues «hors zone», il n'est pas possible de tirer quelque conclusion assurée. On doit rappeler cependant que, si faiblesse il y a, elle n'est pas seulement due aux mouvements de fonctionnaires, au moins directement. Le barème qui détermine les affectations des enseignants (nombre de points nécessaires pour être affecté dans un secteur déterminé lors d'une demande de mutation) défavorise vraisemblablement la venue d'instituteurs et de professeurs chevronnés, en permettant l'affectation de jeunes enseignants issus de formation initiale. Il est possible aussi que le nombre d'enseignants suppléants non titulaires soit plus élevé qu'ailleurs, en raison de l'absentéisme. Les données [9] manquent pour en faire la démonstration.

Ajoutons que le «système» Education nationale ne favorise pas non plus la diffusion des innovations. En dehors des lenteurs et des errements administratifs, dont on a donné quelques exemples au chapitre II, et qui en disent long sur la gestion des moyens, l'Education nationale se caractérise par un empilement d'indépendances : du recteur et de l'inspecteur d'académie par rapport au préfet, de l'inspecteur pédagogique par rapport à la structure administrative, *de facto* sinon *de jure,* du principal ou du proviseur, enfin de l'enseignant dans sa classe. Par conséquent, avoir convaincu un niveau de responsabilité ne sert strictement à rien : la circonstance qu'un recteur tope là avec le préfet sur des objectifs de développement social urbain peut n'avoir rigoureusement aucune incidence sur la vie des établissements. A une autre échelle, il en va de même pour le «coordonnateur» ZEP : a-t-il convaincu des enseignants, cela est largement sans effet si le directeur ou le principal reste sourd aux appels. Cette tradition d'indépendance joue en grande partie contre l'innovation. Elle permet aussi, il est vrai, à une individualité douée de personnalité d'engager, seule, dans son secteur une révolution pédagogique. Les exemples ne manquent pas, réalisés dans des conditions héroïques, qui exposent leurs auteurs, après quelques années de bataille, à baisser les bras. D'autant plus que cet empilement d'indépendances, s'il empêche la diffusion de l'innovation de haut en bas, fait obstacle, aussi sûrement à celle du changement «latéral», c'est-à-dire d'un établissement à un autre du même secteur.

La conception, qu'il faut admettre justifiée, qu'ont les enseignants de leur horaire de travail, est également un obstacle pour la rencontre de l'école et du développement social urbain. Il se pose ici un problème de même nature que celui qui sépare professionnels et habitants, les uns et les autres n'étant pas dans le quartier aux mêmes heures. Pour les enseignants, la journée de travail commence à 8 h 30 et se termine à l'école aux alentours de 17 heures. Elle se poursuit le plus souvent ailleurs, par des corrections ou des préparations de cours.

Les personnes étrangères à l'école ne comprennent pas cette indisponibilité après la sortie des élèves. Mais il est probablement difficile d'espérer un changement d'attitude des enseignants sur ce point. Fixer une réunion à 18 heures est pour eux ce qui équivaut à 21 heures pour d'autres, avec toutefois une réelle tension nerveuse auparavant et d'éventuelles copies à corriger ensuite. On peut s'en plaindre : les choses ne bougeront guère sur ce plan. Il est vraisemblablement normal qu'il en soit ainsi.

Moins justifiée en revanche est cette attitude de beaucoup d'enseignants qui, face aux difficultés [10], souhaitent se réfugier dans l'application stricte d'une pédagogie éprouvée ailleurs, mais inadaptée à des publics difficiles. Beaucoup d'entre eux hésitent à faire le saut dans l'aventure, c'est-à-dire à rechercher de nouveaux moyens de communiquer aux enfants des quartiers le savoir nécessaire.

Ce repli sur soi est d'autant plus marqué que la direction de l'établissement adopte une attitude défensive ; il l'est beaucoup moins lorsque des projets ouvrent l'école à la vie environnante, comme ces radios scolaires déjà mentionnées.

En définitive, le dynamisme du développement social urbain et celui des zones d'éducation prioritaire se rejoignent par hasard, selon les bonnes volontés des uns et des autres. Mais tout est fait pour les séparer.

On sait que le découpage géographique des quartiers et celui des ZEP ne coïncide pas. L'on peut admettre que, du point de vue du ministère de l'Education nationale, des secteurs aient besoin d'une attention particulière, sans pour cela que les conditions d'habitat ou économiques soient particulièrement en péril (20 % des ZEP sont en zones rurales par exemple). En revanche, dès lors qu'il y a rapprochement géographique, les efforts doivent être faits en commun. Or, la situation fait apparaître, de ce point de vue, des écarts injustifiés. Un seul exemple : à Lille, existe quatre sites classés en développement social des quartiers. Dans le premier, il y a correspondance avec une zone d'éducation prioritaire ; le chef de projet n'a jamais vu le « coordonnateur » ; une directrice d'école est chargée du lien avec le DSQ : elle joue un rôle mineur. Dans le deuxième (trois collèges, neuf écoles primaires), il n'y a pas de ZEP. Dans le troisième, en revanche, il y en a une, en correspondance étroite avec le développement social urbain, en particulier grâce à un principal de collège hors pair ; son départ prochain pourrait remettre beaucoup de choses en question. Enfin, dans le quatrième site, seule une partie de la superficie est classée ZEP, soit trois écoles sur dix, sur fond de rivalités entre inspecteurs ; il n'y a aucun collège dans le quartier DSQ, mais sur les deux établissements secondaires qui recueillent les enfants du quartier, un seulement est en zone d'éducation prioritaire, l'autre a refusé la formule. Cet exemple est loin d'être unique.

Au surplus, les zones d'éducation prioritaire souffrent d'un manque de moyens spécifiques ou plus sûrement encore, d'une allocation de moyens au bon endroit et au bon moment. En raison de l'indisponibilité des enseignants signalée précédemment, le ministère de l'Education nationale avait compris la nécessité d'accorder des décharges d'horaires aux « coordonnateurs » ZEP. Mais ces décharges sont aujourd'hui très modestes (4 heures par semaine généralement). Les coordonnateurs ont, au surplus, peu de moyens propres (pas de photocopieuse pour celui-ci, obligé d'utiliser celle de l'école primaire locale, déjà peu fortunée) et beaucoup d'aléatoire. Il n'y a aucun budget de fonctionnement pour les zones d'éducation prioritaire de ce département de l'Ouest parisien : les crédits nécessaires sont pris tant bien que mal sur les crédits des PAE ; dans le Nord-Ouest, en revanche, il existe des crédits spécifiques et les 14 000 francs annuels pour une zone sont parvenus en… novembre, pour l'année civile. Ajoutons que les crédits ZEP sont gérés, pour les écoles primaires, par l'inspection académique et pour les établissements secondaires par un agent comptable qui veut bien se dévouer pour en faire le traitement, source d'opérations supplémentaires (mais le syndicat de ces personnels a marqué son hostilité à l'égard de telles pratiques : il est difficile de trouver des volontaires…).

Il était prévu une prime pour les enseignants de ces zones. Cet avantage suscite plus de mécontentements que de satisfaction : il a été mal présenté (annoncée comme d'un montant de 6 000 francs, la prime est en réalité de 2 000 francs); les chefs d'établissement ne la perçoivent pas, pas plus que les agents de service…

Les «conseils de zone» qui devraient être des lieux de débats, sont, comme souvent en la matière, des instances de comptes rendus assez ternes. Ils comprennent au minimum les directeurs d'établissement et le directeur du centre d'information et d'orientation et peuvent être complétés librement. On a vu ci-dessus qu'ils ne s'ouvraient pas toujours à l'extérieur de l'Education nationale et les cinq ou six réunions annuelles ne suffisent pas aux impulsions et aux évaluations nécessaires. Ajoutons enfin que les inspecteurs de l'Education nationale (ex. IDEN) qui ont pris le relais des «coordonnateurs» ont certes «autorité» sur l'ensemble de la zone, mais seulement «compétence» dans les écoles de leurs circonscriptions d'inspection.

En pourcentage	Etablissements en ZEP		Ensemble des établissements	
	Résultats 1982-1983	Résultats 1987-1988	Résultats 1982-1983	Résultats 1987-1988
Elèves étrangers dans le 1er dégré	28,9	32,1	10,8	11,3
Elèves en adaptation, initiation, enseignement spécial 1er degré	3,4	2,9	1,9	1,5
Elèves de 12 ans ou plus par rapport aux effectifs de CM2	31,2	25,3	18,8	14,3
Retards de 2 ans ou plus en 6e	21,3	23,3	15,2	16,4
Nombre d'élèves de CPPN-CPA par rapport aux élèves de 6e et 5e	13,7	10,4	11,1	8,2
Nombre d'élèves de 4e - 3e par rapport aux élèves de 6e et 5e	58,3	73,0	64,6	80,2
Retards de 2 ans ou plus en 3e	12,4	21,2	9,4	15,9

Quant aux résultats obtenus dans le domaine proprement scolaire, on empruntera à F. Œuvrard [11] le tableau précédent, rappelant, une fois encore, que ZEP et «quartiers» ne se confondent pas.

En rapprochant ce bilan des conditions de fonctionnement des zones d'éducation prioritaire, il est à craindre que cet effort serve plus à «marquer» négativement les lieux où il est consenti qu'à leur donner une image positive (cf. les développements sur la qualité, au chapitre III) : c'est ce que révèleraient sans doute les stratégies d'entrées dans les établissements scolaires (dérogations à la carte scolaire ou non...) aux différentes catégories de parents. Si, dans le meilleur des cas, l'école «parle» au quartier (apprentissages, journaux et radios scolaires...), le quartier ne «parle» guère à l'école.

C – Prolégomènes à toute réforme future

Plus encore que pour le constat, les propositions que l'on peut faire dans le domaine scolaire peuvent prêter à discussion. A vouloir trop faire, on se verra accusé de sortir du champ de sa compétence. *Sutor, ne supra crepidam.* Mais ne pas aborder le sujet, et la critique dira que l'on passe à côté de l'essentiel avec juste raison. Indiquons cette simple conviction : si l'école ne change pas dans les quartiers, où changera-t-elle ? Elle doit s'y améliorer, anticipant ce qu'elle pourra faire ailleurs, selon les principes définis au chapitre III.

D'abord elle doit s'ouvrir. Sur le quartier, ensuite sur des appuis extérieurs.

S'ouvrir sur le quartier est évidemment un paradoxe, puisque à l'école s'organise tous les jours le plus grand rassemblement «d'habitants» du quartier. Il convient d'aller plus loin : tous les enseignants – beaucoup le font – en conviennent volontiers.

Le lien «institutionnel» est le plus facile à réaliser, à la condition que l'on ait opéré, au sein du ministère de l'Education nationale, les aménagements qui s'imposent. Si tous les établissements en ZEP n'ont pas besoin d'être en quartiers DSQ, en revanche l'inverse doit est vrai. Le gouvernement l'a d'ailleurs décidé, pour la rentrée... 1993 (en raison du programme applicable jusqu'à cette date). Le contrat de ville devrait le prévoir. Dans cette hypothèse, le conseil de zone serait supprimé, ce qui n'empêche nullement les chefs d'établissement de se revoir, et les responsables de l'Education nationale associés aux réunions nécessaires. Le coordonnateur ZEP choisi avec soin par l'inspecteur d'académie et à qui seront confiés des objectifs précis, devra bénéficier d'une décharge équivalente au moins à un demi-service, de la totalité s'il est intégré à l'équipe opérationnelle de développement qu'on évoquera au dernier chapitre. L'inspecteur d'académie devrait nommer auprès de lui un chargé de mission « développement social urbain », auprès duquel les coordonnateurs trouveront les informations nécessaires et, surtout, l'autorité susceptible de lever les blocages de telle ou telle direction d'établissement (en même temps, ce chargé de mission sera correspondant de la préfecture) [12]. de fait, cette manière de pratiquer existe déjà ici ou là.

De leur côté les directeurs d'établissement ou les enseignants peuvent être conviés à assiter, en compagnie ou non du coordonnateur, à toutes les réunions où ils peuvent être utiles, et réciproquement doivent faire venir à l'école le représentant du bailleur HLM, le receveur des postes, ou le responsable d'une association. Ces rapprochements institutionnels vont de soi, et ne poseraient – presque – aucun problème si ce n'est la présence des enseignants à des réunions pendant leurs heures de cours (ils ont terminé leur journée à l'école)…

Cette difficulté ne peut être résolue que par quatre moyens, d'ailleurs non exclusifs :

– du personnel supplémentaire parmi le corps enseignant ;
– des décharges de service ;
– du personnel de surveillance supplémentaire ;
– une pédagogie impliquant un travail différent des élèves.

On récusera ici le moyen qui consiste à ne pas assurer les cours, comme cela se produit dans les écoles lorsque les maîtres sont conviés à des réunions pédagogiques.

Si les contraintes budgétaires font obstacle au recrutement important de personnels nouveaux, le maintien des décharges de service des directeurs d'école élémentaires, le renforcement ou la constitution d'un « pool » de suppléants dans chaque groupe d'écoles de ZEP (qui pourraient être chargés également d'aider les enseignants à quelques cours, d'assurer certaines tâches) et le recours à l'entraide des élèves (voir *infra*) devraient donner les souplesses nécessaires. Dans les collèges, il convient sans doute de renforcer le nombre de postes de conseillers d'éducation, en les libérant de tâches administratives et en les formant à l'animation des classes et au remplacement éventuel des enseignants, sur des thèmes ou idées conçus avec ces derniers ; priorité devrait être donnée à d'anciens élèves du collège. Il est bien clair, faute de quoi les enseignants ne manqueront de faire valoir qu'on recrute des professeurs au rabais, que ces conseillers n'enseigneront aucune matière du programme.

De même les quartiers classés en développement social urbain doivent se traduire par un renforcement du nombre d'infirmières scolaires, d'assistances sociales et de médecins. Ces derniers sont aujourd'hui deux fois moins nombreux qu'ils ne devraient (approximativement). Un renforcement dans les quartiers se traduira par une pénurie accrue ailleurs : c'est une réalité qu'il faut assumer.

Plus délicate est l'ouverture vers les parents d'élèves. Car l'école attend trop qu'ils viennent spontanément. Cette passivité n'est pas payante.

Elle doit être contournée de deux manières. D'une part, l'école doit offrir des activités qui intéressent les parents et les mobilisent. Un coordonnateur explique que les parents ne venaient jamais aux réunions organisées pour eux à l'école élémentaire. En revanche lorsqu'une institutrice a organisé un prêt de cassettes, les parents sont venus les prendre et les rapporter, pour pouvoir les choisir. Le réflexe doit être identique pour la confection de journaux ou d'émissions de radios. L'école peut être prestataire de service.

C'est une manière de réconcilier la vie des enfants et celle des parents et, par conséquent, de réconcilier enfants et milieu scolaire. Plus tard, viendront peut-être, les associations de parents d'élèves...

Mais, d'autre part, les enseignants et les chefs d'établissement doivent aussi se rendre chez les parents, sous les formes les plus diverses, selon les principes de proximité et d'immédiateté que l'on a décrit plus haut. C'est une manière pour les maîtres et les professeurs de connaître la cité autrement ; c'est une façon pour le quartier de les connaître. A cet égard, les réseaux d'aide aux devoirs offrent une occasion temporaire de nouer des contacts avec des associations, ou des parents. Le lien s'est fait souvent, pas toujours. Rien ni personne n'oblige les enseignants à y participer. Mais le sujet mérite qu'ils en parlent avec les promoteurs des diverses initiatives. Ce n'est pas seulement leur responsabilité ; c'est aussi leur intérêt (pourquoi ne pas faire venir ces promoteurs assister à des cours pour voir les méthodes suivies ?)

Au delà des parents, l'école doit s'ouvrir au quartier.

L'ouverture des locaux après 16 heures ou, généralement, en dehors des heures de classe, est souhaitable. Il existe des problèmes de responsabilité : on ne doit pas en exagérer l'importance, même si un article de loi est nécessaire pour exonérer, pour tout public autre que scolaire, le chef d'établissement de sa responsabilité. Ce qui est beaucoup plus important est de faire œuvrer l'école en unité avec les activités d'après les heures de classe. Comme le remarque avec humour un chef d'établissement, dans lequel un centre de loisirs fonctionne, « pourquoi les élèves peuvent-ils monter sur le transformateur le mercredi alors que ça leur est interdit le reste de la semaine ? » Beaucoup de problèmes résident dans cette différence de discours.

L'école doit rechercher aussi des appuis extérieurs. Elle compte encore beaucoup trop sur « ses propres forces » et sait mal les richesses qu'elle peut apporter. On a quelques difficultés à admettre qu'à l'école ne doivent pas circuler que des enseignants et des élèves, et que les enseignants ne peuvent exercer leur métier qu'à l'école. Le chef d'établissement doit, avec ses enseignants, rechercher pour quels projets l'école ou le collège peut s'associer avec un partenaire extérieur.

Cela vaut en matière « culturelle » et sociale, naturellement (association avec une maison de jeunes, un centre social, une résidence pour personnes âgées, un foyer…) mais dans d'autres domaines aussi, en particulier pour les lycées professionnels, mais pas exclusivement. Et surtout, l'extérieur, « l'environnement social » ne doit pas être une parenthèse dans la vie de l'établissement, mais un mode de fonctionnement.

L'école doit aussi, dans les quartiers en développement social urbain, conquérir sa liberté.

Cette liberté existe déjà en principe : les décrets, arrêtés et circulaires applicables aux écoles élémentaires et (dans une moindre mesure) aux collèges facilitent l'innovation. Les « projets d'établissement » sont une rupture avec l'uniformité. Pourtant la norme apparaît encore largement identique.

Le contrat de ville doit être l'occasion pour les établissements de mettre en œuvre un enseignement qui s'écarte radicalement, au besoin, des habitudes prises, dès lors qu'à chaque grande étape de la scolarité, quel que soit l'âge, les acquis nécessaires sont maîtrisés. Au sein d'un même établissement, il doit être possible à un enfant, d'une année à l'autre, voire plus souvent, de changer radicalement de cadre de telle sorte qu'il puisse valoriser une part de lui-même : l'art, la danse, le sport, les outils, la mécanique… doivent pouvoir faire leur entrée à l'école primaire et secondaire. Les rythmes scolaires entre l'heure d'entrée et l'heure de sortie, doivent être variables, tout comme les classes. Le temps doit être moins mesuré, au prix d'années sans programme. Dans un quartier maussade, l'école doit être aimée. Sur ces points, l'Education nationale doit trouver, dans le cadre du contrat de ville, les ressources nécessaires, non pas tant pour tout faire elle-même, comme à l'accoutumée, mais pour rémunérer ceux qui feront avec elle.

Pour reprendre ici une idée de B. Schwartz, dans ce cadre l'école doit aussi développer l'aide aux jeunes enfants par leurs aînés. Les relations entre les classes de collège et d'école élémentaires sont extrêmement fructueuses pour les deux catégories d'élèves. Elles peuvent être orientées en particulier dans la prise en charge de jeunes enfants par leurs aînés et ce, dans toute les matières énumérées précédemment, « classiques » ou non.

En définitive, tout l'apprentissage doit être orienté vers l'expression heureuse des enfants, à partir de laquelle se développera l'écoute. De manière accessoire, l'école doit être aussi éducation de la réalité, alors que l'enseignement français tend souvent à l'abstraction. On rappelle ici seulement l'exemple des réalités de l'emploi, ou bien encore celle des coût de l'éducation. Combien de jeunes savent que la dépense moyenne de l'Etat par élève de collège est de l'ordre de 15 000 francs à 20 000 francs par an [13] ?

Les collectivités territoriales et l'Etat doivent enfin faire un effort particulier pour les conditions de travail, c'est-à-dire les locaux scolaires. On se souvient que tel était le thème des dernières manifestations de lycéens. Les enseignants disent la même chose. Il n'y aura pas de nouvelle pédagogie sans nouvelle architecture. Il n'y aura pas de dialogue sans espace conçu à cette fin. Les quartiers peuvent être le lieu d'élaborations communes, entre enseignants, élèves et architectes, de projets. Les enseignants, en particulier, doivent trouver essentiellement dans des conditions de travail améliorées la compensation des particularités de leur jeune public (sous réserve d'éventuelles primes sur lesquelles on reviendra). Si, au surplus, de nouveaux groupes scolaires doivent être bâtis dans les villes, il convient de les envisager compte tenu des besoins des quartiers. Ces derniers, en particulier, sont pauvres en lycées, classiques et professionnels. La présence d'établissements de ce genre, *a fortiori* d'un établissement supérieur, comme cela a été envisagé dans la banlieue lyonnaise, est un élément de poids pour l'évolution des quartiers. Sur ce point aussi, l'éducation nationale a un rôle à jouer.

Tous ces efforts doivent permettre, à l'issue des seize ans, de développer des filières d'insertion plus prononcées. Le gouvernement devrait renforcer une filière d'insertion pour les meilleurs, en accroissant significativement le montant d'un certain nombre de bourses et en assurant l'hébergement en foyers, à proximité de grands lycées. Il y a quatre-vingts ou soixante-dix ans, dans des classes élémentaires plus favorisées que celles des quartiers d'aujourd'hui quoiqu'en dise la légende, les maîtres d'école étaient capables de repérer les élèves les plus doués et de les « accompagner », comme on dit aujourd'hui, jusqu'à l'école normale primaire incluse, ou au delà. Un tel système doit fonctionner aujourd'hui systématiquement dans les cités.

Filière d'insertion aussi pour ceux dont les talents résident dans leurs mains ou dans leurs jambes : bourses sportives, apprentissage,... des « accompagnements » sur le même modèle peuvent être inventés. Dans le domaine particulier de l'apprentissage, l'école peut être davantage partie prenante que dans le dispositif classique maître d'apprentissage – CFA. En lien avec l'aide à l'implantation d'entreprises dans les quartiers, un binôme maître d'apprentissage – lycée professionnel peut être imaginé.

Ces aperçus peuvent être suffisamment précis pour susciter de vives réactions et suffisamment vagues pour être taxés d'irréalisme. Cela se peut bien. Mais on doit le redire encore : l'école doit changer si elle veut concourir à changer la cité. Elle doit, elle aussi, participer à la restauration de la dignité de ces quartiers populaires et de ce « droit de sortir », mentionnés déjà à plusieurs reprises.

Il en va de même de la culture.

La culture

Parente bien pauvre, elle-aussi, du développement social des quartiers… Moins en réalisations toutefois, qu'en objectifs dans les conventions. Les signataires ont sans doute éprouvé quelque appréhension à s'aventurer dans un domaine inconnu. Pourtant, il y a là une dimension majeure, qui a donné son titre au chapitre.

La culture est l'élément essentiel du désenclavement, du décloisonnement. En même temps, elle est aussi le moyen de donner à la cité son identité propre.

A - S'enraciner dans la réalité et laisser libre cours à l'imaginaire

S'enraciner dans la réalité consiste à rechercher l'expression de la vie des quartiers.

Plus que de longs développements, un exemple, d'ailleurs déjà brièvement évoqué, fera comprendre, à travers les actions menées dans une ville de l'Est de la France par l'association ACB, ce qui peut être réalisé.

Dans un « voyage immobile » écrit par un comédien après des entretiens avec les habitants, la vie de ces derniers a été représenté dans un appartement (F6) de la cité, qui a servi de lieu de spectacle. On a déjà précisé que ces représentations avaient été l'occasion pour les habitants venus de la ville d'entrer… dans un immeuble de la cité.

Au même moment, un travail a été entrepris à l'école maternelle pour imaginer, avec les enfants, ce que pouvait être un appartement de rêve ; après quoi, le même F6 qui avait servi de lieu de représentation a été transformé conformément aux vœux des enfants.

Une autre action a consisté, à partir de réunions d'un groupe de femmes du quartier, où s'était révélé un besoin d'expression très fort, de faire venir auprès d'elles un écrivain, d'une autre culture, pour transcrire cette expression. Une Québécoise a eu avec ces femmes de longs entretiens. Elle en a tiré un récit qu'elle a communiqué à ces femmes, qui va être édité.

Dans les deux cas l'enracinement se fait dans la vie des habitants. Mais l'imaginaire en sort et transforme cette vie, comme le F6 a été transformé par les rêves d'enfants.

Dans les deux cas, la parole des adultes a été valorisée : ce qui n'est pas mince pour aider les enfants, pour lesquels cette parole est souvent dévalorisée.

L'école a été associée à l'opération : elle a participé à la création. Tout ce qui peut rapprocher les enseignants des créateurs, et réciproquement, est sans doute à encourager. A cet égard, le rôle de la maternelle est central : comme le note M. Risardo, les travaux de l'Institut national de la recherche pédagogique ont montré les liens entre la manière dont était facilitée l'expression des enfants à l'école maternelle et élémentaire d'une part, et la réussite scolaire d'autre part.

Enfin, ces actions ont été l'occasion de créer un nouvel espace de culture. Celle-ci est souvent enfermée dans des lieux solennels : l'enfermement des chefs-d'œuvre fait pendant à l'enclavement des quartiers. Sans vouloir «sacraliser» quelque lieu que ce soit comme une cathédrale gothique, il faut bien transfigurer une part de la réalité quotidienne : tel est le cas de l'appartement choisi. Mais on ne transfigure pas n'importe quoi. Dans le domaine culturel, autant que dans les autres, il faut miser sur les habitants et aider leur expression.

En même temps, la culture est l'instrument des ruptures et, par conséquent, de la fin de la relégation. On a rappelé que le «voyage immobile» avait amené à la cité les habitants de la ville. Des cheminements inverses sont vrais, quoique plus difficiles.

On peut aller plus loin encore. Dans la même ville, un voyage scolaire au Maroc a été l'occasion d'échanges et de découvertes réciproques non seulement entre jeunes Français et jeunes Marocains (installés dans leur pays), mais entre enfants d'origine française et enfants d'origine maghrébine de la même école. Dans une autre forme d'expression, plus complète, le festival «Racines», au Mirail, a sans doute joué un rôle similaire. Mais aller au loin n'est nullement incompatible avec la nécessité de rêver la ville et son quartier. Bien au contraire.

B - Prohiber le bref et le général

Sans vouloir ériger, encore une fois, des principes absolus, et sans mésestimer les contraintes budgétaires, les fêtes passagères doivent être évitées, sauf si elles marquent le temps propre à la ville ou au quartier (carnaval de Bagatelle...). Mais il est nécessaire, au contraire, de laisser l'expression des résidents des cités se développer, dans une parole ou la réalisation d'un projet. On a déjà évoqué ce hall d'immeuble HLM décoré par un artiste avec l'aide d'enfants. Les habitants ont regardé la réalisation au début avec une curiosité sceptique. Ils disent maintenant qu'elle marque leur maison et qu'ils apprécient qu'elle soit là.

Certains projets, en outre, sont suffisamment vagues pour pouvoir s'appuyer sur un ensemble de désirs largement partagés. Mais on ne peut jamais vanter, *a priori,* les mérites d'un projet qui vaudrait pour les» quatre cents» quartiers. Surtout lorsqu'il est arrêté de loin et défini de haut. On songe ici, notamment, aux «cafés-musique» dont on découvre soudain la nécessité et, par conséquent, la vertu. Sans nier l'intérêt d'une telle opération, dans un quartier ou un autre, dès lors qu'elle serait reprise à leur compte par les habitants, en envisager la nécessité qu'elle que soit la situation et l'état d'esprit est paradoxal.

Le mérite des actions que l'on a précédemment dépeintes est d'avoir permis de relier un projet à la vie locale et, par conséquent, de lui permettre de se prolonger dans celle-ci. Tel n'est pas toujours le cas. En matière de culture comme dans les autres domaines, les principes dégagés au chapitre III restent applicables. A cet égard, on peut regretter, du point de vue de la qualité, la quasi-absence de projets liés au développement de la télévision par câble.

C - *Collectivité et communautés*

Dans l'Est encore, mais dans un endroit distinct, un collectif d'associations de quartiers élabore un projet sur le thème de la République dans le quartier, pour promouvoir, à travers les symboles de la vie républicaine, à la fois la citoyenneté française et la citoyenneté dans le quartier.

On a indiqué au chapitre III combien cette éducation à la citoyenneté paraîssait préférable à une juxtaposition de communautés.

Il est temps de revenir brièvement à cette question, non pour remettre cette opinion en cause, mais pour indiquer qu'elle ne signifie pas que toute expression communautaire soit peu recommandable. Une telle pétition de principe, dans la France contemporaine, serait parfaitement illusoire.

Cette expression est d'autant plus souhaitable que ce qui frappe, dans les cités, est moins l'expression de communautés affirmées que la destructuration profonde des générations récentes. Tant des Français, qui n'ont plus guère de repères de «classe», que des étrangers, pour des raisons que l'on devine. Pour ces derniers, notamment, des indications recueillies ressort l'idée d'une maigre pratique religieuse, souvent le fait d'adultes de la vieille génération. On doit donc considérer avec scepticisme les affirmations selon lesquelles la religion islamique croîtrait avec une grande vigueur. Il n'y a pas lieu ici ni de s'en réjouir, ni de s'en plaindre, mais de marquer que l'alarme bien vite sonnée à ce propos témoigne plus de méconnaissance que de connaissance des réalités. Et si l'on doit admettre que les consultations des électeurs de la commune, prévues par l'article 16 du projet de loi gouvernemental sur les collectivités territoriales sont seulement destinées, comme on l'a vu, par anticipation, à écarter la construction de lieux de culte censés effrayer la population, alors on commet une grave erreur.

En l'état actuel des choses, et, bien entendu, sous réserve d'examens plus approfondis, aucune «communauté» d'étrangers (entendue au sens de nationaux ou de croyants regroupés ensemble) ne menace l'ordre établi : si la démocratie peut montrer à ces associations qu'elle leur accorde les même droits qu'à d'autres («la République... garantit le libre exercice des cultes sous les seules restrictions édictées ci-après dans l'intérêt de l'ordre public», dit l'article 1er de la loi du 9 décembre 1905), la citoyenneté en sera renforcée.

Notes

[1]   « Quand on constate, rétrospectivement, comment les lignes de chemin de fer ont guidé le développement des banlieues, le rôle qu'a joué dans chaque ville l'emplacement de la gare, la spéculation foncière et immobilière qu'engendre l'ouverture d'une autoroute, la disparition des fonctions traditionnelles (commerce, loisirs, culture) du centre des villes américaines par exemple, devenu inaccessible en automobile, on comprend mieux l'importance qui s'attache aux choix en matière d'infrastructures de transport », écrit D. MERLIN in « La Ville - Transports urbains », *Encyclopaedia Universalis*, Paris, 1973, Volume 16, page 813.

[2]   Pour les personnes, un acte de malveillance tous les quatre ou cinq jours en moyenne par département ce qui, rapporté au nombre de voyageurs, ne transforme pas la région parisienne en Far West, même si l'on admet que des voyageurs agressés ne se manifestent pas.

[3]   Cette indication provient des entretiens menés avec des enseignants. Elle devrait être confirmée par des analyses beaucoup plus fines.

[4]   Il s'agit bien d'une conviction, même si de multiples et célèbres travaux, qui ne seront pas repris ici, ont montré que l'école « favorise les favorisés et défavorise les défavorisés », selon la formule de PIERRE BOURDIEU et JEAN-CLAUDE PASSERON.

[5]   A prendre les termes dans leur acception, le service « public » ne l'est véritablement que pour une part du public. Il n'est qu'à demi-public en quelque sorte.

[6]   Les mairies, autrefois prodigues en logements (en raison de l'obligation où elles se trouvent de loger les maîtres d'école), donnent aujourd'hui des indemnités, quand elles en ont la faculté.

[7]   FRANÇOISE ŒUVRARD, « Les zones d'éducation prioritaire huit ans après leur création », *Regards sur l'actualité*, n° 160, avril 1990, page 51.

27, 3% en 1987, *Bulletin mensuel de statistiques du travail*, mars 1991, page 54).

[9] Demandées au ministère de l'Education nationale, elles n'ont pas été obtenues.

[10] La présence de nombreux enfants étrangers ne parlant pas français à domicile ne facilite pas les apprentissages à l'école élémentaire. Mais aucune statistique ne sépare les enfants étrangers «acculturés» des autres. Pour mémoire, rappelons par exemple que les quatre écoles élémentaires de la cité des Bosquets, dans la partie située à Montfermeil, comptent en moyenne 270 élèves et 88% d'étrangers, selon le dossier de candidature «Développement social de quartiers» de la commune.

[11] *Op. cit.* page 50.

[12] L'auteur de ces lignes a, quelque temps, imaginé que pour l'exécution du contrat de ville, l'inspecteur d'académie et, dans leurs attributions non juridictionnelle, les magistrats, seraient placés sous l'autorité du préfet. Il a renoncé, devant l'ampleur prévisible des sarcasmes et des épithètes d'oiseau qui lui seraient adressés.

[13] Sur ce point voir le rapport de la commission «Education, formation, recherche» du Xe Plan. *Une formation pour tous*, Paris, La Documentation française, 1989, notamment pages 94 et suivantes.

Sixième chapitre

Jalons pour la mise en œuvre

Les deux derniers chapitres sont consacrés à la mise en œuvre administrative des principes et projets énoncés précédemment. Il s'agit donc, après avoir défini les orientations des contrats, d'en définir le cadre et les moyens d'exécution, de manière évidemment plus brève.

Les textes nécessaires

A - *Une loi, une convention, un décret*

La source du comportement des agents publics, au delà des ordres hiérarchiques immédiats, procède essentiellement du droit écrit : telle est la tradition française. Elle échafaude successivement la loi fondatrice, les décrets d'application, les arrêtés et les circulaires qui déterminent les modalités par catégories et par individus.

Cette construction n'est pas toujours indispensable. On peut même se plaindre quelquefois de l'abus de législation.

Les auteurs de la politique de développement social urbain n'ont pas péché de cette manière. On est frappé au contraire de l'absence des textes qui président à l'application du DSQ.

Beaucoup d'esprits doivent s'en réjouir. Ils estiment, sans doute, qu'en l'absence de «carcan» législatif, ils garderont davantage de souplesse d'exécution laquelle, en effet, doit être absolument préservée. On peut donc croire probable que le silence du législateur est volontaire.

Une telle analyse est cependant profondément erronée.

Entre la souplesse et la rigidité, il en va un peu de même qu'entre le riche et le pauvre : la liberté opprime et la loi libère.

Que s'est-il passé en effet ?

L'absence de loi ou de décret [1] n'a, d'une part, pas dispensé les ministres de produire les inévitables circulaires dont sont accablés les services déconcentrés. Celles-ci ont été naturellement « verticales » puisqu'un ministre ne peut organiser par circulaire que l'action de sa propre administration. Jusqu'à la création d'un ministère de la Ville, l'organisation centrale a donc produit des consignes et dans des conditions qui ignoraient la transversalité des problèmes.

Surtout, d'autre part, aucune de ces circulaires n'a pu dispenser les agents publics d'appliquer les textes de nature législative et réglementaire qui n'ont rien à voir avec la politique des villes mais dont, cependant, la portée s'étend, bien entendu, au « territoire » du quartier classé en DSQ : on a vu précédemment un exemple à propos de la taxe d'habitation perçue sur les habitants d'une barre détruite.

Par conséquent, on n'a pas su, ou pas voulu, tirer toutes les conséquences juridiques d'une politique territoriale, du moins en matière de ville. C'est une première raison, de fond, qui milite en faveur d'une intervention du législateur pour définir les principes.

Il existe un autre motif, celui-là de pure opportunité. Le Parlement n'a guère eu l'occasion de débattre des difficultés des cités. Certes, il n'a pas manqué d'aborder ce sujet de manière latérale, notamment lors des lois récentes sur le logement (et, notamment, la loi Besson du 31 mai 1990), ou lors des séances réservées aux questions au gouvernement. Il en a débattu de manière plus frontale à l'occasion des discussions sur le projet de loi d'orientation sur la ville, qui lui a été soumis par le gouvernement en 1991.

Sur une difficulté dont on a souligné l'urgence et la gravité, toutefois, il est normal que la représentation nationale ait l'occasion de se prononcer sur les principes qu'elle entend mettre en œuvre. Au surplus, comme elle en avait pu en avoir le sentiment lors des déclarations de politique générale du gouvernement en 1981 ou en 1988, l'opinion publique des quartiers serait certainement sensible à cette marque d'intérêt.

Il existe des précédents qui peuvent inspirer le mécanisme juridique recherché.

En effet, si la « territorialisation » infra-communale est une chose nouvelle en ville (à la seule exception, particulière, de Paris, Lyon et Marseille), la vie rurale a donné l'occasion au législateur de prévoir la création de « territoires » distincts des subdivisions administratives.

La loi n° 76-629 du 10 juillet 1976 relative à la protection de la nature, dans son chapitre III, a admis le principe de classement de parties de territoire en zone de protection pour la faune, la flore, le sol, les eaux, etc. S'inspirant sur ce point de la loi du 2 mai 1930 sur la protection des sites, la loi de 1976 :

– définit les modalités du classement, notamment les consultations auxquelles il est subordonné ; et l'acte nécessaire (décret ou décret en Conseil d'Etat) ;

– détermine les effets de la mesure sur les propriétaires de parcelles concernées ;

– précise la portée du classement sur les territoires en cause ;

– confie au ministre intéressé le soin de déterminer les modalités de gestion administrative du territoire et lui donne, à cet effet, pouvoir de passer convention avec les propriétaires, des associations, des collectivités locales ou des établissements publics (article 25) ;

– prévoit la faculté de déclasser le territoire, par décret en Conseil d'Etat ;

– renvoie au pouvoir réglementaire le soin de préciser les modalités d'application, en tant que de besoin.

Le décret n° 77-1298 du 25 novembre 1977 a été pris sur le fondement de cette dernière disposition. Il a précisé le contenu des procédures et des mesures de conservation, notamment celles applicables aux territoires dont le classement est demandé par les propriétaires intéressés. En vertu de ces dispositions, des décrets simples, ou des décrets en Conseil d'Etat, suivant qu'il y a ou non accord des propriétaires, sont régulièrement pris pour créer des territoires ainsi définis.

Dans ces décrets, il est prévu, conformément à la loi que « le préfet, après avoir demandé l'avis de la commune (ou des communes, ou du syndicat intercommunal…) confie, par voie de convention, la gestion de la réserve naturelle à un établissement public, à une association régie par la loi de 1901 ou à une collectivité locale [2]. »

La loi du 10 juillet 1976 [3] a donné lieu à d'autres développements qui peuvent intéresser la politique du développement social urbain.

En effet, le décret n° 88-443 du 25 avril 1988, relatif aux parcs naturels régionaux, pris en application de la loi, prévoit :

– que la région propose le classement d'un « patrimoine naturel et culturel riche » ;

– qu'à cet effet, elle s'entend avec les collectivités locales concernées sur une charte définissant la nature du parc, l'organisme chargé d'en assurer la gestion et un programme d'actions pluriannuel ;

– que, lorsqu'elle a obtenu l'accord des collectivités intéressées, elle peut solliciter le classement du parc ;

– que le classement est prononcé par le ministre compétent, pour une durée de 10 ans renouvelable [4].

Il est possible de s'inspirer largement de ces mécanismes pour mettre en œuvre la politique de développement social urbain.

Une loi d'application générale doit prévoir la possibilité pour une ville de demander le classement, pour une durée déterminée, d'un quartier en quartier DSQ (sous les réserves mentionnées au chapitre III, sur cette dernière appellation), dans le cadre d'un contrat de ville. Il revient à la ville de rechercher l'accord des autres collectivités territoriales intéressées, dans les conditions que prévoit la loi, et avec l'Etat. Dans la mesure où cet accord est obtenu, elle peut solliciter le classement, prononcé par décret en Conseil d'Etat.

Chacun de ces points mérite développement.

B - La loi

Elle doit être, on l'a dit, d'application générale. Elle va donc définir le cadre dans lequel sont élaborées les conventions ; les conditions dans lesquelles celles-ci sont mises en œuvre ; la portée de la décision de classement.

a - Le cadre des conventions

Jusqu'alors, les conventions étaient passées entre l'Etat et les régions dans le cadre de contrats pluriannuels. Cette situation a deux inconvénients :

– quant aux partenaires du contrat : on l'a vu précédemment, les régions – quels que soient les intérêts à titre personnel que peut marquer tel ou tel élu –, ne sont pas les collectivités les plus intéressées au développement social urbain.

– quant au calendrier : les contraintes des contrats Etat - régions conduisent les villes à démarrer toutes, simultanément, des opérations auxquelles elles n'ont pas été forcément préparées ; en outre ces opérations sont obligatoirement d'une durée de cinq ans.

La loi doit fixer, en application des articles 34 et 72 de la Constitution, les principes désormais applicables.

– Il appartient à la ville de proposer le classement d'un ou plusieurs quartiers.

– Le classement ne peut être opéré que dans le cadre d'un «contrat de ville» ou d'un «contrat d'agglomération», selon le cas.

– Dans l'hypothèse d'un contrat d'agglomération, le classement ne peut être demandé que si, et seulement si, l'accord d'une majorité qualifiée de communes est obtenu. Par exemple : deux tiers des conseils municipaux représentant plus de la moitié de la population ou la moitié des conseils municipaux représentant les deux tiers de la population (avec les communes dont la population est supérieure au quart de la population totale) [5].

– Le gouvernement devra déterminer si, dans l'hypothèse d'un contrat d'agglomération, les communes ainsi réunies doivent former une « communauté de communes » ou une « communauté de villes » telles que définies dans le projet de loi sur les collectivités territoriales actuellement en discussion. Un tel rapprochement paraît évidemment préférable, d'autant plus que les compétences qui leur sont attribuées dans le texte gouvernemental, en particulier pour les communautés de villes (« aménagement de l'espace ; ... action de développement économique intéressant l'ensemble de la communauté ; ... création et équipement des zones d'habitation... ») vont dans ce sens, même si elles gagneraient à être plus précises.

– La ville ou les villes concernées devront également obtenir l'accord du département dans lequel est implanté la commune auteur de la demande, et du représentant de l'Etat dans ce même département.

La loi ne supprime naturellement pas du fait de son existence, les réelles difficultés politiques qui peuvent empêcher la conclusion de deux accords nécessaires : celui d'une ville avec les communes voisines, celui de ces communes avec le département. Une telle difficulté n'est pas particulière au domaine de la ville et il appartient aux élus de prendre leurs responsabilités.

La question du point de savoir si un contrat d'agglomération est nécessaire ou si un contrat de ville est suffisant, a déjà été abordée : c'est une affaire de pur fait, qui dépend de la situation du quartier visé et de la situation respective de la commune et de l'agglomération. Elle doit donc être laissée à l'appréciation des demandeurs et des auteurs du décret de classement.

La loi peut également prévoir que des établissements ou des personnes privées peuvent être associés à la convention (chambres consulaires, entreprises). Enfin la loi détermine les catégories de personnes morales chargées de l'aménagement du quartier et de la gestion des moyens mis en œuvre. Ce peut être ou bien une association, ou bien un groupement d'intérêt public, ou bien un établissement public. On reviendra sur ce point à propos de la convention, ci-dessous.

b - Les conditions de mise en œuvre des conventions

Elles sont doubles : procédurales et financières. Lorsque les accords nécessaires ont été réunis, la ville peut solliciter le classement du quartier. Celui-ci est prononcé par décret en Conseil d'Etat. Le classement est l'occasion de vérifier :

– l'accord des collectivités intéressées ;

– surtout, le contenu de la convention (voir ci-dessous), qui doit être conforme à l'objet déterminé par la loi ; en particulier il doit être établi que les réalisations qui portent sur l'ensemble de la ville doivent contribuer au développement du quartier visé.

– la compatibilité des opérations prévues avec le montant des crédits disponibles.

En effet, l'engagement de l'Etat pour une durée pluriannuelle nécessite une programmation de crédits qui ne peut résulter que d'une loi de programme de l'article 34 de la Constitution, sous réserve, bien entendu, de l'inscription de ces crédits en loi de finances.

L'engagement financier des communes et du département ne peut résulter également que de la loi, qui devra fixer la part globale de chaque signataire (par exemple sous forme de part minimum ou de part plafonnée). La question de la participation financière des collectivités territoriales ne pose pas de problème particulier, s'agissant d'obligations résultant d'une convention. A supposer cependant que la question de la compensation soit posée par le département, on doit admettre qu'il s'agit en réalité pour lui de dépenser autrement les crédits d'aide sociale et d'éducation (collèges) en particulier, sans augmentation.

La loi devra également définir la durée des conventions : sous réserve de ce que ce point soit compatible avec une loi de programme, il paraît opportun que cette durée puisse être variable de 3 ans à 7 ans, non renouvelable, et qu'il soit prévu que la convention définisse les conditions dans lesquelles elle prendra fin et comment les actions entreprises pourront être poursuivies sans concours extérieur.

Enfin il doit être prescrit, en dehors du cas de dénonciation de la convention par l'un des signataires, qui doit rester exceptionnel, que le gouvernement peut mettre fin au classement dans le cas de l'application non conforme de la convention. Cette disposition est essentielle pour «réintroduire» l'Etat dans le fond de la politique contractuelle, dont il a disparu (chapitre II). Elle n'a rien d'exceptionnel ; elle est prévue également dans le cas des parc naturels régionaux (article 9 du décret de 1988, devenu l'article R. 244-11 du code rural).

c - La portée de la décision de classement

Là réside, semble-t-il, l'essentiel de ce que peut apporter la loi par rapport au dispositif actuel. Le texte législatif doit, en effet, pouvoir apporter dans l'application de l'ensemble des textes de lois existants les modifications nécessaires à la mise en œuvre d'une véritable politique territoriale.

Il ne saurait être question ici d'énumérer tout ce qui doit faire l'objet d'assouplissements, faute d'examen suffisamment approfondi. On se bornera à donner quelques indications, issues des considérations des chapitres précédents.

Un certain nombre de mesures doivent contribuer à accélérer les procédures de répartition de crédits de politique de développement social urbain (cf. rapport

Sardais). L'organisme de gestion de la convention doit être à même, au début de chaque exercice, de disposer des fonds nécessaires. De même, dans le cas de fonds alimentés conjointement par l'Etat et les collectivités territoriales l'utilisation des crédits en cas de non-versement par l'un des partenaires doit être déterminée.

En particulier, si l'organisme doit être un établissement public, outre qu'il doit être vraisemblablement prévu par la loi comme constituant une nouvelle catégorie d'établissements publics, les souplesses nécessaires doivent être apportées à ses règles comptables.

Dans tous les cas, le contrôle *a priori* pour les crédits affectés au contrat de ville sera supprimé; corrélativement les procédures d'évaluation, y compris des fonctionnaires publics, seront développées et les contrôles *a posteriori* renforcés.

D'autres dispositions doivent prévoir les dérogations aux règles applicables en matière de fiscalité locale (taxe professionnelle) et les dispositions nécessaires aux dégrèvements d'imposition, évoquées au chapitre IV, dans les communes signataires du contrat.

Les législations relatives au logement (par exemple : «dans les sociétés anonymes de HLM, dont une part au moins du patrimoine est située dans une zone classée en développement social du quartier, des représentants de leurs locataires siègent au conseil d'administration»), à l'urbanisme, à l'emploi, à la santé, à l'éducation, aux infractions et aux sanctions pénales... devront pouvoir être adaptées, le temps du contrat. Ces adaptations devront être maintenues au delà du contrat si mention expresse en est faite. Eventuellement, la loi définit les conditions dans lesquelles les personnes morales relevant de la loi n° 66-537 du 24 juillet 1966 (et de l'article 27 de la loi n° 84-148 du 1er mars 1984), c'est-à-dire les entreprises, peuvent être associées à l'activité de l'organisme gestionnaire.

Enfin la loi peut déterminer des assouplissements relatifs aux personnels :

– recrutement de personnel par l'organisme gestionnaire : possibilité, dans le cas d'un établissement administratif, de recruter des contractuels, en particulier pour une durée dérogeant à celle prévue par l'article 4 de la loi du 11 janvier 1984 et l'article 3 de la loi du 26 janvier 1984; possibilité de rémunération plus élevée (contrepartie d'une situation non définitive); régime de licenciement (il faut décourager le fait du prince trop souvent répété);

– détachement de personnels de l'Etat ou des collectivités territoriales auprès de l'organisme de gestion – y compris lorsque celui-ci est une association; ils sont placés sous l'autorité du conseil d'administration de cet organisme, mais restent administrés par leur collectivité d'origine (sur cette manière de détachement, une disposition proche existe pour les établissements d'enseignement : article 15-14 de la loi n° 83-663 du 22 juillet 1983 tel que modifié par la loi n° 85-97 du 25 janvier

1985) ; ils percoivent un supplément de rémunération et bénéficient, éventuellement, d'avantages de carrière ;

– conditions dans lesquelles les personnels détachés auprès de l'organisme de gestion d'une part, investis de responsabilités dans l'exécution du contrat de ville d'autre part, peuvent être affectés, doivent demeurer dans cette affectation et sont appréciés à la fin de leur séjour ;

– nature de la répartition des avantages accordés aux fonctionnaires de l'Etat dont la fonction est exécutée à titre principal dans le quartier classé (cf. ci-dessous, page 203).

C - La convention

Elle doit se dérouler en trois temps.

Le premier est la phase de préparation définie par la loi. Son contenu, son déroulement, ses moyens doivent être définis par la négociation avant d'être soumise au gouvernement qui prend, ou non, la décision de classement.

La négociation, dans laquelle le maire de la commune principalement intéressée, le président du conseil général et le représentant de l'Etat doivent jouer un rôle majeur, est d'ordre essentiellement politique. Le contenu, en effet, sera déterminé dans les conditions qu'on verra ci-dessous.

Elle doit s'accompagner en revanche d'un état des lieux du quartier, délimité dans cette phase initiale, aussi précis que possible. Le « principe de réalité » évoqué au chapitre IV doit jouer pleinement durant cette phase. En effet la gravité relative de la situation devrait être un des critères essentiels sur lesquels se fonde le gouvernement pour arrêter à 150 environ le nombre de sites retenus.

Dans cette phase préparatoire, la question du périmètre du contrat de ville ou d'agglomération doit être résolu, et par conséquent le recueil de l'accord d'éventuels partenaires (il est sage de prévoir des délais relativement brefs, pour décision simultanée). De même doit être recherché l'accord de partenaires de droit privé ; dans tous les cas, l'avis d'un certain nombre de partenaires économiques, des bailleurs intéressés… sera sollicité et joint à la demande. La convention définit également les modalités par lesquelles les habitants seront associés aux décisions prises et seront représentés dans des instances consultatives (conseil de cité mentionné au chapitre III), conformément à l'orientation prise par la loi.

Elle prévoit sa durée (cinq ans, plus ou moins deux ans), les modalités de sortie et les techniques d'évaluation prévues, les conditions de sa résiliation.

Le deuxième et le troisième temps sont des temps d'exécution.

Le deuxième temps devrait durer environ un an. Il a trois objets :

– d'une part, permettre d'engager rapidement un montant de crédits peu élevé (de l'ordre de 10 % du montant total), sur des opérations qui recueillent un large assentiment et qui marquent clairement la volonté d'améliorer la vie quotidienne et la situation économique ;

– d'autre part, engager, sous des formes aussi variées que possible, la population à s'intéresser au projet et à le définir ; au milieu de la première phase, doivent être élues les instances consultatives, avec lesquelles, notamment, la discussion se poursuit ; les élus (municipalité, conseillers généraux) doivent être particulièrement actifs durant ces discussions ;

– enfin, poursuivre « l'état des lieux » amorcé lors de la première étape.

A l'issue de cette consultation qui doit durer environ un an, doit s'ouvrir le troisième temps qui comporte :

– la réalisation d'objectifs précis, selon les besoins exprimés, et une programmation rigoureuse ;

– la poursuite de la mobilisation des habitants autour de la réalisation et de l'évaluation des projets ;

– la préparation de la « sortie » du dispositif.

Les instances consultatives des habitants demeurent naturellement en place durant cette troisième phase ; l'organisme de gestion est mis sur pied, de même que l'équipe des personnes qu'il aura embauchées.

D - Le décret en Conseil d'Etat

Le décret en Conseil d'Etat doit être l'occasion de vérifier que les conditions posées par la loi sont bien remplies.

Il définit :

– le périmètre du quartier « classé » et la durée du classement ;

– la ville ou l'agglomération qui bénéficie d'un contrat.

Il prend les mesures qui reviennent à l'Etat pour créer l'organisme de gestion et y participer (un arrêté du même jour désigne le représentant de l'Etat dans cet organisme : préfet, ou sous-préfet, lequel reçoit pour cette tâche une lettre de mission définissant ses objectifs).

Il définit enfin, comme la loi l'avait fait pour les textes de nature législative, les dérogations aux textes de nature réglementaire en vigueur (urbanisme, logement…) nécessaires à la réalisation des objectifs, ainsi que celles nécessaires à une meilleure efficacité des services de l'Etat (par exemple, pouvoirs du préfet, ou du sous-préfet coordonnateur s'il en existe, ou du sous-préfet d'arrondissement s'il n'en existe pas).

A quel moment doit intervenir le décret ?

A l'issue de la première phase (préparation) ou de la deuxième (consultation) ? Les deux solutions ont des inconvénients.

Renvoyer le décret de classement à la fin de la deuxième phase, c'est-à-dire après les consultations requises, amène deux difficultés :

– la première concerne l'engagement des 10 % de travaux préalables, pour lesquels une procédure particulière sera nécessaire, puisque le décret de classement ne sera pas encore intervenu ; on peut imaginer toutefois de mettre ce montant à la charge d'un seul partenaire, en particulier de la commune qui ferait, en quelque sorte, l'avance des fonds (si, du moins sa trésorerie le lui permet) ;

– la seconde concerne la mise en place de l'organisme de gestion et, par conséquent de l'équipe opérationnelle ; elle serait remise à un délai d'une année supplémentaire, aucun des partenaires ne pouvant s'engager sans certitude ; on peut imaginer toutefois des solutions provisoires.

Malgré ces inconvénients, et sans vouloir laisser imaginer que la sensibilisation nécessaire aurait été achevée en un an (elle durera le temps du contrat au moins…), il paraît préférable pour le gouvernement de décider le classement seulement à l'issue de la seconde phase.

D'une part, en effet, il aura, à ce moment, des objectifs et un contenu précis au contrat, dont il n'aurait pas disposé un an auparavant. D'autre part, et surtout, cette approbation tardive est la seule manière d'associer les habitants à la définition du projet. La citoyenneté est affaire trop importante pour qu'on puisse transiger sur ce point, et le déroulement des opérations de développement social depuis une quinzaine d'années incite à la vigilance en la matière.

Travailler ensemble

Il n'est pas besoin de beaucoup d'expérience administrative pour mesurer à quel point les textes peuvent demeurer lettre morte, lorsque l'organisation administrative n'est pas adaptée à leurs objectifs. Il est temps ici de revenir sur quatre

aspects particuliers de cette adaptation : l'organisme de gestion ; le travail collectif ; le cas particulier des fonctionnaires de l'Etat ; l'évaluation.

A - *L'organisme de gestion du contrat de ville*

Aujourd'hui, les contrats de quartier s'efforcent de mettre en commun des
perspectives (objet de la convention) et des moyens (crédits de plusieurs sources).

Il est proposé d'accroître l'efficacité de cette mise en commun en créant un
organisme de gestion de la convention commun aux collectivités publiques partici-
pantes.

On a conscience ici que cette proposition n'est pas tout à fait dans l'air du
temps de la décentralisation. On ne va pas manquer d'y voir, du côté des élus, une
manière de faire entrer le loup dans la bergerie ; autrement dit la traduction institu-
tionnelle du retour des techniciens de l'Etat dans la vie municipale qu'aurait manifesté le développement social urbain.

Cependant, la décentralisation doit-elle écarter les possibilités de coopération
entre les collectivités territoriales et l'Etat ? et celui-ci peut-il se désintéresser de
l'emploi des crédits pour lequel il a passé contrat ? On doit, en réalité, être plutôt
étonné, depuis que la mode du contrat se propage si rapidement, de la légèreté
avec laquelle l'Etat endosse l'habit du contractant sans en assumer les devoirs. Il
se comporte comme un agriculteur qui enfouirait une semence dans le sol sans
jamais s'inquiéter des gelées, de la pluie ou de la sécheresse, mais tiendrait rigoureusement à jour son livre de comptes. Il est juste que notre agriculteur jette désormais un œil au baromètre.

Il faut, surtout, indépendamment de ces vues un peu lointaines, rechercher
l'efficacité. La constitution d'un organisme unique, auquel devraient être versés
différents fonds, est de nature à supprimer la plupart des inconvénients d'ordre
administratifs si vilipendés aujourd'hui.

Trois formules sont proposées.

La première est celle du groupement d'intérêt public. L'article 22 de la loi
n° 87-571 du 23 juillet 1987 sur le développement du mécénat a autorisé la création de tels groupements, comprenant «deux ou plusieurs personnes morales de
droit public ou de droit privé comportant au moins une personne morale de droit
public» à fin de remplir, pendant une durée limitée, «des activités dans les
domaines de la culture, de la jeunesse, de l'enseignement technologique et professionnel du second degré et de l'action sanitaire et sociale, ainsi que pour créer ou

gérer ensemble des équipements ou des services d'intérêt commun nécessaires à ces activités. »

En outre, l'article 13 du décret du 28 octobre 1988 instituant la délégation interministérielle à la ville a expressément mentionné la constitution de tels groupements, « pour exercer des activités contribuant à l'élaboration et à la mise en œuvre de politiques concertées de développement social urbain ».

L'idée de constituer des groupements d'intérêt public, même si elle n'a, semble-t-il, été suivie d'aucun effet, est loin d'être une nouveauté. Depuis 1988, plusieurs plumes recommandables en ont suggéré à nouveau l'application. Ainsi dans le rapport de C. Sardais [6].

Comment doit être composé ce groupement ?

En dehors de la commune, du département et de l'Etat, il convient d'y associer, selon les circonstances locales, les principaux organismes intéressés au développement du quartier : les organismes HLM, en particulier, et aussi ceux qu'on a eu l'occasion de mentionner précédemment (la poste, les transporteurs, la caisse d'allocations familiales…). L'important est qu'il puisse reflèter l'intérêt et l'efficacité des interventions possibles.

Le groupement doit comprendre au moins une personne morale de droit privé. Tel est le cas de la caisse d'allocations familiales locale. Mais il est souhaitable que figure aussi au sein du groupement une personne morale ayant une vocation directement économique.

Enfin la question d'une participation des représentants d'habitants doit être résolue évidemment de manière positive.

Les différentes représentations pourraient se grouper en collèges distincts (élus, Etat, habitants, organismes divers) désignant chacun ses représentants au conseil d'administration. Aucun collège ne devrait détenir à lui seul la majorité : il importe de donner à cette instance un caractère d'efficacité technique et d'entente sur des objectifs communs.

La présidence devrait revenir en principe au maire de la ville principalement concernée par le contrat.

Faut-il confier l'ensemble des fonds de développement du quartier au groupement d'intérêt public ?

Il est tentant de répondre positivement à cette question, au nom de la simplification de la procédure financière. Mais d'une part, il a paru nécessaire de supprimer, en l'espèce, le contrôle *a priori* (voir page 191). D'autre part, la concentration de tous les fonds ne manquerait pas de transférer au groupement une responsabilité très générale qui poserait des problèmes de nature politique et de nature technique. Il en résulterait une complexité vraisemblablement importante. Sans écarter définitivement une telle solution, il serait préférable, dans un premier temps, de faire l'essai d'une formule moins brutale.

Au groupement d'intérêt public seraient donc confiés les crédits nécessaires aux études préalables et aux évaluations, au recrutement et au financement d'une équipe opérationnelle (contractuels et supplément de rémunération des personnels détachés), et à un fonds destiné à financer les projets d'un coût inférieur à un certain montant.

Faut-il confier au groupement la responsabilité des professionnels du développement du quartier?

Il est nécessaire, comme on vient de l'indiquer, que le groupement procède au recrutement et à la nomination du chef de projet (on reviendra sur cette appellation au chapitre VII) et de l'équipe opérationnelle. Les uns et les autres seront placés sous sa responsabilité. Leur mission est en effet, double :

– contribuer à la réalisation des objectifs fixés;
– à cette fin, veiller à la meilleure utilisation des crédits.

L'Etat, le conseil général et la commune ont un égal intérêt à l'exercice de cette mission.

On ne doit pas cacher que cette option cristallisera sans doute l'opposition des élus municipaux sensibles au thème du «retour» de l'Etat. Elle sera vécue comme un pas en arrière supplémentaire, puisque, actuellement, les chefs de projet sont recrutés par les maires.

Mais on ne saurait sans hésiter renoncer à un tel choix : le recrutement du chef de projet par une collectivité «neutre» est seul de nature à garantir l'indépendance de ce salarié, non seulement vis-à-vis de la commune mais aussi vis-à-vis de l'Etat et du département.

Or le jeu de la vérité qu'est, d'une certaine manière, le développement social urbain exige cette indépendance. Les financeurs doivent être prêts à entendre des choses peu amènes à leur égard. La situation des quartiers n'autorise pas les déguisements. C'est pourquoi l'indépendance du chef de projet est une clef nécessaire à la compréhension des vraies difficultés. Elle évite de mettre «un aveugle en vigie; un manchot à la barre». [7]

Il n'y a nulle obligation à constituer un groupement d'intérêt public. Selon le degré de souplesse recherché, il est loisible de constituer une association (avec l'inconvénient que peut présenter la gestion de fonds publics) ou un établissement public, dont on a indiqué qu'il devrait être défini par la loi. Plus que le statut juridique du rapprochement, on doit avoir à l'esprit les avantages qu'il donne au développement social urbain :

– permettre, par la présence de l'Etat, de rapprocher des collectivités territoriales que beaucoup de différences de sensibilité peuvent séparer ;

– faciliter un examen conjoint de la manière dont l'utilisation des crédits est bien conforme aux objectifs recherchés ;

– conforter l'autorité de l'équipe opérationnelle et du chef de projet ;

– assurer la citoyenneté des habitants en rendant la gestion de l'opération (si certaines conditions sont respectées) accessible ;

– enfin faciliter les procédures.

Cette forme de rapprochement n'est d'ailleurs pas si nouvelle. Elle est la transposition, dans une perspective évidemment beaucoup plus opérationnelle, de ce qu'est le conseil national des villes pour l'ensemble de la France.

B - Le travail collectif

Les développements qui précèdent ont mis l'accent sur l'intérêt de mobiliser toutes les personnes susceptibles de faire évoluer la cité : les habitants pour commencer, les professionnels et les travailleurs sociaux qui s'y consacrent mais aussi tous ceux qui, à un titre ou à un autre, pèsent sur le quartier par leurs décisions. Au fond, dans une politique territoriale qui n'est ni « verticale » ni « horizontale » (par public), tout le monde est concerné.

Comment faire que tout le monde parle à tout le monde ? La citoyenneté ne risque-t-elle pas de n'être qu'un joyeux désordre ?

C'est à ces questions qu'on voudrait tenter de répondre ici, en s'inspirant de l'expérience voisine qui a été conçue, par une circulaire du ministre du Travail et du ministre de l'Aménagement du territoire du 15 décembre 1990, pour le développement et l'insertion en milieu rural : ce sont les systèmes partenariaux d'insertion-développement en milieu rural (SPID).

La période de ce qu'on a appelé le deuxième temps de la convention est tout à fait décisive. Tout autant que la mobilisation des habitants autour du thème de la citoyenneté, il convient de mobiliser les « professionnels » au sens large (travailleurs sociaux, enseignants, chefs d'entreprise, agents de la subdivision de l'équipement, policiers...). Loin des « chapelles » et des langages convenus, mais avec les compétences propres de chacun, il convient de rechercher ensemble quel projet de développement peut être proposé. Au fil des apports et des discussions, des propositions de contrat de ville devront être élaborées, révisées périodiquement jusqu'au décret de classement et à la signature de la convention. Il s'agit de regrouper les expériences et les connaissances, de les «croiser», pour faire naître de nouvelles perspectives, et aussi l'habitude du travail en commun. Il faut désenclaver les services administratifs autant que le quartier.

L'application de la convention peut donner lieu à quelques principes simples.

Sur le modèle de ce qui existe ici ou là (on en a cité des exemples dans le Calvados ou en Haute-Garonne), il est utile que l'opération «contrat de ville» soit soutenue de manière très déconcentrée. On a déjà mentionné le correspondant de l'inspection académique. Dans chaque service, un correspondant pour les quartiers; et s'il y a plusieurs quartiers dans le même contrat, un correspondant de tous les services pour chaque quartier. Cela vaut pour l'échelon décisionnel : secrétariat général de la commune, directeur de la caisse d'allocations familiales... Mais chaque intervenant (on pense ici aux travailleurs sociaux) peut au fil du contrat se constituer son propre réseau, pourvu que tout converge sur le responsable.

La mise en commun des informations et des indicateurs est nécessaire pour l'analyse des besoins. Chaque unité a sa propre perception, ses propres décomptes. Il doit s'enrichir de ceux des autres. Dans le cas de chaque contrat, il faudra inventer le système d'échanges et de mise en forme d'une synthèse, aux organismes qui peuvent en avoir l'habitude (faire parvenir les informations à date fixe pour l'ensemble de l'évolution; suivre en particulier tel ou tel dispositif...).

La véritable difficulté ici consiste à joindre à ces informations la perception qu'ont les habitants de leur vie quotidienne. On y reviendra à propos d'évaluation.

Il faut éviter à tout prix les réunions «redoublées» déjà mentionnées, celles d'organismes différents regroupant les mêmes personnes pour les mêmes objectifs. Cela suppose deux moyens :

– les circonscriptions administratives doivent être autant que possible harmonisées. Là où le quartier n'est que partiellement couvert, il devrait être décidé que la publication du décret vaut extension de la circonscription à la totalité de la cité (on pense ici aux ZEP). Là où le quartier est entièrement couvert mais par deux circonscriptions distinctes (on n'évoque évidemment pas ici les limites communales), ou bien on doit s'efforcer de revenir sur le découpage, ou bien il doit être clairement établi lequel des deux responsables a compétence pour le contrat de ville. Là où une politique sociale n'a pas créé de circonscription, il convient que le service compétent désigne l'agent chargé d'opérer les contacts nécessaires.

– le décret de classement (ou la loi si nécessaire) doit suspendre les réunions de conseils d'administration, de comités... sans que ceux-ci cessent pour autant leur existence, au profit d'une seule réunion synthétique. Il ne s'agit pas de modifier les structures mais de les faire travailler ensemble. Autant que possible, ce travail en commun doit avoir lieu dans un endroit unique. Pour savoir lequel choisir, le critère est simple : aussi près que possible du quartier et de ses habitants [8].

La même concentration doit exister, avec une exigence encore plus grande, pour le contact avec l'habitant. Le moins de guichets possibles, le moins de personnes possibles, mais un partage des tâches qui aboutit à une écoute attentive et permanente et un «aiguillage» (comme dans une gare de triage) prompt du dossier.

L'administration de l'Etat, particulièrement, doit éviter de reproduire ici les réunions solennelles où siègent quatre-vingts personnes qui perdent leur temps sans efficacité. Il faut rechercher les réunions où l'on débat et où l'on décide. Le petit nombre est sûrement préférable au grand.

Mais, surtout, que les ministres évitent la tentation des circulaires sur les méthodes à appliquer. Ils doivent fixer au préfet et à ses services les objectifs précis qu'amène pour eux l'exécution du contrat mais les laisser entièrement libres de la manière d'y parvenir. D'ailleurs, puisque l'Etat s'est engagé par la voie de la convention (que ses services ont eu tout le loisir de préparer), on peut estimer *a priori* que la circulaire est un instrument inutile. Même dans l'hypothèse où de nouvelles politiques urbaines, économiques... seraient définies pendant le cours de l'exécution du contrat, la confiance vis-à-vis des services conduit à leur laisser le soin de définir la manière dont ils appliqueront la politique nouvelle à la ville sous contrat.

Bref, l'administration centrale doit abandonner un peu de sa tradition écrite pour une tradition orale.

Ces principes ne valent que si les agents peuvent être appréciés sur la manière dont ils se sont efforcés d'atteindre les objectifs fixés.

C - *Les fonctionnaires de l'Etat*

On s'abstiendra ici de prendre partie sur les questions relatives aux agents des collectivités territoriales et, *a fortiori,* aux salariés des entreprises privées, pour ne s'intéresser de brève façon qu'à trois problèmes relatifs aux agents de l'Etat.

Il faut d'abord former et convaincre.

L'habitude de la fonction publique de l'Etat est encore trop de croire que dès lors qu'un agent n'a qu'à assurer l'exécution d'une partie, il n'a nul besoin d'être informé sur le tout.

Le développement social urbain doit être l'occasion d'engager une logique inverse. Dès lors que l'Etat choisit d'accepter l'engagement d'une négociation avec une ville sur un contrat, il doit éclairer ses fonctionnaires sur l'importance du choix fait. Pour ces derniers, la première manifestation du développement social urbain doit être une réunion de formation et d'information, au cours de laquelle l'agent

– recevra des explications sur la procédure, sur ses réussites mais aussi sur les difficultés et les échecs ;
– se verra instruit de données sur la situation locale et invité, réciproquement, à donner des informations ;
– sera sollicité pour participer à la définition des objectifs et à leur réalisation, et informé des avantages dont il sera question ci-dessous.

Là aussi on doit se garder de la moindre circulaire en la matière. Mais il y a intérêt ici à mêler immédiatement les services et les agents notamment pour l'information réciproque.

Il faut ensuite diriger.

Le gouvernement, suivant en cela l'exemple donné dès avril 1990 par le préfet de la région Midi-Pyrénées, a nommé des sous-préfets « coordonnateurs » de la politique de la ville. Seul un fonctionnaire « transversal » (et, donc, nécessairement d'un rang hiérarchique élevé) peut assurer les disciplines de la « transversalité ». On en a vu rapidement les effets.

Il n'est nullement certain qu'un sous-préfet particulier soit nécessaire sur chaque site faisant l'objet d'un contrat de ville. Le nombre de treize actuellement en fonction ne peut, sans doute, pour de simples raisons tenant à la gestion du corps, être substantiellement dépassé. Il paraît alors souhaitable que, dans chaque site, un sous-préfet d'arrondissement (distinct si possible du secrétaire général) soit nommé responsable, du côté de l'Etat, de l'exécution du contrat de ville.

Il faut également apprécier.

On l'a dit : il convient d'alléger de façon draconienne, au moins pour les contrats de ville, les sollicitudes administratives dont on croit devoir, à Paris, faire bénéficier les services extérieurs. On ne fait rien d'autre, ce faisant, que de traduire ce que le projet de loi relatif aux collectivités territoriales a posé comme principe en son article 3 : « les services extérieurs sont organisés… dans le cadre des circonscriptions territoriales ».

Mais cet allègement doit trouver sa contrepartie dans l'appréciation portée sur les fonctionnaires investis de responsabilité. Ils doivent être jugés non sur l'ardeur mis à déployer les moyens, mais sur la capacité à atteindre les fins. Ce qui implique à la fois que celles-ci soient claires (c'est une des raisons d'être du décret de classement) et que les résultats obtenus soient évalués.

Il est donc souhaitable que le gouvernement mette à profit la politique des villes pour renouveler l'approche qu'il a de la gestion des agents de responsabilité. Il est clair que la suite immédiate de la carrière du fonctionnaire devrait dépendre de la manière dont il s'est acquitté de sa tâche durant le contrat de ville. C'est dans cet esprit qu'on doit envisager de trouver, avec chacun d'eux, la traduction personnelle des objectifs fixés dans la convention.

Il faut trouver des fonctionnaires de qualité.

Oublions ce jugement sévère qu'un observateur portait, dans le cadre de cette enquête, sur les fonctionnaires ayant à mettre en œuvre la politique de développement social urbain : «l'Etat-bête»... Sa généralité le rend évidemment injuste et les fonctionnaires, de surcroît, sont beaucoup moins visés que les consignes qu'ils sont chargés d'appliquer. Tout de même : «Peut-on admettre, note Michel Delebarre, que ce soient les fonctionnaires les plus jeunes, les moins formés et les moins payés qui aillent là où les tâches sont les plus rudes?»

Le gouvernement a pris conscience que les tâches des agents en service dans les quartiers présentaient des sujétions particulières. Il en a tiré récemment l'idée qu'il fallait donner à tous au terme d'un certain délai, un avantage particulier de carrière. Cette initiative représente, on le sait, un changement considérable – et salutaire – dans la fonction publique de l'Etat.

Hormis la condition de délai, qui paraît heureuse pour encourager la stabilité, on doit estimer toutefois que la mesure récemment annoncée présente certains inconvénients. Elle renforce l'idée des habitants concernés qu'ils sont estimés comme gens de sac et de corde, pour que ceux qui sont affectés auprès d'eux reçoivent un traitement particulier.

Elle a un second défaut : elle est distribuée uniformément, comme si chacun supportait les mêmes vicissitudes que le voisin. Devra-t-on verser la prime à ces agents comptables qui refusent, dans les quartiers en cause, de gérer les crédits de fonctionnement des zones d'éducation prioritaire?

Il apparaît en réalité qu'on pouvait sur ce point avancer dans la modernisation de la gestion des fonctionnaires tout en donnant aux habitants une idée plus positive de l'avantage.

Le crédit correspondant aux mesures prises pourrait être distribué, dans le cadre de chaque contrat de ville aux agents de l'Etat concernés. Mais cet argent déconcentré serait envoyé au préfet (au recteur et au chef de juridiction) afin qu'une négociation avec les syndicats soit menée sur la manière d'affecter le crédit aux agents. Le négociateur n'aurait qu'un mandat : «le crédit ne peut être réparti de manière égale». Beaucoup d'agents expriment en effet la lassitude d'être traités également, qu'ils «se défoncent» ou qu'ils se laissent vivre. Et si la prime récompense les premiers, les habitants le ressentiront comme un juste retour des choses et non avec le sentiment des Indiens dans leur réserve.

On dira qu'il s'agit de rompre avec beaucoup d'habitudes relatives à l'attribution des primes et à la négociation avec les syndicats tout à la fois. Mais sur ce plan aussi, les quartiers doivent avoir valeur d'exemple.

Quoiqu'il en soit cet avantage suffira-t-il à régler la question des fonctionnaires jeunes et sans expérience qui viennent dans ces quartiers au détriment d'agents plus chevronnés ? On peut en douter. Il y a là un réel besoin.

On voudrait ici suggérer deux pistes.

Le recrutement des fonctionnaires faisait jusqu'ici obstacle au recrutement local. La transformation de certains services en entités autonomes permettra de venir à un tel recrutement (tel est le cas de la poste). Pour les autres, il doit être possible de mettre à l'étude (et, éventuellement, de prévoir dans la loi évoquée page 188 de ce chapitre) la possibilité de mesures dérogatoires qui peuvent jouer soit au niveau des candidatures à l'entrée de la fonction publique soit lors des affectations. La seconde voie paraît moins difficile. Déjà une circulaire du Premier ministre du 9 avril 1991 (*Journal officiel* du 13) a encouragé la déconcentration des recrutements au niveau régional (ou interrégional) des agents des catégories B et C : la première voie est engagée. Elle nécessite cependant qu'on aille sensiblement plus loin.

La deuxième piste repose sur l'idée qu'il existe des fonctionnaires motivés, désireux d'aller servir dans un quartier, mais à qui la rumeur et la réalité font craindre de ne pouvoir «tenir le coup». Ils s'en tiennent donc au maintien dans leur affectation actuelle.

Pourquoi ne pas expérimenter des affectations à l'essai autorisées dès lors que l'agent aurait ancienneté et expérience ? Le principe en serait celui du congé parental mentionné à l'article 54 de la loi du 11 janvier 1984 (titre II du statut général) : l'agent est affecté pour deux ans dans un site bénéficiant d'un contrat de ville dans le quartier «classé». Il conserve, au terme de ce délai le droit de revenir dans son emploi d'origine. Au delà, s'il choisit de rester, il perd ce droit mais on peut imaginer d'autres procédures (points de barème) qui lui permettront à l'issue d'un nouveau délai et s'il a réussi, d'être affecté dans un emploi au moins équivalent à l'emploi d'origine.

D - L'évaluation du contrat

L'évaluation est une notion qui a contre elle d'être « à la mode », c'est-à-dire invoquée dans les colloques et les discours des ministres. Et pourtant l'inflation ne doit pas tuer la richesse de l'objet.

Pourquoi faut-il évaluer le développement social urbain ?

Parce que la situation sociale ne tolérera pas longtemps encore des échecs ; parce que s'il y a des réussites il importe de les faire connaître pour diminuer la tension sociale. « Qui fait l'évaluation ? Pour le compte de qui ? Pour faire quoi ? » demande B. Schwartz.

A quoi, il faudrait ajouter : « Qu'évalue-t-on ? », pour faire suite aux remarques sur les moyens et les fins du chapitre II reprises ci-dessus.

On se bornera ici à quelques observations rapides.

L'évaluation ne peut se faire que pour autant que les objectifs du contrat passé sont suffisamment précis. La délégation interministérielle à la ville y a, semble-t-il, veillé pour les contrats actuels. On peut penser qu'une amélioration est possible. Mais la direction est prise. Le rapport Levy avait montré, en tout état de cause, que le développement social des quartiers, de manière générale, se prêtait bien à une analyse de ce genre [9].

L'évaluation d'un contrat ne peut se passer d'une appréciation globale portée sur l'ensemble des événements qui se sont produits dans le quartier durant son exécution. Elle doit s'efforcer de retrouver les liens qui unissent l'école et le renouveau du tissu associatif, la culture à l'emploi, etc. A ne considérer qu'un *item* après l'autre, on perd de vue la dynamique sociale qui a été créée.

Cela ne fait pas obstacle à ce qu'une évaluation plus précise soit faite de telle ou telle modalité précise : ainsi les moyens pour mobiliser les agents de l'Etat et les résultats obtenus. Mais il est nécessaire de revenir à un moment ou un autre, à l'ensemble.

Surtout, cette évaluation n'a de sens que si elle est une « évaluation participative » ; c'est-à-dire qu'elle est réalisée avec le concours de ceux qui sont censés être les bénéficiaires des actions entreprises. B Schwartz indique, avec raison, qu'il est nécessaire de faire décrire aux acteurs ce qu'ils réalisent (associations, services…) et que cette description doit être soumise aux associations de quartiers. Où l'efficacité rejoint, ici comme ailleurs, la citoyenneté…

Notes

[1]   A l'exception de celui, mentionné au chapitre II, créant le conseil natio-
      nal, le comité interministériel et la délégation interministérielle à la ville :
      n° 88-1015 du 28 octobre 1988 modifié par le décret n° 91-328 du
      29 mars 1991.

[2]   Voir ainsi l'article 2 des décrets n° 91-234 du 26 février 1991 portant
      création de la réserve naturelle de la Sangsurière et de l'Adriennerie
      (Manche); n° 91-258 du 5 mars 1991 portant création de la réserve natu-
      relle de Carlaveyron (Haute-Savoie) ; n° 91-279 du 14 mars 1991 portant
      création de la réserve naturelle de Vireux-Molhain (Ardennes); du 3 avril
      1991 portant création de la réserve naturelle du lac Luitel (Isère); etc.

[3]   Les dispositions de la loi de 1976 sont codifiées, depuis 1989, aux articles
      L. 242-1 et suivants du code rural.

[4]   Le décret de 1988 est désormais inclus dans le code rural, partie «décrets
      en Conseil d'Etat», au chapitre IV du titre IV du livre II (articles R. 244-1
      et suivants).

[5]   Ces chiffres sont conformes aux précédents des projets de loi sur la ville
      et sur les collectivités territoriales.

[6]   *Op. cit.* page 99.

[7]   V. HUGO, *Les Contemplations*, livre VI, XIX, «Voyage de nuit».

[8]   Tel chef de projet est bien dans le quartier, mais au deuxième étage de la
      mairie annexe, ce qui n'est guère propice à une «ouverture» aisée.

[9]   *Op. cit.*

Septième chapitre

Les réalisateurs

De même que l'insertion professionnelle des jeunes voici quelques années, le développement social urbain fait apparaître de nouveaux professionnels : «chargés de missions de développement social» dans les administrations – notamment territoriales – bureaux d'études, agents de la Caisse des dépôts ou des organismes bailleurs, «chefs de projet» des communes... Les politiques sociales menées avec vigueur sont souvent génératrices de nouvelles activités. L'un des aspects du développement social urbain réside donc dans les stratégies ou les conflits que fait naître la nécessité, pour ces professionnels, de se faire connaître et de se faire reconnaître (cf. DESS de gestion de développement social dans certaines universités).

On n'entrera pas ici dans ces considérations, sauf à rappeler leur poids. On se contentera d'indiquer quelques exigences qui doivent s'appliquer à l'exercice de ces métiers.

L'équipe locale

A - Du chef de projet au délégué de quartier

La complexité des procédures a défini largement le cadre où évolue aujourd'hui le chef de projet et ce, de deux manières.

Il a été souvent recruté en raison de la maîtrise, réelle ou supposée, qu'il pourrait avoir de cette complexité. Par conséquent, la mairie, qui l'a recruté, a toujours privilégié la compétence technique ; autrement dit, à la logique «domestique» qui mettrait l'accent sur la connaissance du quartier, la proximité, le réseau relationnel, on a préféré la logique «industrielle» : inventaire des tâches à faire, recherche d'un «profil» apte à les remplir (pour reprendre ici une distinction de Jean-François Germe). Le chef de projet a donc, vis-à-vis des quartiers,

une distance que lui confèrent une formation, une origine distincte et son appartenance à « l'appareil » municipal.

Outre son recrutement, la complexité des procédures conditionnent aussi son
rôle, par conséquent son emploi du temps. On ne reviendra pas sur la situation
décrite au chapitre II : le chef de projet est homme de rouages, de dossiers bloqués
ou débloqués, de négociations. On entend parfois dire que son rôle a changé entre
les premiers contrats de quartiers (de la période 1984-1989) et les conventions
actuelles : il a subi les conséquences du processus de banalisation, donc de
« bureaucratisation » du système.

Dans la réalité, au delà de ces deux caractères naturellement forts, la variété
domine.

Quant au recrutement d'abord. L'origine des chefs de projet est variable et
l'on a entendu sur ce point les échos les plus divers. Par exemple que les « urbanistes » d'origine sont prépondérants. On mentionne aussi des sociologues.
Fréquemment aussi des bons connaisseurs des politiques d'insertion, notamment
des jeunes.

Une chose est sûre : très peu de travailleurs sociaux (éducateurs, assistants de
services sociaux) sont devenus chefs de projet. Il y a bien là constitution de deux
légitimités distinctes autour du thème du développement du quartier, qui ne sont
pas sans recouper les deux logiques évoquées ci-avant. De même aussi que « l'économique » est en fait peu présent dans les opérations de développement social des
quartiers, de même les chefs de projet d'origine « économique » sont rares (comme
celui de Fives, à Lille).

Quant aux relations avec les services municipaux, ensuite, on rencontre deux
situations bien distinctes. Dans le premier cas, qui semble minoritaire, le chef de
projet fait partie intégrante des services municipaux : ainsi ce secrétaire général
adjoint chargé de l'urbanisme. S'il n'a pas déjà des fonctions dans ces services, il
y est pleinement intégré, avec un rang et un emploi. Dans le second, le chef de
projet a été recruté tout exprès, sur un emploi de contractuel ; il peut appartenir à
un bureau d'études ou à une association (par exemple un PACT-ARIM [1]) mais
ce n'est pas, semble-t-il, la majorité des situations. Suivant qu'on est dans un cas
ou dans l'autre, la situation du chef du projet vis-à-vis de la mairie est évidemment
très différente ; sans doute, aussi, son « image » auprès des habitants du quartier qui
connaissent un peu les rouages.

Surtout, le rattachement aux services municipaux fait perdre au chef de projet son caractère « transversal », à moins qu'il ne soit simultanément secrétaire
général (cas rarissime). Il est « habitat », ou « affaires sociales »... et cette appartenance colore évidemment les actions à mener.

Quant aux relations avec les élus, enfin. La situation dépend du contact avec les maires, de l'existence ou non d'une mission de développement social urbain au sein des services (cf. ci-dessous), de l'efficacité du travail des élus et, en particulier, des élus de quartier s'il en existe. Tous les cas de figure peuvent se présenter. Les deux extrêmes pourraient en être le chef de projet proconsul, jouant sur l'absence des élus pour tenir largement leur rôle dans un quartier déserté par la politique municipale, et menant les opérations largement à sa guise ; à l'opposé, l'élu omniprésent, tranchant de tout, faisant et défaisant le chef de projet au gré des orientations à donner. En réalité, dans la grande majorité des cas s'établit un compromis, plus ou moins bien vécu par les uns et les autres.

Que faut-il requérir d'un chef de projet ?

Faut-il d'abord lui donner la place centrale dans l'éxécution du contrat de ville ? On récuse parfois cette idée, au profit d'une autre qui rapprocherait davantage le chef de projet des services municipaux et valoriserait plutôt le travail d'une équipe [2].

Il est vrai qu'il est toujours reposant pour l'esprit un peu lointain d'imaginer quelque homme-orchestre pouvant résoudre, d'un coup de baguette devenue magique, tous les problèmes que pose l'éxécution d'une partition difficile. Cette tentation est souvent celle des hommes politiques pressés.

Au cas d'espèce cependant, on doit plaider résolument une telle conception. Non qu'on en attende en soi un miracle. Mais parce que la coordination nécessaire, dans les conditions de travail «allégées» qu'on a définies au chapitre précédent, exige que quelqu'un rassemble à la fois l'autorité et, en définitive, les intérêts du quartier.

Cette présence forte doit s'imposer autant aux habitants qu'aux élus et aux services. C'est pourquoi il est proposé, de manière pratique, de le faire recruter et nommer par l'organisme de gestion mentionné au chapitre VI ; de manière symbolique, de lui donner l'appellation de «délégué du quartier» ou «délégué de la cité» (pour : délégué dans la cité du maire, du président du conseil général ou du préfet) ou, à la rigueur, de directeur de l'organisme de gestion (sans lien, par conséquent, avec les services municipaux).

En la matière, il est nécessaire de distinguer clairement les personnes qui décident, tant du côté des responsables politiques ou administratifs que des techniciens. Le «délégué de la cité» doit avoir cette capacité. Ce qui n'implique pas la disparition de l'équipe opérationnelle, comme on le verra ci-dessous ; ce qui n'entraîne pas non plus que soit privilégiée complètement la logique «industrielle» par rapport à la logique «domestique». Ce qui exige, peut-être, une hausse des rémunérations servies en moyenne. Elle doit rester cependant modérée : le délégué de la cité n'est pas un secrétaire général, ni un chef de service.

Quel rôle joue-t-il ?

Ses fonctions doivent être variées : encore doivent-elles être équilibrées. A ce qu'on a appelé «l'ambivalence» du quartier doit faire écho l'ambivalence des actions et, par conséquent, la diversité des missions du délégué.

La première doit être l'écoute des habitants : on a indiqué sur ce point les voies à suivre. Il en résultera, à coup sûr, un emploi du temps difficile. La citoyenneté prend du temps : il convient que les réunions avec les instances consultatives aient lieu et qu'elles se prolongent d'autant plus que leur seront soumis des projets non encore bien définis. En même temps, le contact avec l'habitant de la cité ne doit pas être perdu : demander à un délégué d'être une journée par semaine au moins «sur le terrain», c'est-à-dire dans la cité à parler avec chacun, dans un logement ou dans la rue, est un minimum. Les dossiers se déléguent ; le contact, non [3].

La deuxième doit être l'impulsion et l'orientation à donner aux actions. Il n'est pas besoin d'insister sur ce point : imaginer, convaincre, mettre en forme, surveiller, rendre compte… C'est là un cas de figure classique. Mais cela suppose que le délégué sache, dans la multitude des personnes intéressées, choisir celles qui vont «porter» efficacement un projet, et les fasse travailler avec diligence. La constitution des réseaux locaux (éviter d'être submergé ; trouver le bon interlocuteur) des techniciens en urbanisme, en toxicomanie, en prestations sociales, en fiscalité… est fondamentale. Elle dépend de l'aptitude du maire, du président du conseil général et du préfet à mobiliser en faveur du délégué leurs propres services.

La troisième découle des deux autres : interlocuteur des habitants, mobilisateur des techniciens, le délégué est au centre de gravité du triangle formé par ces deux pôles et les «commanditaires», c'est-à-dire l'organisme de gestion, et notamment les élus municipaux. Il s'agit là d'une tâche difficile, voire impossible, si les dissensions sont grandes au sein de l'organisme de gestion d'une part, entre les élus d'autre part (cf. les remarques sur la «verticalité» de l'organisation communale) ; ou, du moins, si les conflits, qui peuvent porter légitimement sur le fond des choses, restent stériles et ne peuvent être dépassés. La tâche sera facilitée si, en revanche, le maire, le président du conseil général et le préfet s'efforcent de parvenir à l'accord pour transmettre à leur délégué des orientations claires. Il reviendra à chaque organisme de gestion de déterminer les modalités de passation des consignes et de comptes rendus des actions.

Naturellement, cette position n'est guère confortable. Le délégué doit disposer de suffisamment d'autorité pour être entendu des habitants, pour faire exécuter par les services et pour être regardé comme l'écho du quartier par les responsables. Il doit aussi avoir une indépendance telle qu'il n'apparaîtra pas aux habitants du quartier comme le simple porte voix des «ils» auprès d'eux, mais comme leur interprète auprès des «ils»; qu'il puisse éventuellement aussi provoquer si c'est indispensable, prévenir si c'est nuisible, les modifications dans l'exécution du contrat de ville.

Au cas où cela serait jugé nécessaire, la loi décrite au chapitre VI pourrait lui donner les garanties de cette autorité et de cette indépendance. Cette nécessité n'apparaît cependant pas évidente : la gestion politique des relations élus-administrations-habitants doit se faire localement et en souplesse.

B - L'équipe opérationnelle

Le constat qui a été fait dans le cadre de cette enquête est, de manière générale, celui d'une grande faiblesse des équipes opérationnelles. Les raisons en sont diverses : des expériences malheureuses dans la première série de contrats ont dissuadé les élus de recommencer; ou bien on n'a pas voulu constituer une équipe trop considérable face aux services municipaux; ou bien encore le chef de projet estime lui-même qu'une équipe ne lui est guère utile... Derrière cette diversité, apparaissent les tensions, évoquées au début de ce chapitre, entre légitimités qui cherchent à s'affirmer.

Ces tensions sont bien normales. Il faut s'efforcer pourtant de les dépasser. Les obstacles qui s'opposent à la constitution de cette équipe peuvent d'ailleurs être partiellement aplanis si celle-ci est un moyen de rapprocher les intérêts.

En tout état de cause, l'ampleur des difficultés interdit au délégué de rester seul. «A La Villette, fait observer cet architecte municipal, ils sont cinq cents pour s'occuper du projet. Ici, combien sommes-nous?» Il est vrai aussi que, du côté des pays étrangers qui poursuivent des politiques similaires, la faiblesse des effectifs en charge du développement étonne.

Non seulement les effectifs sont faibles mais, lorsque l'équipe existe, elle peut souffrir de plusieurs défauts : ou bien constituée au hasard l'équipe n'intègre pas de représentant d'un des acteurs du jeu local, (exemple organisme HLM); ou bien toutes les compétences rassemblées sont très voisines ou identiques (dans telle ville du Sud-Est, uniquement urbanistes et architectes).

Que faut-il rechercher?

D'abord une équipe certes, mais ramassée en nombre. On a essayé de décrire, au chapitre VI, un fonctionnement en «lieux-ressources» et en correspondants qui multiplie les acteurs, mais pas forcément les participants aux réunions. L'équipe doit être restreinte pour être efficace, pour que chacun de ses membres puisse avoir plein pouvoir du délégué et pour qu'elle soit un lieu de débats d'idées actif. Un nombre de l'ordre de quatre ou cinq personnes paraît raisonnable.

Ensuite l'équipe ne doit pas être un gouvernement de coalition. On ne doit pas chercher à y placer les représentants des institutions concernées, en particulier des financeurs. Mais il faut chercher seulement à concilier connaissance technique et compétence de terrain. Autrement dit «l'industriel» et le «domestique». En outre, on doit prévenir le risque d'organiser l'équipe en spécialités «verticales» contrairement à la politique recherchée. Le rôle de chacun est d'établir les liens entre les différents aspects de la politique de quartier (sécurité et emploi, vie familiale et culture...) : rien de plus, rien de moins [4].

Prenons quelques exemples au titre de la logique «domestique» : il n'y aurait que des avantages à intégrer dans l'équipe opérationnelle un ou deux habitants du quartier, nantis ou non de compétences techniques; ou bien un travailleur social. Au titre de la logique «industrielle», les entreprises de la ville (singulièrement les banques) pourraient se rapprocher et mettre à disposition (c'est-à-dire financer, au moins en partie) de l'équipe un jeune diplômé désireux de mettre ses compétences économiques et son enthousiasme au service du développement [5]. Il est souhaitable aussi de penser à la sortie du dispositif : on aura intérêt à avoir dans l'équipe au moins deux ou trois personnes appelées à demeurer sur place par la suite.

Enfin, comme on l'a déjà mentionné, l'équipe doit également être recrutée par l'organisme de gestion, en accord avec le délégué, éventuellement selon les modalités de détachement indiquées. Chaque membre de l'équipe doit avoir la même autorité et la même indépendance que le chef de projet, même s'il faut compter avec les appartenances d'origine des uns et des autres. Ce sera au délégué de transformer ces personnes d'origine diverse en un tout soudé et efficace.

C - Les autres institutions locales

Selon les directives qui ont été envoyées par l'échelon central, il existe aujourd'hui, dans beaucoup de sites, une «commission locale interpartenariat».

Le constat de carence est, à de rares exceptions près, manifeste.

La commission cumule les effets d'un organe lourd et encombrant (on a indiqué dans le chapitre II à quels excès pouvait conduire la volonté de réunir, de manière formelle, toutes les personnes intéressées). Egalement d'une institution redondante : on y retrouve évidemment les mêmes qui assistent aussi au «groupe opérationnel de zone», à la commission locale d'insertion, au conseil communal de prévention de la délinquance, etc. Enfin d'une concertation hypocrite, qui fait que les projets ne sont pas véritablement discutés, donc définis. Il n'y a pas débat sur des questions de fond et les commissions ne constituent guère une aide aux actuels chefs de projet. Faire ou conduire, il faut choisir.

Conduire est le rôle de l'organisme de gestion et, en particulier, du maire qui en assure la présidence. Le conseil d'administration de cet organisme devra trancher les problèmes qui se posent.

Faire est le rôle du technicien. A l'équipe et au délégué, il revient donc d'organiser les mobilisations nécessaires.

Ceci à la condition que tant dans le «conduire» que dans le» faire», on retrouve, inspirateurs et évaluateurs, les habitants du quartier. On n'y reviendra pas ici.

Si les conditions ainsi posées sont réunies, la commission locale interpartenariat n'a pas d'utilité ; il convient donc de ne plus la réunir. Il en irait autrement si aucune autre forme de débat n'était institué.

Il est en revanche un autre organisme qu'il convient d'encourager, en particulier dans les services municipaux de grandes villes et là où plusieurs opérations de développement social des quartiers sont simultanément en cours : une mission de développement social urbain, ramassée (trois ou quatre personnes) placée directement auprès du secrétaire général de mairie. Telle est, du moins, la forme dans laquelle elle existe ici ou là aujourd'hui. Son rôle est essentiel pour faciliter les contacts du ou des chef (s) de projet avec la municipalité d'une part, et les services municipaux d'autre part. En même temps, elle aide les responsables de quartier, engagés dans les procédures et les dossiers, à prendre les reculs nécessaires. Elle est donc une aide à la négociation et à la décision simultanément.

On doit se garder de suggérer des solutions qui apparaissent comme autant de rigidités. Mais, là où elle existe, la mission de développement social urbain est un enrichissement incontestable. La question se pose de savoir si elle devrait être rattachée à l'organisme de gestion de la convention. Logiquement, la réponse devrait être affirmative, puisque le problème qui se posait de la relation avec les services municipaux se doublera désormais de la difficulté d'assurer la coordination avec les actions du département. Cette perspective doit donc être encouragée. Si elle n'est pas réalisable, il peut être aussi efficace de créer, auprès du président du conseil général, une mission équivalente. Du côté de l'Etat, on a déjà précisé le rôle de coordination du sous-préfet responsable : on redira seulement ici que ce rôle est indispensable, comme dans la commune ou le département, pour amener les services déconcentrés à travailler ensemble dans le cadre d'un contrat de ville.

Les réseaux d'analyse et d'échange

A - *Au niveau régional*

Une des caractéristiques majeures des chefs de projet actuels est leur isolement ; non en deçà des limites municipales mais au delà. Lorsqu'il existe plusieurs sites DSQ en ville et une mission centrale à la mairie, il a le loisir de confronter son expérience à celle de ses homologues. Si aucune coordination n'existe, les contacts avec ces derniers sont déjà moins usuels. La situation est plus difficile encore dans les agglomérations dans lesquelles un seul quartier est en développement social. Les communications « horizontales » avec les autres sites sont très rares.

Au moins, la communication « verticale » entre les sites et la délégation interministérielle à la ville fonctionne-t-elle bien ? En ce domaine comme dans d'autres, la multiplication du nombre de sites a nui à l'efficacité. Les « anciens » songent à la période pendant laquelle des chargés de mission débarquaient du train pour débattre de questions de fond sur la réalisation du projet et affirment qu'aujourd'hui il n'en va plus de même. Nous n'avons pas vérifié la véracité de ce point. En revanche les envois d'imprimés (et, notamment, de la revue *Ensembles*) sont attendus et bien accueillis.

Si précieux soient-ils, ces envois ne sauraient tenir lieu de dialogue servant à l'analyse des expériences ou à la confrontation des projets.

C'est pourquoi il est proposé de réunir, dans chaque région, à l'initiative des professionnels du développement social urbain, une association – sous le régime de la loi de 1901 – permettant d'organiser, à la diligence de ses membres, les débats d'idées nécessaires. Ces associations pourraient être aidées financièrement par l'Etat, qui ne devrait y avoir aucun rôle de direction ou d'impulsion. Les assises régionales du développement social urbain, que le ministre de la Ville envisage de réunir, pourraient fournir à ces associations l'occasion de tenir leur réunion constitutive.

Qu'on nous comprenne bien : ces associations doivent être sans rapport direct avec quelque collectivité publique que ce soit. Par conséquent, l'échelon régional n'a ici qu'un caractère de commodité, et nullement l'aspect d'un lien institutionnel avec la collectivité qu'est la région, dont il a été dit plus haut qu'elle n'était pas le niveau politique pertinent.

La « géographie » régionale nous paraît constituer le bon territoire ; à la fois parce que le nombre de sites classés en développement social urbain dans chacune de ces étendues (dans l'hypothèse d'une réduction sensible de ce nombre) est suffisant pour autoriser des échanges nourris et une participation importante ; aussi, en raison de l'existence de tels regroupements ici ou là, à l'initiative en particulier des collectivités territoriales : ainsi dans la région Centre. Ces réseaux d'associations doivent servir aussi au décloisonnement des services et des fonctions. Ils doivent servir, en particulier, à rapprocher la perception de ceux que l'on a appelé les « professionnels du développement » et des travailleurs sociaux. Ils doivent également permettre aux agents publics, de toutes obédiences, de s'exprimer librement et « transversalement ».

C'est pourquoi, on ne doit pas considérer ces associations comme un phénomène secondaire, mais comme un instrument d'acculturation nécessaire. Leur mise en place doit donc intervenir rapidement. Cependant, comme on l'a indiqué, il n'est pas proposé pour autant de les placer sous l'égide de l'Etat. C'est aux professionnels et aux techniciens eux-mêmes de définir leurs besoins et d'y apporter les réponses appropriées, que l'on souhaite les plus ouvertes possible (on voit mal que les coordonnateurs de zones d'éducation prioritaire n'y soient point conviés) pourvu que les échanges demeurent sous le signe du contrat de ville.

Ces échanges d'expériences et ces enrichissements réciproques, fondés sur la pratique, paraissent plus nécessaires que des formations théoriques dont les responsables actuels sont tous pourvus et risquent d'être de plus en plus lestés. Tous ceux qui ont été entendus ont manifesté la nécessité en revanche d'organiser la confrontation.

B - Au niveau national

Trois fonctions doivent être remplies au niveau national.

On n'insistera guère sur la première, qui, au niveau hexagonal, doit incarner la même fonction d'échanges que celle que l'on vient de décrire au niveau régional. Elle paraît, à dire le vrai, moins primordiale qu'à l'échelle régionale. On doit craindre, en matière de politique des villes, les offices solennels qui ne conviennent guère au sujet, et dont l'utilité pratique peut être quelquefois discutée (comme la répartition du temps de parole, d'ailleurs : un correspondant, très mauvais sujet, indique que l'on y laisse soixante-quinze minutes pour les ministres et deux pour les intéressés...). Mais un sentiment ne peut être érigé en vérité absolue : le critère majeur, au fond, est de suivre ici les préoccupations des professionnels. Voilà pourquoi ces échanges nationaux ne peuvent guère être organisés que par une association regroupant autour d'elle les organismes régionaux qui viennent d'être décrits.

Une deuxième fonction réside dans ce que l'on pourrait appeler le « dépôt légal », ou, si l'on aime mieux, la « mémoire » des lieux, des personnes et des actions. Il est naturellement navrant de voir les actions des contrats passés en 1990 buter sur les mêmes difficultés que ceux de la période 1984-1989, au prix des mêmes errements et des mêmes pertes de temps. Même si, là aussi, on doit se garder des rapprochements abusifs. Cependant chacun sait qu'en matière sociale, plus encore que dans le domaine des choses, l'épaisseur historique doit être appréhendée. Il faut donc un conservatoire des expériences.

Qui doit prendre en charge cette fonction ? On peut penser spontanément à l'Etat. C'est bien là une mission d'intérêt général, qui nécessite en outre quelque impartialité, compte tenu des intérêts en cause. Plus prosaïquement, c'est là le rôle qu'a déjà largement commencé de jouer la délégation interministérielle à la ville et au développement social urbain : des habitudes ont été prises, qu'on ne bouleverse pas sans motifs.

Il paraît cependant souhaitable que les acteurs professionnels, regroupés au sein de leur association nationale, jouent ce rôle. Pour une raison de principe d'abord, qui se nomme « subsidiarité » : pourquoi faire jouer à l'Etat un rôle que d'autres peuvent remplir ? Pour une raison pratique et plus décisive aussi : la mémoire doit être celle des agents publics mais aussi des militants associatifs, des salariés d'activités privés, des élus… La forme associative est la plus à même de les accueillir tous. Pour ce rôle, l'association pourrait d'ailleurs vraisemblablement prétendre au statut de fondation défini à l'article 18 de la loi n° 87-571 du 23 juillet 1987.

Enfin la dernière fonction est celle de l'évaluation, au niveau national, d'actions menées dans le domaine du développement social urbain, en relais, en quelque sorte, avec l'évaluation locale dont on a dit toute l'importance.

Comme dans la fonction précédente, il y a matière à hésitation sur l'organisme le mieux à même de conduire une telle évaluation. Il paraît opportun d'en confier la responsabilité au Parlement, si du moins il s'entoure des avis techniques compétents. Et ce, pour trois raisons : d'une part, on le sait, le Parlement a déjà une expérience en la matière, qui est celle de l'office parlementaire d'évaluation des choix scientifiques et technologiques, créé par la loi n° 83-609 du 8 juillet 1983. D'autre part, on a déjà eu l'occasion de dire que la question des cités était aujourd'hui suffisamment délicate pour que la représentation nationale ait à s'en saisir. Enfin l'évaluation des politiques publiques ne peut-être faite par la seule administration de l'Etat. Il est toutefois souhaitable qu'au contraire des dispositions de l'alinéa VII de l'artice 6 ter de l'ordonnance du 17 novembre 1958, qui régit le fonctionnement de l'office existant, la publicité de l'évaluation soit la règle et la confidentialité l'exception, en matière d'évaluation de politique de développement social urbain.

C - L'Etat central

Quelques observations très lapidaires sur la conduite politique et administrative de la politique de développement social urbain.

Il n'est pas opportun ici de juger de l'intérêt de la création, au sein de la structure gouvernementale, d'un ministère de la Ville. Le recul manque encore pour en apprécier l'efficacité sur le poids des choses. Ce n'est sûrement pas, en tout état de cause, à l'aune des débordements de violence qu'elle pourra être mesurée.

On l'a dit : la création du ministère et, au surplus, la désignation de son titulaire, ont redonné l'espoir à un milieu porté, en 1990, au découragement. Elles ont mis fin à une anomalie : une direction d'administration centrale (la délégation interministérielle à la ville) privée de «tête» politique effective alors qu'elle est sans cesse en relations avec des élus. Surtout elles laissent espérer le même effort de coordination au niveau central que celui qui a été demandé aux sous-préfets «coordonnateurs» au niveau départemental.

Le risque de ce ministère est double :

– d'une part, sur le fond, de n'apparaître, que comme le ministère de «400» (ou 150) cités; or celles-ci n'ont de sens, comme on l'a vu, que rapportées à leurs villes, à la ville; par conséquent, le ministère de la Ville doit avoir des ambitions qui correspondent à son appellation; faute de quoi on «marquera» encore les quartiers visés.

– d'autre part, en termes de gestion administrative, de devenir un ministère comme les autres avec sa propre administration, sans pouvoir de détermination sur les choix des autres ministères.

Une telle dérive est assez classique : des ministères «horizontaux» essayent de faire prendre en considération leurs préoccupations aux administrations «classiques». Ne pouvant y parvenir assez de leur point de vue, ils tentent de secréter leurs propres structures. On le voit bien avec l'évolution du ministère de l'Environnement.

De ces observations qui rejoignent celles du chapitre II, on peut tirer deux conséquences.

La première est que le ministère de la Ville ne peut exister qu'à la condition que son titulaire soit dans une situation politique telle qu'il soit fortement soutenu par les plus hautes autorités de l'Etat, et puisse faire prévaloir son point de vue devant ses collègues du gouvernement.

En termes plus triviaux, il est nécessaire, s'agissant du développement social urbain, que les décisions des ministères soient en état de suivre les directives du ministre de la Ville, même lorsqu'elles ne sont pas conformes aux manières de faire ou de voir des ministres sous l'autorité desquels sont placés ces directions. Tel est bien le cas avec le premier titulaire des fonctions du ministre de la Ville. Il faut qu'il en aille toujours ainsi.

La seconde est relative à la délégation interministérielle à la Ville. Plus elle grossira, plus elle apparaîtra autonome et plus elle perdra en influence et en pouvoirs auprès des autres ministères. On doit admettre qu'elle a atteint largement, voire dépassé, le plafond de ce que devrait être ses effectifs. Sa configuration idéale devrait être de quinze fonctionnaires au maximum, de très haut niveau (capables d'être entendus des préfets), fonctionnant comme des représentants en mission (modèle Saint-Just plutôt que modèle Carrier) c'est-à-dire :

– donnant les impulsions et les coordinations nécessaires là où les services ne fonctionnent pas avec assez d'efficacité ;

– apportant, à la demande de l'organisme de gestion ou des collectivités territoriales, les consultations nécessaires ;

– fournissant au ministre les résultats et les évaluations dont il pourrait avoir besoin.

On a indiqué précédemment où devait siéger la « mémoire » de la politique de développement social urbain.

Enfin, on évoquera de manière plus lapidaire encore, le conseil national des villes, dont le gouvernement a cru bon de devoir élargir le nombre de membres au mois de mars 1991. Il est sûrement nécessaire que la composition de cette instance tienne compte de la part prise par les habitants dans les décisions prises au niveau local, surtout si, comme on l'a souhaité, des conseils élus sont installés dans le cadre des contrats des villes. Il serait alors opportun, sans augmenter le nombre des membres du conseil, de faire la place à un nouveau collège, regroupant des représentants des conseils locaux.

Notes

[1] ARIM : Association de restauration immobilière; PACT : Propagande et action contre les taudis. Les PACT-ARIM sont des associations implantées dans les départements dont la mission est d'aider le public, notamment défavorisé, pour l'amélioration des logements du parc ancien privé.

[2] Voir ACADIE. «Le développement social urbain : un nouveau champ professionnel? Bilan de la bourse d'aide au recrutement des chefs de projet. » février 1991, ronéogr., 8 pages.

[3] Encore faut-il que ce soit avec tous. Le chef de projet d'un quartier d'une grande ville a des contacts de nature technique avec une «élite» d'habitants formée, vaille que vaille, aux problèmes d'urbanisme ou d'habitat. Mais les associations de locataires l'ignorent.

[4] Ou, à tout le moins, est-il souhaitable que chaque membre de l'équipe «porte» un projet aussi protéiforme que possible. Voici un exemple d'équipe dans une ville de l'Est : la coordonnatrice ZEP, le responsable «enfance et petite enfance», le coordonnateur jeunesse, la directrice de la régie de quartier, le directeur du centre socio-culturel, le correspondant du DSQ dans l'équipe des travailleurs sociaux, les responsables HLM du quartier, le secrétaire général adjoint de la mairie en charge de l'éducation, le sociologue de l'agence d'urbanisme, soit neuf personnes en sus du chef de projet.

[5] Proposition inspirée de la réalité américaine; des jeunes gens issus des universités trouvent à s'employer pendant deux ou trois ans dans les équipes chargées de la réhabilitation urbaine.

Conclusion

Ce n'est pas sans péril que l'on traite de la politique des villes. Ou plutôt de celle dite de développement social urbain. C'est-à-dire des quartiers. Si elle veut être efficace, elle doit aborder toutes les difficultés. Celles-ci ne manquent pas : dans l'habitat ou l'emploi ; à l'école ou au supermarché ; dans l'organisation des transports ; dans l'exercice de la démocratie locale... Parler des cités, c'est aborder ces difficultés et esquisser des solutions, au risque d'être taxé de touche-à-tout. Et l'on disserte rarement bien de tout, les spécialistes ne manqueront pas de s'en apercevoir ici.

C'est pourtant un plus grand risque encore de parler des cités, c'est-à-dire des déshérités. Pendant longtemps, les personnes âgées ont incarné la pauvreté ; on a appris à les connaître progressivement. Leur condition a été décrite en termes savants et judicieux. Mais, depuis quinze ans, la pauvreté a pris un coup de jeune. On la connaît encore bien mal sous son nouveau visage. D'ailleurs, si les cités étaient mieux connues, on n'oserait pas en parler comme il est fait parfois. Avec la certitude tranquille des faux savants qui fait oublier que, dans les quartiers, on regarde aussi la télévision.

En dépit de ces obstacles, on s'est efforcé de définir une stratégie claire : des quartiers populaires, d'où il est loisible de sortir ; hauts lieux de l'innovation urbaine, sociale et économique, étendue ensuite aux autres parties de la ville. Les quartiers ne sont pas le boulet qu'on traîne ; mais le ferment des nouveautés urbaines.

Ces objectifs ne seront pas atteints, s'il n'est pas remédié aux désordres des politiques. Ce livre a formulé des propositions à cette fin. Sans l'avoir nécessairement voulu, il a fait coïncider ces propositions avec d'autres observations formulées, jadis ou naguère, dans d'autres rapports. En dépit des avertissements, en dépit des tensions, trop vite oubliées dès que la fièvre est tombée, ces observations sont restées lettre morte.

Pourquoi ?

La responsabilité de la puissance publique dans l'enchaînement des événements qui a conduit à la situation actuelle est très grande. Ce sont des décisions publiques, ou para-publiques, qui, pierre à pierre en quelque sorte, ont construit l'édifice social qui est si lézardé aujourd'hui : de la création des zones à urbaniser en priorité à l'attribution des logements.

Ces instruments qui ont abouti au mal que l'on connaît peuvent, réciproquement, servir à faire le bien. Ils feront que la ville française ne deviendra pas comme on le dit trop facilement, une manière de ville américaine.

Encore faut-il utiliser énergiquement ces instruments. Il est certes, des difficultés sociales aussi aiguë que celles des quartiers. Il n'en est pas sur lesquelles la puissance publique dispose d'autant de leviers d'intervention. C'est pourquoi, il en est peu dans lesquelles la crédibilité de l'Etat et des communes soit autant engagée. Là est l'originalité du mal et ce qui en fait, sans doute, l'urgence.

Car l'intervention des collectivités publiques (et, bien entendu, du secteur privé) ne transformera pas, d'un claquement de doigts, ce qu'un humoriste, sans doute, a baptisé « grands ensemble » en exquises places villageoises. L'enjeu est de réussir une politique de « territoire ». Raison de plus pour ne pas perdre de temps, et marier l'inévitable tempo du changement des choses à l'impatience juvénile des personnes. Apollinaire écrit :

Comme la vie est lente

Et comme l'espérance est violente.

AVEC LES FILMS FOURNIS
CET OUVRAGE A ÉTÉ

ACHEVÉ D'IMPRIMER   EN JUILLET 1991
SUR LES PRESSES   DE L'IMPRIMERIE
LIENHART & Cⁱᵉ A   AUBENAS D'ARDÈCHE

DÉPÔT LÉGAL : Juillet 1991

N° 5188. Imprimé en France

N° d'éditeur 780